LE GRAND LIVRE
DE LA CUISINE DE
POL MARTIN

LE GRAND LIVRE
DE LA CUISINE DE
POL MARTIN

BRIMAR

*L'auteur tient à remercier vivement Josée Dugas
pour son inestimable collaboration.*

Design graphique
Robert Doutre pour Graphus

Photographies
Studio Pol Martin (Ontario) Limitée

ÉDITIONS BRIMAR INC.

Dépôt légal: Deuxième trimestre 1987
Bibliothèque nationale du Québec
Bibliothèque nationale du Canada

ISBN: 2-920845-11-X

Imprimé au Canada

TABLE DES MATIÈRES

Haricots et champignons au citron *(pour 4 personnes)*

750 g	(1½ livre) de haricots verts, parés et lavés
30 ml	(2 c. à soupe) de beurre
250 g	(½ livre) de champignons frais, nettoyés et émincés
	zeste et jus de 1 citron
	sel et poivre

Mettre les haricots dans l'eau bouillante salée et cuire 10 minutes.

Placer la casserole sous l'eau froide. Égoutter les haricots et mettre de côté.

Faire chauffer le beurre dans une sauteuse. Ajouter les champignons et cuire 2 à 3 minutes à feu vif. Ne pas remuer.

Saler, poivrer généreusement et bien mélanger. Continuer la cuisson pendant 2 minutes.

Ajouter les haricots, le zeste et le jus de citron; couvrir et faire cuire 3 minutes.

Servir.

1 PORTION	129 CALORIES	16 g GLUCIDES
5 g PROTÉINES	5 g LIPIDES	2,2 g FIBRES

Purée de pommes de terre *(pour 4 personnes)*

4	grosses pommes de terre, cuites avec la peau
50 ml	(¼ tasse) de sauce tomate épicée commerciale, chaude
15 ml	(1 c. à soupe) de beurre
30 ml	(2 c. à soupe) de crème à 35 %
	une pincée de muscade
	sel et poivre

Peler les pommes de terre et les passer dans un passe-légumes pour obtenir une purée. Mettre la purée dans un bol de service.

Ajouter la sauce tomate et le beurre; bien incorporer.

Ajouter la crème et le reste des ingrédients; bien mélanger. Rectifier l'assaisonnement. Servir.

Légumes d'hiver variés *(pour 4 personnes)*

30 ml	(2 c. à soupe) d'huile végétale
1	oignon haché
2	carottes, pelées et émincées
1	courgette, coupée en rondelles de 0,65 cm (¼ po)
2	brocolis tranchés
1	gousse d'ail, écrasée et hachée
45 ml	(3 c. à soupe) de sauce soya
	jus de citron
	sel et poivre

Faire chauffer l'huile dans un wok ou une grande poêle à frire. Ajouter les oignons et les carottes; bien assaisonner. Couvrir et cuire 4 minutes à feu vif. Remuer occasionnellement.

Ajouter le reste des légumes et l'ail; continuer la cuisson 8 à 10 minutes.

Incorporer la sauce soya. Arroser de jus de citron. Servir immédiatement.

1 PORTION	115 CALORIES	10 g GLUCIDES
3 g PROTÉINES	7 g LIPIDES	1,4 g FIBRES

Okras sautés   *(pour 4 personnes)*

250 g	(½ livre) d'okras entiers congelés
15 ml	(1 c. à soupe) de beurre
5 ml	(1 c. à thé) de persil frais haché
30 ml	(2 c. à soupe) de pignons (noix de pins)
	quelques gouttes de jus de citron
	sel et poivre

Verser 250 ml (1 tasse) d'eau dans une casserole. Saler et amener à ébullition. Ajouter les okras; couvrir et faire cuire 10 minutes.

Dès que les okras sont cuits, les placer sous l'eau froide. Bien égoutter.

Faire chauffer le beurre dans une poêle à frire. Ajouter les okras et le persil; mélanger et ajouter les pignons. Faire cuire 2 minutes à feu moyen. Saler, poivrer.

Arroser de jus de citron et servir.

Poireaux au four *(pour 4 personnes)*

8	poireaux, coupés en quatre et lavés*
15 ml	(1c. à soupe) de jus de citron
500 ml	(2 tasses) de sauce blanche légère, chaude**
1 ml	(¼ c. à thé) de muscade
75 ml	(⅓ tasse) de fromage gruyère râpé
	une pincée de paprika
	sel et poivre

Préchauffer le four à 180°C (350°F).

Mettre les poireaux dans 500 ml (2 tasses) d'eau bouillante salée. Ajouter le jus de citron; faire cuire 16 minutes à feu moyen.

Égoutter les poireaux et les transférer dans un plat à gratin beurré.

Saler, poivrer généreusement. Ajouter la sauce blanche. Saupoudrer de muscade et parsemer de fromage râpé. Ajouter une pincée de paprika; faire cuire 20 minutes au four.

* Voir technique page suivante.
** Voir Sauce blanche légère, page 14.

1 PORTION	204 CALORIES	16 g GLUCIDES
8 g PROTÉINES	12 g LIPIDES	0,7 g FIBRES

TECHNIQUE: POIREAUX AU FOUR

1 Couper les poireaux en quatre, sur la longueur, en partant de 2,5 cm (1 po) de la base. Bien laver dans l'eau froide.

2 Placer les poireaux dans 500 ml (2 tasses) d'eau bouillante salée. Ajouter le jus de citron; faire cuire 16 minutes à feu moyen.

3 Égoutter les poireaux et les transférer dans un plat à gratin beurré.

4 Saler, poivrer et ajouter la sauce blanche. Saupoudrer de muscade.

Voir page suivante.

5 Ajouter le fromage et le paprika.

6 Faire cuire 20 minutes au four.

Sauce blanche légère

500 ml	(2 tasses) de lait
30 ml	(2 c. à soupe) de beurre
40 ml	(2½ c. à soupe) de farine
	sel et poivre blanc

Verser le lait dans une casserole et amener au point d'ébullition. Retirer du feu et mettre de côté.

Faire chauffer le beurre dans une autre casserole. Ajouter la farine; mélanger et faire cuire 2 minutes à feu doux.

Incorporer le lait graduellement tout en remuant constamment. Bien assaisonner et continuer la cuisson 10 minutes à feu doux. Remuer fréquemment.

1 PORTION   73 CALORIES   5 g GLUCIDES
2 g PROTÉINES   5 g LIPIDES   0 g FIBRES

Asperges au beurre *(pour 4 personnes)*

2	bottes d'asperges fraîches, nettoyées et lavées
50 ml	(¼ tasse) de beurre clarifié fondu
2	œufs durs, hachés
	jus de citron
	persil frais haché
	sel

Placer les asperges dans une casserole contenant de l'eau bouillante salée. Arroser de quelques gouttes de citron et faire cuire 7 à 8 minutes à feu vif.

Piquer le pied de l'asperge pour vérifier la cuisson. Le pied doit être tendre. Bien égoutter.

Disposer les asperges sur un plat de service et arroser de beurre fondu et de jus de citron. Saler.

Garnir d'œufs hachés et de persil. Servir.

1 PORTION	196 CALORIES	7 g GLUCIDES
6 g PROTÉINES	16 g LIPIDES	0,7 g FIBRES

15

Asperges au parmesan *(pour 4 personnes)*

1,2 L	(5 tasses) d'eau froide
2	grosses bottes d'asperges fraîches, nettoyées et lavées
50 ml	(¼ tasse) de fromage parmesan râpé
375 ml	(1½ tasse) de sauce blanche légère, chaude*
1 ml	(¼ c. à thé) de muscade
	jus de 1 citron
	paprika
	sel et poivre blanc

Préchauffer le four à 190°C (375°F).

Verser l'eau dans un plat à rôtir. Ajouter le jus de citron et saler. Amener à ébullition sur l'élément de la cuisinière.

Ajouter les asperges; faire cuire 8 à 10 minutes à feu moyen.

Dès que les asperges sont cuites, les égoutter et les mettre dans un plat à gratin.

Incorporer la moitié du fromage à la sauce blanche. Ajouter la muscade et verser la sauce sur les asperges. Parsemer du reste de fromage et saupoudrer de paprika.

Faire cuire 7 à 8 minutes au four. Rectifier l'assaisonnement. Servir.

* Voir Sauce blanche légère, page 14.

1 PORTION	173 CALORIES	15 g GLUCIDES
8 g PROTÉINES	9 g LIPIDES	0,7 g FIBRES

Pommes de terre et poireaux sautés *(pour 4 personnes)*

30 ml	(2 c. à soupe) de beurre
2	poireaux, le blanc seulement, lavé et émincé
4	grosses pommes de terre cuites avec la peau
1 ml	(¼ c. à thé) de graines de céleri
	persil frais haché
	sel et poivre

Faire fondre le beurre dans une poêle à frire. Ajouter les poireaux; couvrir et cuire 8 à 10 minutes à feu doux.

Peler les pommes de terre et les couper en tranches épaisses. Mettre les pommes de terre dans la poêle à frire. Saler, poivrer et saupoudrer de graines de céleri. Bien mélanger et cuire, sans couvrir, 7 à 8 minutes à feu moyen.

Parsemer de persil et servir immédiatement.

1 PORTION	202 CALORIES	33 g GLUCIDES
4 g PROTÉINES	6 g LIPIDES	1,1 g FIBRES

Artichauts vinaigrette *(pour 4 personnes)*

4	artichauts frais, lavés
4	tranches de citron
1	échalote sèche, finement hachée
15 ml	(1 c. à soupe) de moutarde de Dijon
1 ml	(¼ c. à thé) de thym
30 ml	(2 c. à soupe) de vinaigre de vin blanc aux framboises
75 ml	(5 c. à soupe) d'huile d'olive
15 ml	(1c. à soupe) de persil frais haché
	jus de citron
	sel et poivre

Retirer le pied et les feuilles dures qui entourent la base de l'artichaut. Couvrir la base de l'artichaut d'une tranche de citron. Ficeler le tout.

Faire bouillir de l'eau dans une grande casserole. Ajouter le jus de citron et saler. Plonger les artichauts dans l'eau bouillante; faire cuire de 35 à 40 minutes.

Dès que les artichauts sont cuits, les refroidir sous l'eau froide. Bien égoutter et mettre de côté.

Mettre les échalotes, la moutarde, le thym et le vinaigre dans un petit bol. Saler, poivrer et bien mélanger au fouet.

Ajouter l'huile en filet tout en mélangeant constamment au fouet. Rectifier l'assaisonnement.

Parsemer de persil et mettre de côté.

Séparer les feuilles de l'artichaut et les disposer sur un plat de service.

Retirer le cœur de l'artichaut. À l'aide d'un couteau à légumes retirer le foin qui l'entoure et le jeter. Ne pas manger le foin!

Placer le cœur à côté des feuilles. Servir avec la vinaigrette.

1 PORTION	214 CALORIES	10 g GLUCIDES
3 g PROTÉINES	18 g LIPIDES	2,4 g FIBRES

TECHNIQUE: ARTICHAUTS VINAIGRETTE

1 Retirer le pied et les feuilles dures qui entourent la base de l'artichaut.

2 Couvrir la base de l'artichaut d'une tranche de citron.

3 Ficeler le tout pour tenir le citron et les feuilles en place pendant la cuisson.

4 Plonger les artichauts dans une grande casserole contenant de l'eau bouillante salée et citronnée. Faire cuire de 35 à 40 minutes.

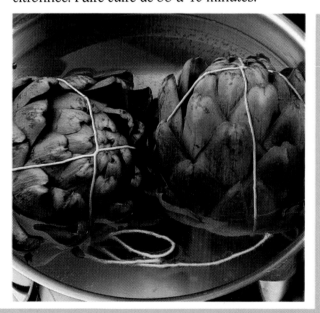

Voir page suivante.

5 Pour servir: séparer les feuilles de l'artichaut et les disposer sur un plat de service. Retirer le cœur de la base.

6 À l'aide d'un couteau à légumes retirer le foin qui recouvre le cœur. Ne pas manger ce foin!

Sauce blanche au fromage

60 ml	(4 c. à soupe) de beurre
60 ml	(4 c. à soupe) de farine
625 ml	(2½ tasses) de lait chaud
1 ml	(¼ c. à thé) de muscade
125 ml	(½ tasse) de fromage cheddar râpé
50 ml	(¼ tasse) de fromage mozzarella râpé
	sel et poivre blanc

Faire chauffer le beurre dans une casserole. Ajouter la farine; mélanger et faire cuire 1 minute à feu doux.

Ajouter la moitié du lait et remuer; continuer la cuisson de 3 à 4 minutes à feu doux.

Incorporer le reste du lait et les épices; faire cuire 10 minutes à feu doux.

Incorporer les deux fromages; remuer et cuire 3 à 4 minutes à feu doux.

Cette sauce accompagne bien une grande variété de légumes.

1 PORTION	199 CALORIES	9 g GLUCIDES
7 g PROTÉINES	15 g LIPIDES	0 g FIBRES

Épinards à la crème et au fromage fondu

(pour 4 personnes)

4	paquets d'épinards frais, lavés et asséchés
500 ml	(2 tasses) de sauce blanche*
75 ml	(⅓ tasse) de fromage gruyère râpé
	beurre
	paprika
	sel et poivre

Mettre les épinards dans l'eau bouillante salée; poivrer. Couvrir et faire cuire 3 minutes.

Faire refroidir les épinards sous l'eau froide. Égoutter et presser les feuilles pour bien les essorer. Hacher le tout.

Beurrer un plat à gratin et y mettre les épinards. Ajouter quelques petits morceaux de beurre. Saler, poivrer et saupoudrer de paprika.

Verser la sauce blanche sur les épinards et parsemer le tout de fromage. Faire griller au four (broil) pendant 10 minutes.

Servir chaud.

* Voir Sauce blanche, page 23.

Voir technique page suivante.

1 PORTION	275 CALORIES	16 g GLUCIDES
10 g PROTÉINES	19 g LIPIDES	0,5 g FIBRES

TECHNIQUE: ÉPINARDS À LA CRÈME

1 Mettre les épinards dans l'eau bouillante salée; poivrer. Couvrir et faire cuire 3 minutes.

2 Faire refroidir les épinards sous l'eau froide. Bien égoutter et presser les feuilles pour les essorer. La meilleure façon consiste à former des boules et à presser pour en extraire l'excès d'eau.

3 Hacher les épinards.

4 Beurrer un plat à gratin et y mettre les épinards. Ajouter quelques petits morceaux de beurre. Saler, poivrer et saupoudrer de paprika.

5 Verser la sauce blanche sur les épinards.

6 Parsemer de fromage. Faire griller au four pendant 10 minutes.

Sauce blanche

60 ml	(4 c. à soupe) de beurre
60 ml	(4 c. à soupe) de farine
625 ml	(2½ tasses) de lait chaud
	une pincée de muscade
	sel et poivre blanc

Faire fondre le beurre dans une casserole. Ajouter la farine; mélanger et faire cuire 1 minute à feu moyen.

Incorporer la moitié du lait chaud au fouet.

Ajouter le reste du lait et la muscade. Saler, poivrer et bien remuer. Amener la sauce à ébullition; faire cuire 10 à 12 minutes à feu doux. Remuer fréquemment.

Retirer la casserole du feu et mettre de côté.

1 PORTION	181 CALORIES	11 g GLUCIDES
5 g PROTÉINES	13 g LIPIDES	0 g FIBRES

Fèves de Lima et courgettes

500 ml	(2 tasses) d'eau
500 ml	(2 tasses) de fèves de Lima fraîches
1	courgette, coupée en dés
15 ml	(1 c. à soupe) de beurre
15 ml	(1 c. à soupe) d'oignons verts hachés
15 ml	(1 c. à soupe) de zeste de citron
	quelques gouttes de jus de citron
	sel et poivre

Verser l'eau dans une casserole. Ajouter le jus de citron, saler et amener à ébullition.

Ajouter les fèves et faire cuire 3 minutes à feu moyen.

Ajouter les courgettes; continuer la cuisson pendant 3 minutes.

Égoutter les légumes et refroidir sous l'eau froide.

Égoutter les légumes de nouveau et les remettre dans la casserole. Ajouter le beurre, les oignons verts et le zeste de citron. Saler, poivrer; mélanger et faire cuire 2 minutes.

1 PORTION	87 CALORIES	14 g GLUCIDES
1 g PROTÉINES	3 g LIPIDES	0 g FIBRES

Pommes de terre château *(pour 4 personnes)*

5	pommes de terre cuites, en purée
30 ml	(2 c. à soupe) de beurre mou
2	jaunes d'œufs
50 ml	(¼ tasse) de lait chaud
30 ml	(2 c. à soupe) de crème à 35 %
1 ml	(¼ c. à thé) de muscade
	sel et poivre

Préchauffer le four à 200°C (400°F).

Beurrer et enfariner une plaque à biscuits; mettre de côté.

Incorporer le beurre aux pommes de terre et bien mélanger. Ajouter le reste des ingrédients; bien mêler. Rectifier l'assaisonnement.

Mettre le mélange dans un sac à pâtisserie muni d'une douille étoilée. Sur la plaque à biscuits, former des petits «châteaux» de 4 cm (1 ½ po) de hauteur.

Faire cuire 15 minutes au four ou jusqu'à ce qu'ils brunissent.

Servir avec un rôti ou des entrecôtes.

1 PORTION	199 CALORIES	20 g GLUCIDES
5 g PROTÉINES	11 g LIPIDES	0,6 g FIBRES

Pommes de terre au gratin   *(pour 4 personnes)*

55 ml	(3½ c. à soupe) de beurre
1	oignon, finement haché
40 ml	(2½ c. à soupe) de farine
500 ml	(2 tasses) de lait chaud
50 ml	(¼ tasse) de crème à 35 %
1 ml	(¼ c. à thé) de muscade
1 ml	(¼ c. à thé) de thym
1 ml	(¼ c. à thé) de basilic
4	pommes de terre de grosseur moyenne, pelées et émincées
	sel et poivre

Préchauffer le four à 190°C (375°F).

Beurrer un plat à gratin et le mettre de côté.

Faire chauffer le reste du beurre dans une casserole. Ajouter les oignons; couvrir et faire cuire 3 à 4 minutes à feu moyen.

Ajouter la farine et bien mélanger; cuire à feu doux, sans couvrir, pendant 1 minute.

Ajouter la moitié du lait et bien incorporer. Ajouter le reste du lait, la crème et les épices; bien remuer. Faire cuire 10 minutes, sans couvrir, à feu doux.

Disposer la moitié des pommes de terre dans le plat à gratin. Recouvrir de la moitié de la sauce.

Répéter la même opération une seconde fois. Saler, poivrer. Couvrir d'un papier d'aluminium. Faire cuire 40 à 45 minutes au four.

Retirer le papier et continuer la cuisson pendant 15 minutes.

Si désiré: parsemer de persil haché avant de servir.

1 PORTION	264 CALORIES	27 g GLUCIDES
3 g PROTÉINES	16 g LIPIDES	0,8 g FIBRES

Chou-fleur à la sauce fromage *(pour 4 à 6 personnes)*

50 ml	(¼ tasse) de lait
1	tête de chou-fleur
1	recette de sauce blanche au fromage*
	sel et poivre blanc

Remplir une grande casserole à moitié d'eau froide. Ajouter le lait et saler. Amener à ébullition.

Entre-temps, retirer les feuilles vertes du chou-fleur. Couper la base.

Placer le chou-fleur entier, à l'envers, dans l'eau bouillante; couvrir et faire cuire 8 minutes.

Retirer et bien égoutter.

Mettre le chou-fleur dans un plat de service et verser une petite quantité de sauce au fromage. Servir le reste de la sauce en portions individuelles.

* Voir Sauce blanche au fromage, page 20.

1 PORTION	256 CALORIES	17 g GLUCIDES
11 g PROTÉINES	16 g LIPIDES	1,3 g FIBRES

Pommes de terre O'Brien *(pour 4 personnes)*

3	tranches de bacon, coupées en dés
4	pommes de terre, pelées et coupées en dés
1	oignon, coupé en dés
15 ml	(1 c. à soupe) de persil frais haché
	sel et poivre

Faire cuire le bacon dans une poêle à frire 3 à 4 minutes à feu moyen.

Retirer le bacon avec une cuiller à trous et mettre de côté.

Mettre les pommes de terre dans le gras de bacon chaud; saler, poivrer. Couvrir partiellement et faire cuire 6 à 7 minutes à feu moyen-vif. Remuer occasionnellement.

Ajouter les oignons et le bacon; faire cuire, sans couvrir, 3 à 4 minutes à feu moyen-vif.

Parsemer de persil. Servir.

1 PORTION	151 CALORIES	23 g GLUCIDES
8 g PROTÉINES	3 g LIPIDES	0,6 g FIBRES

Pelures de pomme de terre au four *(pour 4 personnes)*

4	pommes de terre cuites au four
125 ml	(½ tasse) de fromage cheddar râpé
125 ml	(½ tasse) de fromage gruyère râpé
4	tranches de bacon cuit et coupé en dés
	une pincée de paprika
	sel et poivre

Trancher les pommes de terre en deux sur la longueur. Retirer les ¾ de la pulpe et la mettre de côté pour d'autres recettes.

Déposer les pelures sur une plaque à biscuits. Mettre au four à 10 cm (4 po) de l'élément supérieur. Griller pendant 8 minutes.

Retirer les pelures du four et les parsemer de fromage. Saler, poivrer généreusement. Ajouter le bacon et le paprika. Faire griller au four 4 à 5 minutes.

Servir chaud, avec de la crème sure si désiré.

1 PORTION	273 CALORIES	22 g GLUCIDES
17 g PROTÉINES	13 g LIPIDES	0,5 g FIBRES

Légumes sautés *(pour 4 personnes)*

30 ml	(2 c. à soupe) d'huile végétale
1,2 kg	(2½ livres) de brocolis
3	oignons verts, émincés
1	branche de céleri, émincée
2	carottes pelées et émincées
6	champignons frais, nettoyés et coupés en deux
½	piment vert, coupé en gros cubes
½	courgette, coupée en deux sur la longueur et émincée
5	châtaignes d'eau, émincées
1	gousse d'ail, écrasée et hachée
5 ml	(1 c. à thé) de gingembre frais haché
	sel et poivre

Faire chauffer l'huile dans un wok ou une poêle à frire.

Séparer le brocoli en fleurettes. Couper le pied en deux et le trancher.

Mettre le brocoli et les oignons verts dans l'huile chaude; faire sauter 2 minutes à feu moyen-vif.

Ajouter le céleri et les carottes; faire sauter 2 à 3 minutes.

Saler, poivrer et ajouter le reste des ingrédients. Continuer la cuisson 6 à 7 minutes.

Servir immédiatement.

1 PORTION	208 CALORIES	23 g GLUCIDES
11 g PROTÉINES	8 g LIPIDES	4,8 g FIBRES

Champignons à la provençale   *(pour 4 personnes)*

30 ml	(2 c. à soupe) de beurre
5 ml	(1 c. à thé) d'huile végétale
500 g	(1 livre) de champignons frais, nettoyés et coupés en tranches de 0,65 cm (¼ po) d'épaisseur
15 ml	(1 c. à soupe) de ciboulette fraîche hachée
5 ml	(1 c. à thé) de persil frais haché
2	gousses d'ail, écrasées et hachées
	jus de ¼ de citron
	sel et poivre

Faire chauffer le beurre et l'huile dans une poêle à frire. Ajouter les champignons; saler, poivrer. Faire cuire 3 à 4 minutes à feu moyen-vif tout en remuant de temps à autre.

Ajouter la ciboulette, le persil, l'ail et le jus de citron; continuer la cuisson pendant 2 minutes.

Rectifier l'assaisonnement et servir.

Ce plat accompagne bien une entrecôte.

1 PORTION	126 CALORIES	6 g GLUCIDES
3 g PROTÉINES	10 g LIPIDES	1,0 g FIBRES

Légumes au beurre *(pour 4 personnes)*

750 ml	(3 tasses) d'eau froide
12	carottes naines, pelées et coupées en deux sur la longueur
227 g	(8 oz) de haricots jaunes, nettoyés
½	piment rouge, coupé en lanières
15 ml	(1 c. à soupe) de beurre
5 ml	(1 c. à thé) de ciboulette ou de persil haché
	quelques gouttes de jus de citron
	sel et poivre

Verser l'eau dans une casserole. Saler et arroser de jus de citron. Amener à ébullition.

Ajouter les carottes; couvrir et faire cuire 6 minutes à feu moyen.

Ajouter les haricots; couvrir et faire cuire 6 minutes.

Ajouter les piments rouges; couvrir et continuer la cuisson pendant 2 minutes.

Égoutter les légumes et les refroidir sous l'eau froide. Égoutter de nouveau et mettre de côté.

Faire chauffer le beurre dans une poêle à frire. Ajouter les légumes et parsemer de ciboulette; couvrir et faire cuire quelques minutes à feu moyen.

Assaisonner au goût. Servir.

1 PORTION	63 CALORIES	7 g GLUCIDES
2 g PROTÉINES	3 g LIPIDES	1,1 g FIBRES

Brocolis au gratin *(pour 4 personnes)*

1,2 kg	(2½ livres) de brocolis, en fleurettes
1	recette de sauce blanche au fromage, chaude*
125 ml	(½ tasse) de fromage cheddar râpé
	sel et poivre

Faire cuire le brocoli de 5 à 6 minutes à la vapeur ou au goût.

Transférer le tout dans un plat allant au four. Recouvrir le brocoli de sauce au fromage. Parsemer de fromage râpé. Saler, poivrer.

Faire griller au four (broil) 7 à 8 minutes.

* Voir Sauce blanche au fromage, page 20.

Ratatouille *(pour 4 personnes)*

45 ml	(3 c. à soupe) d'huile végétale
1	aubergine, coupée en deux sur la longueur et émincée
1	oignon, coupé en dés
2	gousses d'ail, écrasées et hachées
½	courgette, émincée
2	tomates, coupées en cubes
1 ml	(¼ c. à thé) de thym
1 ml	(¼ c. à thé) d'origan
2 ml	(½ c. à thé) de basilic
	sel et poivre

Faire chauffer l'huile dans une poêle à frire. Ajouter les aubergines. Saler, poivrer; couvrir et faire cuire 15 minutes à feu moyen. Remuer de temps à autre.

Ajouter les oignons et bien mélanger; faire cuire, sans couvrir, 4 à 5 minutes à feu vif.

Ajouter l'ail et les courgettes; couvrir partiellement et faire cuire 10 minutes à feu moyen.

Ajouter les tomates et les épices; couvrir partiellement et faire cuire 15 minutes à feu doux. Servir.

1 PORTION	159 CALORIES	12 g GLUCIDES
3 g PROTÉINES	11 g LIPIDES	1,5 g FIBRES

Lasagne aux légumes

(pour 4 à 6 personnes)

500 g	(1 livre) de lasagne
45 ml	(3 c. à soupe) de beurre
1	oignon, coupé en petits dés
2	carottes pelées et coupées en petits dés
½	chou-fleur, haché
1	piment vert, coupé en petits dés
½	courgette, coupée en petits dés
2	tomates, coupées en petits dés
250 g	(½ livre) de champignons frais, nettoyés et coupés en dés
15 ml	(1 c. à soupe) de zeste de citron haché
1 ml	(¼ c. à thé) de muscade

voir page suivante

Préchauffer le four à 190°C (375°F).

Beurrer un plat à lasagne. Mettre de côté.

Dans une grande casserole contenant de l'eau bouillante salée, ajouter quelques gouttes d'huile ou de vinaigre. Y plonger les pâtes et faire cuire en suivant le mode d'emploi sur l'emballage.

Égoutter les pâtes et les étendre délicatement, une à la fois, sur des feuilles de papier essuie-tout. Assécher.

Faire chauffer le beurre dans une grande casserole. Ajouter les oignons; couvrir et cuire 3 minutes à feu doux.

Remuer et ajouter les carottes; couvrir et continuer la cuisson 3 à 4 minutes à feu doux.

Ajouter le chou-fleur, les piments et les courgettes; assaisonner généreusement. Couvrir et cuire 4 à 5 minutes à feu doux.

1 PORTION	726 CALORIES	87 g GLUCIDES
27 g PROTÉINES	30 g LIPIDES	1,7 g FIBRES

Lasagne aux légumes (suite)

2 ml	(½ c. à thé) de clou moulu
2 ml	(½ c. à thé) d'origan
1 ml	(¼ c. à thé) de thym
250 ml	(1 tasse) de fromage gruyère râpé
250 ml	(1 tasse) de fromage mozzarella râpé
1 L	(4 tasses) de sauce blanche légère, chaude*
	sel et poivre

Ajouter les tomates, les champignons, le zeste et les épices; couvrir et continuer la cuisson de 3 à 4 minutes.

Retirer la casserole du feu et mettre de côté.

Étendre une première rangée de lasagne dans le fond du plat. Ajouter une couche de légumes puis, de fromage. Arroser d'une couche de sauce. Répéter la même opération pour utiliser presque tous les ingrédients. Finir avec une rangée de pâtes.

Arroser le tout de sauce et parsemer de fromage. Faire cuire 45 minutes au four.

Servir chaud. Les restes se réchaufferont facilement au four ou au micro-ondes.

* Voir Sauce blanche légère, page 14.

Tomates farcies aux pommes de terre *(pour 4 personnes)*

4	grosses tomates
15 ml	(1 c. à soupe) d'huile d'olive
½	recette de pommes de terre château*
15 ml	(1 c. à soupe) de ciboulette hachée
	sel et poivre

Préchauffer le four à 200°C (400°F).

Découper une calotte sur chaque tomate. À l'aide d'une cuiller, retirer la chair et les graines; jeter le tout.

Mettre les tomates évidées dans un plat à gratin. Arroser la cavité de quelques gouttes d'huile. Saler, poivrer généreusement.

Mettre les pommes de terre dans un sac à pâtisserie muni d'une douille étoilée. Remplir les tomates de pommes de terre. Parsemer de ciboulette.

Faire griller au four (broil) pendant 15 minutes.

Arroser de beurre fondu avant de servir, si désiré.

* Voir Pommes de terre château, page 25.

1 PORTION	209 CALORIES	19 g GLUCIDES
4 g PROTÉINES	13 g LIPIDES	1,3 g FIBRES

Légumes farcis   *(pour 4 personnes)*

30 ml	(2 c. à soupe) de beurre
125 ml	(½ tasse) d'oignons finement hachés
2	gousses d'ail, écrasées et hachées
30 ml	(2 c. à soupe) de persil frais haché
5 ml	(1 c. à thé) d'estragon frais haché
15 ml	(1 c. à soupe) de ciboulette hachée
50 g	(1,75 oz) de filets d'anchois en conserve, égouttés et hachés
45 ml	(3 c. à soupe) de chapelure
2	tomates, partiellement évidées
1	courgette, coupée en morceaux de 5 cm (2 po) de longueur et blanchie 4 minutes
3	petites pommes de terre cuites avec la peau, coupées en deux et partiellement évidées
2	oignons, pelés, partiellement évidés et blanchis 8 minutes
	huile d'olive
	sel et poivre

Préchauffer le four à 220°C (425°F).

Faire chauffer le beurre dans une casserole. Ajouter les oignons et l'ail; faire cuire 3 à 4 minutes à feu doux.

Ajouter le persil, l'estragon et la ciboulette; bien mélanger et continuer la cuisson 2 à 3 minutes. Saler, poivrer.

Ajouter les anchois et la chapelure; remuer et faire cuire 2 minutes. Retirer la casserole du feu. Mettre de côté.

Arroser la cavité des tomates de quelques gouttes d'huile. Saler, poivrer.

Retirer toute la pulpe des morceaux de courgettes. Placer les courgettes évidées, debout, dans un plat allant au four. Ajouter les tomates, les pommes de terre et les oignons.

Farcir les légumes avec le mélange d'anchois. Arroser de quelques gouttes d'huile. Faire cuire 10 à 12 minutes au four.

Si désiré, servir avec la sauce tomate piquante, page 40.

1 PORTION	250 CALORIES	27 g GLUCIDES
4 g PROTÉINES	14 g LIPIDES	1,4 g FIBRES

Bulbes de fenouil braisés au bouillon de poulet

4	gros bulbes de fenouil
30 ml	(2 c. à soupe) de lard
4	gousses d'ail, pelées
375 ml	(1½ tasse) de bouillon de poulet chaud
	ciboulette hachée
	sel et poivre

Retirer les feuilles vertes du fenouil. Couper les bulbes en deux; bien nettoyer.

Faire chauffer le lard dans une grande poêle à frire. Ajouter l'ail et les bulbes (la partie coupée, en bas). Faire cuire 12 à 15 minutes à feu moyen. Saler, poivrer et retourner les bulbes 1 fois pendant la cuisson.

Incorporer le bouillon de poulet et couvrir la poêle. Faire cuire au four de 40 à 45 minutes selon la grosseur.

Parsemer de ciboulette avant de servir.

1 PORTION	95 CALORIES	5 g GLUCIDES
3 g PROTÉINES	7 g LIPIDES	0,5 g FIBRES

Chou chinois *(pour 4 personnes)*

1	chou chinois, lavé
30 ml	(2 c. à soupe) de beurre
15 ml	(1 c. à soupe) de gingembre frais haché
250 ml	(1 tasse) de bouillon de poulet chaud
15 ml	(1 c. à soupe) de fécule de maïs
30 ml	(2 c. à soupe) d'eau froide
	sel et poivre

Couper le chou chinois en morceaux de 2,5 cm (1 po).

Faire chauffer le beurre dans une grande poêle à frire. Ajouter le chou et le gingembre; faire cuire 3 à 4 minutes à feu vif. Remuer de temps à autre.

Saler, poivrer et incorporer le bouillon de poulet; couvrir et faire cuire 6 à 7 minutes à feu moyen.

Délayer la fécule de maïs dans l'eau froide. Incorporer à la sauce. Laisser mijoter une minute pour épaissir la sauce. Servir.

1 PORTION	94 CALORIES	8 g GLUCIDES
2 g PROTÉINES	6 g LIPIDES	1,2 g FIBRES

Chou-fleur à la sauce tomate piquante *(pour 4 personnes)*

½	chou-fleur cuit
500 ml	(2 tasses) de sauce tomate piquante*
125 ml	(½ tasse) de fromage cheddar râpé
	sel et poivre

Couper le chou-fleur en morceaux de 2 cm (¾ po). Mettre dans un plat à gratin beurré et verser la sauce tomate.

Saler, poivrer et parsemer de fromage. Faire griller au four (broil) 8 à 10 minutes.

Servir chaud.

* Voir Sauce tomate piquante, page 40.

1 PORTION	139 CALORIES	11 g GLUCIDES
8 g PROTÉINES	7 g LIPIDES	1,5 g FIBRES

Brocolis à l'ail   *(pour 4 personnes)*

750 ml	(3 tasses) d'eau salée
900 g	(2 livres) de brocolis en fleurettes, lavés
45 ml	(3 c. à soupe) de beurre
2	gousses d'ail, écrasées et hachées
50 ml	(¼ tasse) d'amandes effilées, brunies dans du beurre
	jus de 1 citron
	sel et poivre

Verser l'eau dans une casserole. Ajouter le jus de ½ citron. Amener à ébullition.

Ajouter le brocoli; couvrir et faire cuire 8 minutes.

Refroidir sous l'eau froide et bien égoutter.

Chauffer le beurre dans une poêle à frire. Ajouter le brocoli; cuire 4 à 5 minutes à feu moyen.

Ajouter l'ail et les amandes. Arroser de jus de citron. Faire cuire 3 minutes à feu moyen.

Rectifier l'assaisonnement. Servir.

1 PORTION	244 CALORIES	15 g GLUCIDES
10 g PROTÉINES	16 g LIPIDES	3,6 g FIBRES

Sauce tomate piquante

15 ml	(1 c. à soupe) d'huile d'olive
30 ml	(2 c. à soupe) d'oignons finement hachés
1	gousse d'ail, écrasée et hachée
796 ml	(28 oz) de tomates en conserve, égouttées et hachées
30 ml	(2 c. à soupe) de pâte de tomates
	une pincée d'origan
	quelques gouttes de sauce Tabasco
	sel et poivre

Faire chauffer l'huile dans une grande casserole. Ajouter les oignons et l'ail; remuer et faire cuire 3 minutes.

Ajouter les épices, les tomates, la pâte de tomates et la sauce Tabasco. Faire cuire 10 à 12 minutes à feu moyen.

Retirer la casserole du feu. Verser le tout dans un blender et mettre en purée.

Servir cette sauce avec différentes recettes de légumes.

1 PORTION	84 CALORIES	10 g GLUCIDES
2 g PROTÉINES	4 g LIPIDES	0,9 g FIBRES

TECHNIQUE : JULIENNE DE LÉGUMES

1 Le terme «julienne» est utilisé lorsqu'on coupe des légumes en forme de bâtonnets.

2 La julienne de légumes compose une garniture élégante pour la plupart des plats.

Julienne de légumes

(pour 4 personnes)

30 ml	(2 c. à soupe) de beurre
250 ml	(1 tasse) de bouillon de poulet chaud
2	pommes de terre de grosseur moyenne, pelées et coupées en julienne
2	grosses carottes, pelées et coupées en julienne
1	petite courgette, pelée et coupée en julienne
	jus de ¼ de citron
	ciboulette hachée
	sel et poivre

Faire chauffer le beurre dans une casserole. Ajouter le bouillon de poulet et le jus de citron; amener à ébullition.

Ajouter les pommes de terre et faire cuire, sans couvrir, 3 minutes à feu moyen.

Ajouter le reste des légumes et saler, poivrer. Continuer la cuisson pendant 3 minutes.

Égoutter les légumes et disposer sur un plat de service. Parsemer de ciboulette. Servir avec du beurre.

1 PORTION	126 CALORIES	16 g GLUCIDES
2 g PROTÉINES	6 g LIPIDES	1,0 g FIBRES

Salade de chou : *(pour 4 personnes)*

½	chou
1	pomme, pelée et émincée
½	piment vert, émincé
30 ml	(2 c. à soupe) d'oignons râpés
125 ml	(½ tasse) de vinaigre blanc
30 ml	(2 c. à soupe) de cassonade
30 ml	(2 c. à soupe) d'huile végétale
50 ml	(¼ tasse) d'eau froide
1 ml	(¼ c. à thé) de graines de céleri
30 ml	(2 c. à soupe) de mayonnaise
30 ml	(2 c. à soupe) de crème sure
	une pincée de paprika
	sel et poivre

Couper finement le chou et le mettre dans un bol.

Ajouter les pommes, les piments verts et les oignons. Saler, poivrer et mettre de côté.

Mettre le vinaigre, la cassonade, l'huile, l'eau et les graines de céleri dans une casserole. Faire cuire 5 minutes à feu moyen.

Verser la marinade sur le chou. Bien brasser pour mélanger le tout. Ajouter le reste des ingrédients; mélanger de nouveau. Saler, poivrer.

Réfrigérer 3 heures avant de servir.

1 PORTION	210 CALORIES	19 g GLUCIDES
2 g PROTÉINES	14 g LIPIDES	1,4 g FIBRES

Salade légère aux légumes *(pour 4 personnes)*

4	grosses tomates mûres, coupées en deux et émincées
20	gros champignons frais, nettoyés et émincés
5 ml	(1 c. à thé) d'estragon frais haché
1	échalotte sèche, finement hachée
5 ml	(1 c. à thé) de moutarde de Dijon
45 ml	(3 c. à soupe) de vinaigre de vin
90 ml	(6 c. à soupe) d'huile d'olive
	quelques gouttes de jus de citron
	petits cornichons marinés
	tranches de prosciutto
	feuilles de laitue, lavées et essorées
	sel et poivre

Mettre les tomates et les champignons dans un bol. Saler, poivrer. Parsemer d'estragon et mettre de côté.

Mettre les échalottes dans un autre bol. Ajouter la moutarde et le vinaigre; mélanger au fouet.

Ajouter l'huile en filet tout en mélangeant au fouet. Assaisonner au goût.

Verser la vinaigrette sur les tomates et les champignons; bien incorporer. Arroser de jus de citron; mélanger de nouveau. Faire mariner 15 minutes.

Servir sur des feuilles de laitue. Garnir de cornichons et de prosciutto.

1 PORTION	282 CALORIES	15 g GLUCIDES
6 g PROTÉINES	22 g LIPIDES	2,0 g FIBRES

Salade aux pommes de terre et aux endives *(pour 4 à 6 personnes)*

4	grosses pommes de terre, cuites avec la peau et chaudes
2	grosses endives, lavées et asséchées
12	tomates miniatures, lavées et coupées en deux
3	gros œufs durs, tranchés
2	échalotes sèches, finement hachées
15 ml	(1 c. à soupe) de persil frais haché
15 ml	(1 c. à soupe) de moutarde de Dijon
60 ml	(4 c. à soupe) de vinaigre de cidre
105 ml	(7 c. à soupe) d'huile d'olive
5 ml	(1 c. à thé) de ciboulette fraîche hachée
	quelques pointes d'asperges cuites
	sel et poivre du moulin

Peler les pommes de terre et les couper en cubes; mettre dans un bol. Ajouter les endives effeuillées, les tomates et les œufs. Saler, poivrer.

Mettre les échalottes et le persil dans un bol. Saler, poivrer. Ajouter la moutarde et le vinaigre; bien mélanger.

Ajouter l'huile en filet tout en mélangeant constamment au fouet.

Verser la vinaigrette sur les ingrédients; bien mélanger. Rectifier l'assaisonnement. Parsemer de ciboulette.

Décorer de pointes d'asperges avant de servir.

1 PORTION	321 CALORIES	25 g GLUCIDES
8 g PROTÉINES	21 g LIPIDES	1,3 g FIBRES

45

Rotini en salade *(pour 4 personnes)*

750 ml	(3 **tasses**) de nouilles «rotini», cuites
3	tomates, coupées en sections
1	boîte de 284 ml (10 oz) de mandarines en conserve
1	branche de céleri, coupée en petits dés
15 ml	(1 c. à soupe) de ciboulette fraîche hachée
125 ml	(½ tasse) de yogourt nature
5 ml	(1 c. à thé) de jus de citron
1 ml	(¼ c. à thé) de moutarde en poudre
	une pincée de paprika
	sel et poivre

Mettre les nouilles, les tomates, les mandarines et le céleri dans un grand bol de service. Parsemer de ciboulette.

Incorporer le jus de citron au yogourt dans un petit bol. Ajouter la moutarde et le paprika; bien mélanger.

Assaisonner généreusement et verser sur les ingrédients. Mélanger parfaitement.

Réfrigérer 1 heure. Servir.

46

1 PORTION	182 CALORIES	35 g GLUCIDES
6 g PROTÉINES	2 g LIPIDES	0,7 g FIBRES

Salade de fruits frais *(pour 4 personnes)*

½	cantaloup
½	melon Honeydew
1	pamplemousse
15 ml	(1 c. à soupe) de miel pur liquide
2 ml	(½ c. à thé) de cannelle
45 ml	(3 c. à soupe) de yogourt nature
30 ml	(2 c. à soupe) de raisins de Smyrne (sultana)

Couper le cantaloup et le melon en sections. Retirer les pépins et la fibre. Couper la chair en gros morceaux et mettre dans un bol.

Couper le pamplemousse en deux; retirer la chair et mettre dans le bol.

Mélanger le miel et la cannelle. Verser sur les fruits et bien mélanger.

Ajouter le yogourt; mélanger de nouveau.

Parsemer de raisins et servir.

1 PORTION	92 CALORIES	21 g GLUCIDES	
18 g PROTÉINES	0 g LIPIDES	0,6 g FIBRES	47

Trempette de fromage épicé aux légumes *(pour 4 personnes)*

125 g	(¼ livre) de fromage bleu
15 ml	(1 c. à soupe) de ciboulette fraîche hachée
60 ml	(4 c. à soupe) de crème sure
	quelques gouttes de sauce Tabasco
	quelques gouttes de sauce Worcestershire
	une pincée de muscade
	poivre blanc
	bâtonnets de courgettes
	bâtonnets de piments verts
	bâtonnets de piments rouges
	champignons frais, nettoyés et émincés
	bâtonnets de carottes
	bâtonnets de céleri
	quelques tomates

Mettre le fromage dans un robot culinaire. Ajouter la ciboulette, la crème sure, la sauce Tabasco, la sauce Worcestershire et les épices. Mélanger pendant 1 minute.

Disposer les légumes dans un grand plat de service. Mettre de côté.

Couper les tomates en deux et évider. Placer les tomates évidées à côté des légumes et remplir du mélange de fromage.

Servir avec l'apéritif.

1 PORTION	160 CALORIES	5 g GLUCIDES
8 g PROTÉINES	12 g LIPIDES	0,3 g FIBRES

Salade de tomates *(pour 4 personnes)*

4	tomates mûres, tranchées
250 g	(½ livre) de champignons frais, nettoyés et émincés
2	oignons verts, tranchés
30 ml	(2 c. à soupe) de câpres
90 ml	(6 c. à soupe) d'huile d'olive
45 ml	(3 c. à soupe) de vinaigre de vin
5 ml	(1 c. à thé) d'estragon frais haché
	jus de citron au goût
	sel et poivre du moulin

Mettre les tomates et les champignons dans un bol à salade. Ajouter les oignons et mêler. Saler, poivrer.

Ajouter les câpres et arroser d'huile. Bien mêler.

Incorporer le vinaigre; mélanger de nouveau.

Ajouter l'estragon et le jus de citron. Rectifier l'assaisonnement et mêler.

Servir sur des feuilles de laitue. Garnir d'œufs durs et de rondelles d'oignons rouges.

1 PORTION	250 CALORIES	10 g GLUCIDES
3 g PROTÉINES	22 g LIPIDES	1,3 g FIBRES

Salade de concombre frais *(pour 4 personnes)*

2	gros concombres
1	botte de radis lavés et émincés
1	oignon vert, émincé
1	œuf dur, tranché
1	recette de vinaigrette au cari*
	sel et poivre

Peler les concombres et les couper en deux sur la longueur. Retirer les graines et trancher.

Mettre les concombres dans un bol. Ajouter les oignons et les radis. Saler, poivrer et bien mélanger.

Ajouter les œufs durs et la vinaigrette au cari. Mélanger.

Si désiré, servir sur des feuilles de laitue.

* Voir Vinaigrette au cari, page 58.

1 PORTION	149 CALORIES	5 g GLUCIDES
3 g PROTÉINES	13 g LIPIDES	0 g FIBRES

Salade de légumes californienne *(pour 4 personnes)*

½	chou-fleur, en fleurettes
250 g	(½ livre) de haricots verts, parés
15 ml	(1 c. à soupe) d'huile végétale
1	courgette, émincée
1	piment rouge, coupé en gros morceaux
½	piment vert, coupé en lanières
15 ml	(1 c. à soupe) de piment fort haché
½	oignon rouge, en cubes
1	gousse d'ail, écrasée et hachée
1 ml	(¼ c. à thé) d'origan
60 ml	(4 c. à soupe) d'huile d'olive
30 ml	(2 c. à soupe) de vinaigre de vin
15 ml	(1 c. à soupe) de persil frais haché
2	œufs durs, hachés grossièrement
	feuilles de laitue
	sel et poivre

Faire cuire le chou-fleur et les haricots dans l'eau bouillante salée. Égoutter et mettre de côté.

Disposer les feuilles de laitue sur un plat de service. Mettre de côté.

Faire chauffer l'huile dans une sauteuse. Ajouter les courgettes, les piments, les oignons et l'ail; couvrir et faire cuire 5 à 6 minutes à feu moyen-vif. Saler, poivrer et remuer de temps à autre.

Incorporer le chou-fleur et les haricots; parsemer d'origan. Couvrir et continuer la cuisson 2 à 3 minutes.

Retirer la sauteuse du feu et transférer les légumes dans un grand bol. Ajouter l'huile et le vinaigre; bien mélanger. Parsemer de persil.

Rectifier l'assaisonnement. Placer la salade de légumes sur la laitue. Garnir d'œufs durs. Servir immédiatement.

1 PORTION	250 CALORIES	14 g GLUCIDES
8 g PROTÉINES	18 g LIPIDES	2,4 g FIBRES

Salade à la menthe fraîche *(pour 4 personnes)*

125 ml	(½ tasse) de mayonnaise
4	feuilles de menthe fraîche, lavées, asséchées et finement hachées
30 ml	(2 c. à soupe) de jus de citron
15 ml	(1 c. à soupe) de vinaigre de vin
1	branche de céleri, émincée
2	tranches de jambon Forêt Noire, de 0,65 cm (¼ po) d'épaisseur, coupées en lanières
1	poitrine de poulet cuite, coupée en languettes
½	concombre, pelé, évidé et émincé
3	petites tomates, coupées en quartiers
2	œufs durs, tranchés
8	grosses olives vertes farcies, émincées
150 g	(⅓ livre) de haricots jaunes cuits
	quelques gouttes de sauce Tabasco
	sel et poivre

Bien mélanger la mayonnaise, la menthe et le jus de citron dans un bol.

Ajouter le vinaigre, la sauce Tabasco, le sel et le poivre; mélanger.

Mettre le reste des ingrédients dans un grand bol à salade. Arroser de vinaigrette et bien mêler. Servir.

1 PORTION	344 CALORIES	8 g GLUCIDES
15 g PROTÉINES	28 g LIPIDES	1,1 g FIBRES

Légumes à l'aïoli *(pour 4 personnes)*

5	gousses d'ail, pelées
2	jaunes d'œufs
250 ml	(1 tasse) d'huile d'olive
125 g	(¼ livre) de champignons frais, nettoyés et émincés
3	carottes, pelées et coupées en bâtonnets
250 g	(½ livre) de haricots jaunes blanchis
1	petite courgette, coupée en bâtonnets
250 g	(½ livre) de pointes d'asperges, blanchies
	quelques gouttes de sauce Tabasco
	quelques gouttes de jus de citron
	sel et poivre

Mettre l'ail et le Tabasco dans un mortier; écraser au pilon.

Ajouter les jaunes d'œufs et bien incorporer. Poivrer.

Ajouter l'huile en filet en mélangeant constamment avec un batteur électrique.

Ajouter du jus de citron et rectifier l'assaisonnement. Mettre de côté.

Mettre les champignons dans un bol et arroser de jus de citron. Laisser mariner 5 minutes.

Disposer les légumes sur un plat de service. Servir avec l'aïoli.

Voir technique page suivante.

1 PORTION	611 CALORIES	14 g GLUCIDES
6 g PROTÉINES	59 g LIPIDES	2 g FIBRES

TECHNIQUE: LÉGUMES À L'AÏOLI

1 Mettre l'ail et la sauce Tabasco dans un mortier. Écraser le tout au pilon.

2 Ajouter les jaunes d'œufs.

3 Bien incorporer et poivrer.

4 Ajouter l'huile en filet tout en mélangeant avec un batteur électrique.

Salade de poulet et légumes   *(pour 4 personnes)*

½	laitue Iceberg, lavée et essorée
500 g	(1 livre) d'asperges cuites, coupées en 3
1	grosse poitrine de poulet cuit, émincée
8 à 10	feuilles de chou chinois, lavées essorées et coupées en lanières
4	jeunes épis de maïs entiers
4	cœurs d'artichaut, égouttés et coupés en deux
	sel et poivre
	vinaigrette au choix*
	tomates tranchées pour décorer

Disposer les feuilles de laitue sur un grand plat de service. Mettre de côté.

Mettre les asperges, le poulet, le chou, les épis de maïs et les cœurs d'artichauts dans un bol. Bien mélanger. Saler, poivrer.

Verser la vinaigrette sur les ingrédients et bien mêler.

Placer la salade en dôme sur les feuilles de laitue. Garnir de tomates tranchées.

* Utilisez votre vinaigrette ou la Vinaigrette à l'ail et à la moutarde, page 58.

1 PORTION	372 CALORIES	16 g GLUCIDES
23 g PROTÉINES	24 g LIPIDES	2,3 g FIBRES

Salade de bœuf bouilli   *(pour 4 personnes)*

750 g	(1 ½ livre) de reste de bœuf bouilli coupé en lanières
½	piment rouge, émincé
15 ml	(1 c. à soupe) de persil frais haché
45 ml	(3 c. à soupe) d'oignons rouges hachés
1	concombre, pelé et émincé
1	piment cerise fort, finement haché
45 ml	(3 c. à soupe) de vinaigre de vin
75 ml	(⅓ tasse) d'huile de sésame
	quelques gouttes de sauce Tabasco
	sel et poivre

Mettre le bœuf, le persil et les légumes dans un grand bol. Saler, poivrer et bien mélanger.

Incorporer le vinaigre, l'huile et la sauce Tabasco; bien mélanger.

Réfrigérer 30 minutes.

Rectifier l'assaisonnement, mélanger et servir.

1 PORTION	846 CALORIES	2 g GLUCIDES
43 g PROTÉINES	74 g LIPIDES	0,4 g FIBRES

Salade d'épinards* *(pour 4 personnes)*

3	bottes d'épinards frais
3	œufs durs, tranchés
250 ml	(1 tasse) de croûtons à l'ail maison*
125 g	(¼ livre) de fromage gruyère, coupé en lanières
15 ml	(1 c. à soupe) de ciboulette fraîche hachée
4	tranches de jambon cuit, coupées en lanières
	sel et poivre

Laver soigneusement les épinards dans l'eau froide, essorer et mettre dans un grand bol à salade.

Ajouter les œufs durs et les croûtons. Mélanger délicatement.

Ajouter le fromage et la ciboulette. Mélanger de nouveau. Rectifier l'assaisonnement.

Garnir de jambon cuit et arroser de vinaigrette. Servir.

* Voir Croûtons à l'ail maison, page 63.

Vinaigrette**

15 ml	(1 c. à soupe) de moutarde de Dijon
15 ml	(1 c. à soupe) de ciboulette fraîche hachée
125 ml	(½ tasse) d'huile d'olive
	jus d'un gros citron, sel et poivre

Mettre la moutarde et la ciboulette dans un bol. Saler, poivrer. Mélanger au fouet et arroser de jus de citron. Mélanger de nouveau.

Ajouter l'huile en filet en fouettant constamment. Rectifier l'assaisonnement.

1 PORTION	546 CALORIES	5 g GLUCIDES
19 g PROTÉINES	50 g LIPIDES	0,5 g FIBRES

Vinaigrette à l'ail et à la moutarde

15 ml	(1 c. à soupe) de moutarde forte
1	jaune d'œuf
15 ml	(1 c. à soupe) de persil frais haché
1	gousse d'ail, écrasée et hachée
45 ml	(3 c. à soupe) de jus de citron
75 ml	(5 c. à soupe) d'huile d'olive
	quelques gouttes de sauce Tabasco
	quelques gouttes de vinaigre de vin
	sel et poivre

Mettre la moutarde, le jaune d'œuf et le persil dans un bol. Bien mélanger au fouet. Saler, poivrer.

Ajouter l'ail et le jus de citron; mélanger de nouveau.

Incorporer l'huile en filet tout en fouettant constamment.

Incorporer la sauce Tabasco et le vinaigre. Rectifier l'assaisonnement. Remuer de nouveau.

Réfrigérer jusqu'au moment de l'utiliser.

1 PORTION	72 CALORIES	0 g GLUCIDES
0 g PROTÉINES	8 g LIPIDES	0 g FIBRES

Vinaigrette au cari

5 ml	(1 c. à thé) de poudre de cari
45 ml	(3 c. à soupe) de mayonnaise
50 ml	(¼ tasse) de crème légère
	jus de ½ citron
	une pincée de paprika
	sel et poivre

Mélanger la poudre de cari et le paprika dans un bol. Saler, poivrer.

Incorporer le jus de citron au fouet.

Ajouter la mayonnaise et la crème; bien incorporer. Rectifier l'assaisonnement.

1 PORTION	54 CALORIES	0 g GLUCIDES
0 g PROTÉINES	6 g LIPIDES	0 g FIBRES

Salade du charcutier *(pour 4 personnes)*

30 ml	(2 c. à soupe) de vinaigre de vin
15 ml	(1 c. à soupe) de sauce soya
90 ml	(6 c. à soupe) d'huile d'olive
1	laitue Boston, lavée et essorée
1	laitue romaine, lavée et essorée
12	tranches minces de saucisson à l'ail ou de salami, coupées en lanières
6 à 8	tranches de fromage gruyère, coupées en lanières
125 g	(¼ livre) de pâté de foie, coupé en cubes
4	œufs durs, tranchés
	quelques gouttes de jus de citron
	sel et poivre

Bien mélanger le vinaigre, la sauce soya et l'huile. Saler, poivrer et mettre de côté.

Déchirer la laitue en morceaux et la mettre dans un bol. Ajouter le reste des ingrédients; bien mêler.

Verser la vinaigrette sur la salade; mélanger de nouveau. Rectifier l'assaisonnement et servir.

Note: si désiré, garnir de croûtons à l'ail maison, page 63.

1 PORTION	527 CALORIES	8 g GLUCIDES
18 g PROTÉINES	47 g LIPIDES	1,3 g FIBRES

Salade César *(pour 4 personnes)*

2	gousses d'ail, écrasées et hachées
1	échalote sèche, hachée
15 ml	(1 c. à soupe) de moutarde forte
15 ml	(1 c. à soupe) de persil frais haché
45 ml	(3 c. à soupe) de vinaigre de vin
1	jaune d'œuf
175 ml	(¾ tasse) d'huile d'olive
1	grosse laitue romaine, lavée et essorée
6	filets d'anchois, égouttés
50 ml	(¼ tasse) de fromage parmesan râpé
	jus de citron
	croûtons à l'ail maison*
	sel et poivre

Mettre l'ail, les échalotes, la moutarde et le persil dans un bol. Saler, poivrer.

Ajouter le vinaigre et mélanger au fouet.

Incorporer le jaune d'œuf.

Ajouter l'huile en filet tout en fouettant constamment. Rectifier l'assaisonnement et arroser de jus de citron.

Déchirer la laitue en gros morceaux et déposer dans un bol. Ajouter les croûtons et bien assaisonner.

Ajouter les filets d'anchois et la vinaigrette; bien incorporer.

Parsemer de fromage, mélanger et servir aussitôt.

* Voir croûtons à l'ail maison, page 63.

1 PORTION	580 CALORIES	12 g GLUCIDES
7 g PROTÉINES	56 g LIPIDES	0,6 g FIBRES

TECHNIQUE: SALADE CÉSAR

1 Mettre l'ail, les échalotes, la moutarde et le persil dans un bol. Saler, poivrer.

2 Ajouter le vinaigre et mélanger au fouet. Ajouter le jaune d'œuf; mêler de nouveau.

3 Ajouter l'huile en filet tout en fouettant constamment. La vinaigrette doit épaissir.

4 Bien disposer les ingrédients dans le bol.

61

Salade de Roquefort *(pour 4 personnes)*

1	laitue Boston, lavée et essorée
½	laitue frisée, lavée et essorée
½	concombre, pelé et émincé
2	tomates italiennes, tranchées
¼	d'oignon rouge, émincé
	persil frais haché
	pignons (noix de pins)
	tranches de fromage Roquefort
	vinaigrette*
	sel et poivre

Disposer la laitue, les concombres, les tomates et les oignons dans un grand bol; mélanger.

Ajouter le persil; saler, poivrer. Verser la vinaigrette sur la salade et bien incorporer.

Parsemer de pignons et couronner de fromage avant de servir.

1 PORTION	459 CALORIES	8 g GLUCIDES
10 g PROTÉINES	43 g LIPIDES	1,1 g FIBRES

Vinaigrette*

125 g	(¼ livre) de fromage Roquefort, haché grossièrement
15 ml	(1 c. à soupe) de persil frais haché
1	échalote sèche, finement haché
30 ml	(2 c. à soupe) de vinaigre de vin
15 ml	(1 c. à soupe) de moutarde forte
120 ml	(8 c. à soupe) d'huile
45 ml	(3 c. à soupe) de crème sure
	jus de citron
	sel et poivre

Mettre le fromage dans un bol. Ajouter le persil, les échalotes et le vinaigre. Saler, poivrer et bien mélanger.

Ajouter la moutarde et mélanger. Incorporer l'huile en filet tout en mélangeant constamment au fouet.

Incorporer la crème sure et le jus de citron. Rectifier l'assaisonnement.

1 PORTION	72 CALORIES	0 g GLUCIDES
0 g PROTÉINES	8 g LIPIDES	0 g FIBRES

Croûtons à l'ail maison

3	tranches épaisses de pain français
45 ml	(3 c. à soupe) d'huile d'olive
2	gousses d'ail, écrasées et hachées

Faire dorer le pain. Le couper en gros cubes. Mettre de côté.

Faire chauffer l'huile dans une poêle à frire. Ajouter les cubes de pain; faire cuite 1 minute à feu vif.

Incorporer l'ail et retourner le pain; continuer la cuisson 1 minute.

Laisser refroidir et ranger dans un contenant hermétique jusqu'au moment de servir.

1 PLAT	548 CALORIES	33 g GLUCIDES
5 g PROTÉINES	44 g LIPIDES	0 g FIBRES

Pâté de légumes froid *(pour 6 à 8 personnes)*

4	tranches de pain blanc, sans croûte, coupées en cubes
125 ml	(½ tasse) de lait
30 ml	(2 c. à soupe) de beurre
500 ml	(2 tasses) de carottes en tranches
1	piment vert, coupé en petit dés
1	concombre, coupé en petits dés
500 ml	(2 tasses) de chou-fleur en dés
1	grosse branche de céleri, coupée en dés
1	gousse d'ail, écrasée et hachée
1 ml	(¼ c. à thé) de thym
2 ml	(½ c. à thé) d'origan
2 ml	(½ c. à thé) de gingembre moulu
2 ml	(½ c. à thé) de basilic
1 ml	(¼ c. à thé) de muscade
6	œufs
	sel et poivre

Préchauffer le four à 190°C (375°F).

Graisser généreusement un moule à pain de 1.5 litre (6 tasses). Mettre de côté.

Faire tremper le pain dans le lait. Mettre de côté.

Faire chauffer le beurre dans une poêle à frire. Ajouter les carottes, les piments, les concombres, le chou-fleur, le céleri et l'ail. Saler, poivrer.

Parsemer d'épices et couvrir; faire cuire 8 à 10 minutes à feu moyen.

Passer les légumes au robot culinaire et mettre en purée.

Ajouter le pain trempé et mélanger de nouveau.

Transférer le tout dans un bol et incorporer les œufs au fouet. Rectifier l'assaisonnement.

Verser le mélange dans le moule et recouvrir d'une feuille de papier d'aluminium. Placer le moule dans un plat à rôtir contenant 2,5 cm (1 po) d'eau chaude. Faire cuire 1 h 10 au four.

20 minutes avant la fin de la cuisson, retirer le papier.

Laisser refroidir légèrement et réfrigérer 2 heures. Démouler, trancher et servir sur une feuille de laitue.

1 PORTION	153 CALORIES	11 g GLUCIDES
7 g PROTÉINES	9 g LIPIDES	0,9 g FIBRES

Potage de pommes de terre *(pour 4 personnes)*

30 ml	(2 c. à soupe) de beurre
1	petit oignon, finement haché
2	petits poireaux, le blanc seulement, lavé et finement haché*
5	pommes de terre, pelées et tranchées
1 ml	(¼ c. à thé) de cerfeuil
1,5 L	(6 tasses) de bouillon de poulet chaud
50 ml	(¼ tasse) de crème à 35 %
	une pincée de thym
	sel et poivre

Faire fondre le beurre dans une grande casserole. Ajouter les oignons et les poireaux; couvrir et faire cuire 8 minutes à feu doux.

Ajouter les pommes de terre et les épices; assaisonner généreusement. Remuer, couvrir et faire cuire 3 minutes.

Ajouter le bouillon de poulet. Assaisonner au goût et amener à ébullition. Faire cuire, sans couvrir, de 30 à 35 minutes à feu doux.

Verser la soupe dans un robot culinaire ou un passe-légumes et la mettre en purée, rectifier l'assaisonnement.

Incorporer la crème et servir.

* Voir Potage du fermier, p. 76

1 PORTION	190 CALORIES	22 g GLUCIDES
3 g PROTÉINES	10 g LIPIDES	0,9 g FIBRES

Crème de pois verts cassés   *(pour 4 personnes)*

125 g	(4½ oz) de bacon de flanc, coupé en dés
1	oignon, coupé en dés
2	carottes, pelées et coupées en dés
1 ml	(¼ c. à thé) de thym
2 ml	(½ c. à thé) de basilic
1	clou
1	feuille de laurier
250 ml	(1 tasse) de pois verts cassés
1,2 L	(5 tasses) de bouillon de poulet chaud
125 ml	(½ tasse) de crème à 10 ou 15 %, chaude
	croûtons
	sel et poivre

Faire cuire le bacon pendant 2 minutes dans une casserole.

Ajouter les oignons; couvrir et faire cuire 2 minutes à feu moyen.

Ajouter les carottes et les épices; couvrir et faire cuire 2 minutes.

Ajouter les pois cassés et incorporer le bouillon de poulet. Amener à ébullition; couvrir partiellement et laisser mijoter 1 h 30 à feu doux.

Verser la soupe dans un robot culinaire et la mettre en purée. Ajouter la crème et mélanger de nouveau. Servir avec des croûtons.

Crème d'asperges *(pour 4 personnes)*

60 ml	(4 c. à soupe) de beurre
1	oignon, pelé et finement haché
500 g	(1 livre) d'asperges fraîches, lavées, parées et coupées en dés (réserver quelques pointes d'asperges pour la garniture)
75 ml	(5 c. à soupe) de farine
1,1 L	(4½ tasses) de bouillon de poulet chaud
15 ml	(1 c. à soupe) de ciboulette hachée
125 ml	(½ tasse) de crème à 10 ou 15%, chaude
	une pincée de graines de céleri
	une pincée de cannelle
	une pincée de paprika
	quelques gouttes de jus de citron
	sel et poivre

Faire fondre le beurre dans une casserole. Ajouter les oignons; couvrir et faire cuire 4 minutes à feu moyen.

Ajouter les asperges en dés et remuer; couvrir et faire cuire 8 minutes. Remuer fréquemment.

Incorporer la farine; faire cuire 2 minutes, sans couvrir, à feu doux.

Ajouter le bouillon de poulet et les épices. Assaisonner généreusement et amener à ébullition. Faire cuire, sans couvrir, 25 minutes à feu moyen.

Entre-temps faire blanchir les pointes d'asperges dans de l'eau bouillante salée et citronnée. Égoutter.

Verser la soupe dans un robot culinaire et la mettre en purée. Ajouter la crème; mélanger de nouveau. Servir chaud ou froid et garnir de pointes d'asperges.

1 PORTION	216 CALORIES	14 g GLUCIDES
4 g PROTÉINES	16 g LIPIDES	0,6 g FIBRES

Crème de champignons   *(pour 4 personnes)*

60 ml	(4 c. à soupe) de beurre
1	oignon, finement haché
250 g	(½ livre) de champignons frais, nettoyés et émincés
1 ml	(¼ c. à thé) de basilic
75 ml	(5 c. à soupe) de farine
1,2 L	(5 tasses) de bouillon de poulet chaud
50 ml	(¼ tasse) de crème à 10 ou 15 %, chaude
	jus de ¼ de citron
	une pincée de graines de céleri
	une pincée de paprika
	sel et poivre

Faire fondre le beurre dans une sauteuse. Ajouter les oignons; couvrir et faire cuire 4 minutes à feu moyen.

Ajouter les champignons, les épices et le jus de citron; bien remuer. Couvrir et faire cuire 4 minutes à feu moyen-vif.

Incorporer la farine; cuire, sans couvrir, 1 minute à feu doux.

Ajouter le bouillon de poulet et assaisonner au goût. Amener à ébullition et faire cuire, sans couvrir, 12 minutes à feu moyen.

Verser la soupe dans un robot culinaire et la mettre en purée. Ajouter la crème, mélanger de nouveau. Saupoudrer de paprika et servir avec des croûtons.

1 PORTION	190 CALORIES	13 g GLUCIDES
3 g PROTÉINES	14 g LIPIDES	0,7 g FIBRES

Soupe aux concombres *(pour 4 personnes)*

45 ml	(3 c. à soupe) de beurre
30 ml	(2 c. à soupe) d'oignons finement hachés
½	concombre anglais, émincé avec la peau
1	concombre, pelé, épépiné et émincé
1 ml	(¼ c. à thé) de marjolaine
1 ml	(¼ c. à thé) de basilic
60 ml	(4 c. à soupe) de farine
1 L	(4 tasses) de bouillon de poulet chaud
1	jaune d'œuf
50 ml	(¼ tasse) de crème à 35 %
	une pincée de graines de fenouil
	sel et poivre

Faire fondre le beurre dans une casserole. Ajouter les oignons; couvrir et faire cuire 2 minutes à feu moyen.

Ajouter les concombres. Assaisonner généreusement. Ajouter les épices; couvrir et faire cuire 5 à 6 minutes à feu doux.

Incorporer la farine; laisser mijoter, sans couvrir, 1 minute à feu doux.

Incorporer le bouillon de poulet; remuer et amener à ébullition. Faire cuire, sans couvrir, 16 minutes à feu doux.

Mélanger le jaune d'œuf et la crème; mettre de côté.

Passer la soupe dans une passoire en utilisant un pilon ou le dos d'une cuiller. Verser la soupe dans une autre casserole, et chauffer à feu moyen. Incorporer le mélange d'œuf en remuant constamment au fouet.

Faire cuire 2 minutes en remuant sans arrêt.

Servir.

Si désiré, cette soupe peut se servir froide. Ne pas ajouter le mélange d'œuf.

1 PORTION	170 CALORIES	9 g GLUCIDES
2 g PROTÉINES	14 g LIPIDES	0 g FIBRES

Crème de navet   *(pour 4 personnes)*

30 ml	(2 c. à soupe) de beurre
1	petit oignon, pelé et finement haché
4	navets, pelés et tranchés
2	grosses pommes de terre, pelées et tranchées
1,3 L	(5½ tasses) de bouillon de poulet froid
1 ml	(¼ c. à thé) d'estragon
1	feuille de laurier
1 ml	(¼ c. à thé) de thym
	sel et poivre

Faire fondre le beurre dans une grande casserole. Ajouter les oignons; couvrir et faire cuire 2 à 3 minutes à feu doux.

Ajouter les navets et les pommes de terre; bien mélanger. Couvrir et continuer la cuisson pendant 2 minutes.

Ajouter le reste des ingrédients et bien mélanger. Assaisonner au goût et amener à ébullition. Couvrir partiellement et faire cuire 30 minutes à feu moyen.

Verser la soupe dans un robot culinaire ou un passe-légumes et la mettre en purée. Si désiré, parsemer de persil haché avant de servir.

Cette soupe se conservera de 4 à 5 jours au réfrigérateur, recouverte d'un papier ciré.

1 PORTION	162 CALORIES	24 g GLUCIDES
3 g PROTÉINES	6 g LIPIDES	1,4 g FIBRES

Soupe de pois jaunes cassés   *(pour 4 personnes)*

6	tranches de bacon
1	oignon, coupé en dés
2	carottes, pelées et coupées en dés
1 ml	(¼ c. à thé) d'origan
2 ml	(½ c. à thé) de cerfeuil
1	clou
1	feuille de laurier
250 ml	(1 tasse) de pois jaunes cassés
1,2 L	(5 tasses) de bouillon de poulet chaud
50 ml	(¼ tasse) de crème à 35 %, chaude
	sel et poivre

Faire cuire le bacon dans une casserole pendant 2 minutes.

Ajouter les oignons; couvrir et faire cuire 2 minutes à feu moyen.

Ajouter les carottes et les épices; couvrir et faire cuire 2 minutes.

Ajouter les pois cassés et incorporer le bouillon de poulet; amener à ébullition. Couvrir partiellement et continuer la cuisson pendant 1 h 30 à feu doux.

Verser la soupe dans un robot culinaire et la mettre en purée. Ajouter la crème et mélanger de nouveau. Servir.

1 PORTION	327 CALORIES	37 g GLUCIDES
20 g PROTÉINES	11 g LIPIDES	1,4 g FIBRES

Soupe à l'okra *(pour 4 personnes)*

60 ml	(4 c. à soupe) de beurre
½	oignon, finement haché
1	branche de céleri, émincée
250 g	(½ livre) d'okras entiers congelés, cuits
30 ml	(2 c. à soupe) de pignons (noix de pins)
1 ml	(2 c. à thé) de basilic
1 ml	(¼ c. à thé)de marjolaine
60 ml	(4 c. à soupe) de farine
1 L	(4 tasses) de bouillon de poulet chaud
	une pincée de thym
	quelques piments rouges broyés
	sel et poivre

Faire fondre le beurre dans une casserole. Ajouter les oignons et le céleri; couvrir et faire cuire 3 minutes à feu moyen.

Ajouter les okras, les pignons et les épices. Rectifier l'assaisonnement. Couvrir et faire cuire 4 minutes.

Incorporer la farine et faire cuire, sans couvrir, 1 minute à feu doux.

Incorporer le bouillon de poulet et amener à ébullition. Couvrir partiellement et laisser mijoter 18 à 20 minutes à feu doux.

Remuer de temps à autre pendant la cuisson.

Passer la soupe à travers une passoire en pressant les okras avec le dos d'une cuiller. Servir.

1 PORTION	186 CALORIES	12 g GLUCIDES
3 g PROTÉINES	14 g LIPIDES	0,9 g FIBRES

Soupe de maïs *(pour 4 personnes)*

60 ml	(4 c. à soupe) de beurre
1	oignon, haché
1	paquet de 350 g (12 oz) de maïs en grains, congelé
60 ml	(4 c. à soupe) de farine
1 L	(4 tasses) de bouillon de poulet chaud
1 ml	(¼ c. à thé) de muscade
5 ml	(1 c. à thé) de ciboulette hachée
50 ml	(¼ tasse) de crème à 10 ou 15 %, chaude
	sel et poivre

Faire fondre le beurre dans une casserole. Ajouter les oignons; couvrir et faire cuire 4 minutes.

Ajouter le maïs; faire cuire 2 minutes à feu moyen.

Incorporer la farine; faire cuire, sans couvrir, 1 minute à feu doux.

Incorporer le bouillon de poulet et bien assaisonner. Ajouter la muscade et la ciboulette; amener à ébullition. Faire cuire, sans couvrir, 18 minutes à feu moyen tout en remuant de temps à autre.

2 minutes avant la fin de cuisson, incorporer la crème.

Servir chaud.

Soupe de cresson légère *(pour 4 personnes)*

30 ml	(2c. à soupe) de beurre
½	oignon, finement haché
5	pommes de terre, pelées et émincées
1 ml	(¼ c. à thé) d'estragon
1,2 L	(5 tasses) de bouillon de poulet froid
6	branches de cresson lavé et haché
	une pincée de thym
	une pincée de romarin
	sel et poivre

Faire fondre le beurre dans une casserole. Ajouter les oignons; faire cuire 2 minutes à feu moyen.

Ajouter les pommes de terre et les épices; bien mélanger. Couvrir et continuer la cuisson 3 minutes à feu doux.

Incorporer le bouillon de poulet, assaisonner et bien remuer. Amener à ébullition; couvrir partiellement et laisser mijoter 5 minutes à feu moyen.

Ajouter le cresson; faire cuire 5 minutes.

Si désiré, servir la soupe avec des sandwiches.

1 PORTION	146 CALORIES	20 g GLUCIDES
3 g PROTÉINES	6 g LIPIDES	0.7 g FIBRES

Soupe aux pommes et au chou-fleur   *(pour 4 personnes)*

30 ml	(2 c. à soupe) de beurre
½	oignon, finement haché
1	chou-fleur moyen, grossièrement haché (réserver une petite quantité pour la garniture)
3	pommes de terre, pelées et émincées
1	pomme, évidée, pelée et émincée
5 ml	(1 c. à thé) de persil frais haché
5 ml	(1 c. à thé) de ciboulette hachée
1,5 L	(6 tasses) de bouillon de poulet froid
30 ml	(2 c. à soupe) de yogourt nature
	quelques gouttes de jus de citron
	quelques gouttes de sauce Tabasco
	sel et poivre

Faire fondre le beurre dans une casserole. Ajouter les oignons; couvrir et faire cuire 2 minutes à feu moyen.

Ajouter le chou-fleur, les pommes de terre et les pommes; bien mélanger. Parsemer de persil et de ciboulette. Arroser de jus de citron et de sauce Tabasco. Bien assaisonner. Couvrir et faire cuire 8 minutes à feu moyen; remuer deux fois pendant la cuisson.

Incorporer le bouillon de poulet; bien remuer. Couvrir partiellement et laisser mijoter 20 minutes à feu moyen-doux.

Passer la soupe au robot culinaire. Ajouter le yogourt; mélanger. Rectifier l'assaisonnement.

Garnir du reste de chou-fleur avant de servir.

Potage du fermier *(pour 4 personnes)*

1	poireau, le blanc seulement
30 ml	(2 c. à soupe)de beurre
1	oignon, coupé en dés
2 ml	(½ c. à thé) de basilic
1	feuille de laurier
5 ml	(1 c. à thé) de persil frais haché
2	carottes, pelées et coupées en dés
2	navets, pelés et coupés en dés
2	pommes de terre, pelées et coupées en dés
1,5 L	(6 tasses) de bouillon de poulet froid
	une pincée de thym
	sel et poivre

En partant de 2,5 cm (1 po) de la base du poireau, couper le poireau en quatre sur la longueur. Bien laver le poireau dans l'eau froide et l'émincer.

Faire fondre le beurre dans une casserole. Ajouter les oignons et les poireaux; parsemer d'épices. Couvrir et faire cuire 4 minutes à feu moyen.

Ajouter le reste des légumes et bien assaisonner. Remuer, couvrir et continuer la cuisson pendant 3 minutes.

Incorporer le bouillon de poulet et amener à ébullition. Laisser mijoter, sans couvrir, 15 à 18 minutes à feu doux.

Servir chaud.

1 PORTION	130 CALORIES	17 g GLUCIDES
2 g PROTÉINES	6 g LIPIDES	1,3 g FIBRES

Soupe aux tomates et aux nouilles
(pour 4 personnes)

30 ml	(2 c. à soupe) de beurre
1	oignon, haché
1	branche de céleri, coupée en petits dés
8	tomates, pelées et hachées
1 ml	(¼ c. à thé) d'origan
1	gousse d'ail, écrasée et hachée
1 L	(4 tasses) de bouillon de poulet chaud
60 g	(2 oz) de nouilles aux œufs fines
	quelques piments broyés
	sel et poivre

Faire fondre le beurre dans une casserole. Ajouter les oignons et le céleri; couvrir et faire cuire 5 minutes à feu doux.

Ajouter les tomates, l'origan et l'ail; bien assaisonner. Remuer et faire cuire, sans couvrir, 5 minutes à feu moyen.

Incorporer le bouillon de poulet et ajouter le reste des épices. Remuer et amener à ébullition. Laisser mijoter, partiellement couvert, pendant 1 heure à feu doux.

Ajouter les nouilles et bien remuer; continuer la cuisson pendant 10 minutes.

Servir chaud.

1 PORTION	195 CALORIES	27 g GLUCIDES
6 g PROTÉINES	7 g LIPIDES	1,1 g FIBRES

Soupe de homard crémeuse
(pour 4 personnes)

30 ml	(2 c. à soupe) de beurre
1	oignon, finement haché
3	pommes de terre, coupées en petits dés
500 ml	(2 tasses) de crème légère, chaude
500 ml	(2 tasses) de lait chaud
125 g	(¼ livre) de champignons nettoyés et coupés en dés
500 g	(1 livre) de chair de homard, décongelée et coupée en dés
15 ml	(1 c. à soupe) de ciboulette hachée
	une pincée de paprika
	sel et poivre

Faire fondre le beurre dans une casserole. Ajouter les oignons et faire cuire 2 minutes à feu moyen.

Ajouter les pommes de terre et bien assaisonner. Incorporer la crème et le lait. Rectifier l'assaisonnement.

Amener à ébullition et laisser mijoter 10 minutes à feu doux.

Ajouter les champignons et continuer la cuisson pendant 5 minutes.

Incorporer la chair de homard; faire cuire 3 à 4 minutes à feu doux.

Parsemer de ciboulette et saupoudrer de paprika avant de servir.

1 PORTION	520 CALORIES	24 g GLUCIDES
34 g PROTÉINES	32 g LIPIDES	0,8 g FIBRES

Soupe au poulet et aux nouilles *(pour 4 personnes)*

15 ml	(1 c. à soupe) de beurre
2	branches de céleri, coupées en dés
2	carottes, pelées et coupées en dés
1,2 L	(5 tasses) de bouillon de poulet froid
375 ml	(1½ tasse) de nouilles, genre «tourelles ou spirales»
1½	poitrine de poulet, sans peau, désossée et coupée en dés
	une pincée de basilic
	sel et poivre

Faire fondre le beurre dans une casserole. Ajouter le céleri et les carottes; couvrir et faire cuire 3 minutes à feu moyen.

Remuer et ajouter le bouillon de poulet. Ajouter le basilic et assaisonner au goût. Amener à ébullition.

Ajouter les nouilles et remuer. Faire cuire, partiellement couvert, pendant 12 minutes à feu moyen. Remuer deux fois pendant la cuisson.

Entre-temps, placer le poulet dans une autre casserole, recouvrir d'eau salée et amener à ébullition; faire cuire 4 minutes

Égoutter le poulet et l'ajouter immédiatement à la soupe.

Dès que les nouilles sont cuites, servir la soupe.

1 PORTION	365 CALORIES	24 g GLUCIDES
47 g PROTÉINES	9 g LIPIDES	0,6 g FIBRES

Soupe au poulet et au riz *(pour 4 personnes)*

15 ml	(1 c. à soupe) de beurre
375 ml	(1½ tasse) de céleri haché
1,2 L	(5 tasses) de bouillon de poulet froid
1 ml	(¼ c. à thé) de sarriette
250 ml	(1 tasse) de riz à longs grains, lavé et égoutté
1	grosse poitrine de poulet, sans peau, désossée et coupée en dés
	sel et poivre

Faire fondre le beurre dans une casserole. Ajouter le céleri; couvrir et faire cuire 5 minutes à feu moyen.

Incorporer le bouillon de poulet et la sarriette; bien assaisonner. Remuer et amener à ébullition.

Ajouter le riz et remuer; couvrir partiellement et faire cuire 10 minutes à feu moyen-doux.

Entre-temps, mettre le poulet dans une autre casserole, recouvrir d'eau salée et amener à ébullition; faire cuire 4 minutes. Égoutter et mettre de côté.

Mettre le poulet dans la soupe; couvrir partiellement et faire cuire 8 minutes.

Servir.

1 PORTION	290 CALORIES	27 g GLUCIDES
32 g PROTÉINES	6 g LIPIDES	0,3 g FIBRES

Soupe au poulet rapide *(pour 4 personnes)*

60 ml	(4 c. à soupe) de beurre
30 ml	(2 c. à soupe) d'oignons hachés
75 ml	(5 c. à soupe) de farine
1,1 L	(4½ tasses) de bouillon de poulet fort, chaud
1	poitrine de poulet, sans peau, désossée et coupée en dés
	une pincée de paprika
	une pincée de muscade
	persil haché
	sel et poivre

Faire fondre le beurre dans une casserole. Ajouter les oignons; faire cuire 2 minutes à feu moyen.

Incorporer la farine; faire cuire, sans couvrir, 1 minute à feu doux.

Ajouter le bouillon de poulet et les épices;remuer et amener à ébullition. Laisser mijoter, sans couvrir, 18 minutes à feu doux.

8 minutes avant la fin de la cuisson de la soupe, placer le poulet dans une autre casserole et recouvrir d'eau salée. Amener à ébullition et faire cuire 4 minutes.

Égoutter le poulet et le mélanger à la soupe.

Parsemer de persil haché avant de servir.

1 PORTION	287 CALORIES	8 g GLUCIDES
30 g PROTÉINES	15 g LIPIDES	0 g FIBRES

Soupe du mercredi *(pour 4 personnes)*

30 ml	(2 c. à soupe) de beurre
2	branches de céleri, émincé en biais
1	petit concombre, pelé et émincé en biais
125 g	(¼ livre) de champignons, nettoyés et émincés
1	tomate tranchée
1 L	(4 tasses) de bouillon de poulet chaud
5 ml	(1 c. à thé) de sauce soya
	quelques gouttes de jus de citron
	sel et poivre

Faire fondre le beurre dans une casserole. Ajouter le céleri, les concombres et les champignons; arroser de jus de citron. Assaisonner au goût. Couvrir et faire cuire 5 minutes à feu moyen.

Ajouter les tomates et le bouillon de poulet. Assaisonner au goût. Amener à ébullition et continuer la cuisson, sans couvrir, 10 minutes à feu moyen.

Ajouter la sauce soya, remuer et rectifier l'assaisonnement. Laisser mijoter quelques minutes à feu doux.

Servir la soupe avec des biscottes ou du pain français grillé.

1 PORTION	78 CALORIES	4 g GLUCIDES
2 g PROTÉINES	6 g LIPIDES	0,7 g FIBRES

Soupe de lentilles *(pour 4 personnes)*

15 ml	(1 c. à soupe) de beurre
1	branche de céleri, coupée en dés
½	oignon, finement haché
1	carotte, pelée et coupée en dés
2 ml	(½ c. à thé) de basilic
1 ml	(¼ c. à thé) de graines de céleri
5 ml	(1 c. à thé) de persil frais haché
1	gousse d'ail, écrasée et hachée
250 ml	(1 tasse) de lentilles
1,5 L	(6 tasses) de bouillon de poulet chaud
50 ml	(¼ tasse) de riz à longs grains, lavé et égoutté
	sel et poivre

Faire fondre le beurre dans une casserole. Ajouter le céleri et les oignons; couvrir et faire cuire 3 minutes à feu moyen.

Ajouter les carottes, les épices et l'ail; couvrir et continuer la cuisson pendant 3 minutes.

Ajouter les lentilles et le bouillon de poulet; assaisonner au goût et bien mélanger. Amener à ébullition. Couvrir partiellement et laisser mijoter 2 heures à feu doux.

16 minutes avant la fin de la cuisson, ajouter le riz.

Servir.

1 PORTION	239 CALORIES	40 g GLUCIDES
13 g PROTÉINES	3 g LIPIDES	2,3 g FIBRES

Soupe de légumes variés *(pour 4 personnes)*

15 ml	(1 c. à soupe) de beurre
½	oignon, haché
1	petit poireau, le blanc seulement, lavé et émincé*
1 ml	(¼ c. à thé) d'origan
1 ml	(¼ c. à thé) de thym
1 ml	(¼ c. à thé) de basilic
15 ml	(1 c. à soupe) de ciboulette hachée
1	navet, pelé et coupé en dés
¼	de chou vert, émincé
2	carottes pelées et coupées en dés
2	pommes de terre, pelées et coupées en dés
1,2 L	(5 tasses) de bouillon de poulet froid
15 ml	(1 c. à soupe) de sauce soya
1	tomate, coupée en dés
250 ml	(1 tasse) de champignons frais coupés en dés
1	feuille de laurier, sel et poivre

Faire fondre le beurre dans une casserole. Ajouter les oignons et les poireaux; couvrir et faire cuire 3 minutes à feu moyen.

Ajouter les épices, les navets, le chou, les carottes et les pommes de terre. Saler, poivrer et bien mélanger. Couvrir et faire cuire 6 minutes à feu doux.

Incorporer le bouillon de poulet et la sauce soya; remuer. Assaisonner au goût et amener à ébullition. Couvrir partiellement et faire cuire 13 minutes à feu doux.

Ajouter les tomates et les champignons; continuer la cuisson pendant 5 minutes.

Servir avec des sandwiches pour le lunch, ou avec une salade verte pour le souper.

* Voir Potage du fermier, page 76.

1 PORTION	127 CALORIES	21 g GLUCIDES
4 g PROTÉINES	3 g LIPIDES	1,8 g FIBRES

Bouillon de poulet au riz   *(pour 4 personnes)*

30 ml	(2 c. à soupe) de beurre
½	oignon, coupé en petits dés
1	poireau, le blanc seulement, lavé et émincé*
1	carotte, pelée et coupée en petits dés
1	navet pelé et coupé en petits dés
½	branche de céleri, coupée en petits dés
1,5 L	(6 tasses) de bouillon de poulet froid
125 ml	(½ tasse) de riz à longs grains, lavé et égoutté
30 ml	(2 c. à soupe) de pignons (noix de pins)
	une pincée de thym
	une grosse pincée de basilic
	une pincée de graines de céleri
	persil frais haché, sel et poivre

Faire fondre le beurre dans une casserole. Ajouter les oignons et les poireaux. Saupoudrer d'épices; couvrir et faire cuire 3 à 4 minutes à feu moyen.

Ajouter le reste des légumes et bien assaisonner. Couvrir et continuer la cuisson 3 à 4 minutes.

Incorporer le bouillon de poulet et amener à ébullition.

Ajouter le riz et les pignons; bien remuer. Couvrir partiellement et faire cuire 16 minutes à feu moyen.

Si désiré, parsemer de persil haché avant de servir.

* Voir Potage du fermier, page 76.

1 PORTION	168 CALORIES	19 g GLUCIDES
3 g PROTÉINES	8 g LIPIDES	0,7 g FIBRES

Soupe de carottes *(pour 4 personnes)*

30 ml	(2 c. à soupe) de beurre
½	oignon, finement haché
5	grosses carottes, pelées et émincées
2 ml	(½ c. à thé) de cerfeuil
5 ml	(1 c. à thé) d'aneth frais haché
1,5 L	(6 tasses) de bouillon de poulet froid
175 ml	(¾ tasse) de riz à longs grains, lavé et égoutté
	une pincée de menthe
	sel et poivre

Faire fondre le beurre dans une casserole. Ajouter les oignons; couvrir et faire cuire 2 minutes à feu moyen.

Ajouter les carottes et les épices; couvrir et continuer la cuisson 4 minutes à feu moyen.

Incorporer le bouillon de poulet. Assaisonner au goût et remuer. Amener à ébullition.

Ajouter le riz, remuer et couvrir partiellement. Faire cuire 16 minutes à feu moyen ou jusqu'à ce que le riz soit cuit.

Servir avec des croûtons.

Crème de citrouille   *(pour 4 à 6 personnes)*

½	petite citrouille
1 L	(4 tasses) d'eau
1 L	(4 tasses) de lait
45 ml	(3 c. à soupe) de farine tout usage
45 ml	(3 c. à soupe) de beurre
30 à 45 ml	(2 à 3 c. à soupe) de sucre
	sel et poivre

Épépiner la citrouille et retirer la chair. Couper la chair en cubes de 2,5 cm (1 po) et la placer dans une casserole.

Ajouter assez d'eau pour couvrir la chair de la citrouille et amener à ébullition. Laisser mijoter jusqu'à ce que la chair soit tendre et complètement cuite.

Mettre en purée dans un moulin à légumes ou un blender.

Placer la purée de citrouille dans une casserole. Conserver 50 ml (¼ tasse) de lait et verser le reste du lait et l'eau dans la casserole. Amener à mijoter.

Délayer la farine dans le lait. Ajouter le mélange à la casserole. Continuer la cuisson de 15 à 20 minutes à feu doux. Remuer de temps en temps.

Incorporer le beurre. Saler, poivrer.

Servir la crème de citrouille dans des bols. Saupoudrer d'un peu de sucre.

1 PORTION	228 CALORIES	23 g GLUCIDES
7 g PROTÉINES	12 g LIPIDES	1,1 g FIBRES

Vichyssoise *(pour 4 à 6 personnes)*

30 ml	(2 c. à soupe) de beurre
1	gros oignon, émincé
15 ml	(1 c. à soupe) de persil frais haché
2	poireaux, le blanc seulement, coupé en quatre et bien lavé
2 ml	(½ c. à thé) de basilic
1 ml	(¼ c. à thé) de thym
1 ml	(¼ c. à thé) d'estragon
5	pommes de terre, pelées, lavées et émincées
1,5 L	(6 tasses) de bouillon de poulet chaud
125 ml	(½ tasse) de crème à 35 %
15 ml	(1 c. à soupe) de ciboulette fraîche hachée
	une pincée de paprika
	sel et poivre blanc

Faire fondre le beurre dans une sauteuse. Ajouter les poireaux et les épices; bien mélanger. Saler, poivrer; couvrir et continuer la cuisson de 7 à 8 minutes à feu moyen-doux.

Ajouter les pommes de terre et faire cuire 2 minutes.

Incorporer le bouillon de poulet, remuer et assaisonner au goût. Amener à ébullition et faire cuire, sans couvrir, de 25 à 30 minutes.

Dès que les pommes de terre sont cuites, passer la soupe dans un moulin à légumes. Laisser refroidir et réfrigérer.

Au moment de servir, incorporer la crème et parsemer de ciboulette.

Cette soupe se conservera de 3 à 4 jours au réfrigérateur. Ajouter la crème seulement au moment de servir.

Voir technique page suivante.

1 PORTION	251 CALORIES	25 g GLUCIDES
4 g PROTÉINES	15 g LIPIDES	0 g FIBRES

TECHNIQUE: VICHYSSOISE

1 Mettre les oignons et le persil dans le beurre chaud; couvrir et faire cuire 3 minutes à feu moyen-doux.

2 Ajouter les poireaux et les épices; bien mélanger. Assaisonner; couvrir et continuer la cuisson de 7 à 8 minutes.
Ajouter les pommes de terre; faire cuire 2 minutes.

3 Incorporer le bouillon de poulet, remuer et assaisonner au goût. Amener à ébullition et laisser mijoter, sans couvrir, de 25 à 30 minutes.

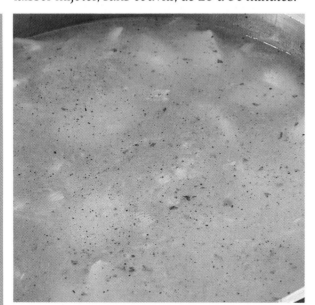

4 Dès que les pommes de terre sont cuites, passer la soupe au moulin à légumes.

Soupe aux moules à la Sonia *(pour 4 personnes)*

1,4 kg	(3 livres) de moules fraîches, bien brossées, nettoyées et lavées
15 ml	(1 c. à soupe) de persil frais haché
50 ml	(¼ tasse) de vin blanc sec
30 ml	(2 c. à soupe) de beurre
1	oignon moyen, finement haché
4	pommes de terre, pelées et coupées en dés
1	branche de céleri, coupée en dés
550 ml	(2¼ tasses) de crème légère chaude
550 ml	(2¼ tasses) de lait chaud
	jus de ¼ de citron
	une pincée de paprika
	sel et poivre

Mettre les moules, le persil, le jus de citron et le vin dans une casserole. Ajouter le poivre; couvrir et faire cuire jusqu'à ce que les moules ouvrent.

Décoquiller les moules et passer le liquide de cuisson à travers une gaze à fromage placée dans une passoire. Mettre le tout de côté.

Faire fondre le beurre dans une casserole. Ajouter les oignons; couvrir et faire cuire 3 minutes à feu moyen.

Ajouter les pommes de terre et le céleri. Saler, poivrer. Incorporer le liquide de cuisson des moules. Remuer; couvrir et faire cuire 6 à 7 minutes à feu doux.

Mélanger la crème et le lait, et verser dans la soupe. Assaisonner au goût et amener à ébullition. Couvrir partiellement et cuire 15 à 18 minutes à feu doux.

Ajouter les moules et le paprika. Rectifier l'assaisonnement. Laisser mijoter quelques minutes. Servir.

1 PORTION	576 CALORIES	28 g GLUCIDES
26 g PROTÉINES	40 g LIPIDES	1,3 g FIBRES

Soupe aux petits oignons blancs *(pour 4 personnes)*

60 ml	(4 c. à soupe) de beurre
3	oignons moyens, émincés
75 ml	(5 c. à soupe) de farine
1,2 L	(5 tasses) de bouillon de poulet chaud
1 ml	(¼ c. à thé) de muscade
1	jaune d'œuf battu
50 ml	(¼ tasse) de crème à 35 %
250 ml	(1 tasse) de petits oignons blancs cuits
	sel et poivre

Faire fondre le beurre dans une casserole. Ajouter les oignons et assaisonner au goût. Couvrir et faire cuire 10 minutes à feu doux. Remuer de temps à autre pour ne pas faire brunir les oignons.

Ajouter la farine et faire cuire, sans couvrir, 1 minute à feu doux.

Ajouter le bouillon de poulet et la muscade; remuer et amener à ébullition. Couvrir partiellement et laisser mijoter 18 à 20 minutes à feu doux.

Mélanger le jaune d'œuf et la crème. Incorporer le mélange à la soupe. Faire mijoter 2 minutes à feu doux.

Ajouter les petits oignons blancs, remuer et faire cuire quelques minutes.

Servir avec des croûtons.

1 PORTION	241 CALORIES	18 g GLUCIDES
4 g PROTÉINES	17 g LIPIDES	0,8 g FIBRES

Minestrone *(pour 4 personnes)*

30 ml	(2 c. à soupe) de beurre
1	oignon, coupé en petits dés
¼	de chou vert, émincé
1	poireau, le blanc seulement, lavé et émincé
1 ml	(¼ c. à thé) de basilic
1 ml	(¼ c. à thé) d'origan
1	navet pelé et coupé en petits dés
1	pomme de terre, pelée et coupée en petits dés
1	carotte, pelée et coupée en petits dés
1	tomate coupée en dés
1	gousse d'ail, écrasée et hachée
5 ml	(1 c. à thé) de persil frais haché
1,8 L	(7 tasses) de bouillon de poulet froid
1	jus de tomates, de 160 ml (5 ½ oz)
71 g	(2 ½ oz) de spaghetti, brisé en trois
1	feuille de laurier, sel et poivre
	une pincée de thym
	une pincée de graines de céleri

Faire fondre le beurre dans une grande casserole. Ajouter les oignons, le chou et les poireaux. Saler, poivrer. Ajouter le basilic, l'origan et le reste des épices. Couvrir et faire cuire 4 minutes à feu doux.

Ajouter les navets, les pommes de terre et les carottes; bien mélanger. Couvrir et continuer la cuisson 3 à 4 minutes à feu moyen.

Ajouter les tomates, l'ail et le persil. Incorporer le bouillon de poulet et le jus de tomates. Remuer et amener à ébullition.

Rectifier l'assaisonnement et laisser mijoter, sans couvrir, 5 minutes à feu doux.

Ajouter le spaghetti. Saler, poivrer et faire cuire 12 minutes à feu moyen ou jusqu'à ce que les pâtes soient cuites.

Saupoudrer de fromage Parmesan avant de servir.

1 PORTION	124 CALORIES	19 g GLUCIDES
3 g PROTÉINES	4 g LIPIDES	0,9 g FIBRES

Gazpacho *(pour 4 personnes)*

1	concombre, pelé, évidé et tranché
1	petit oignon, coupé en dés
2	gousses d'ail, écrasées et hachées
3	échalotes sèches, finement hachées
4	grosses tomates mûres, pelées et hachées
½	piment vert, finement haché
½	avocat, pelé et finement haché
15 ml	(1 c. à soupe) de vinaigre de vin
15 ml	(1 c. à soupe) d'huile d'olive
250 ml	(1 tasse) d'eau froide
15 ml	(1 c. à soupe) de jus de citron
	une pincée de sucre
	sel et poivre

Mettre tous les ingrédients dans un robot culinaire ou un blender. Mélanger pendant quelques minutes pour obtenir une purée.

Rectifier l'assaisonnement. Réfrigérer 3 heures avant de servir.

Verser dans une soupière et garnir de piment vert et de persil haché.

Soupe à l'oignon gratinée *(pour 4 personnes)*

30 ml	(2 c. à soupe) de beurre
4	oignons blancs, émincés
15 ml	(1 c. à soupe) de farine
50 ml	(¼ tasse) de vin blanc sec
1,2 L	(5 tasses) de bouillon de bœuf froid
125 ml	(½ tasse) de fromage gruyère râpé
4	tranches de pain français grillé
	une pincée de thym
	une pincée de marjolaine
	feuille de laurier
	quelques gouttes de sauce Tabasco
	sel et poivre

Faire fondre le beurre dans une casserole. Ajouter les oignons; faire cuire, sans couvrir, 15 minutes à feu moyen-doux. Remuer fréquemment en grattant le fond de la casserole pour faire brunir les oignons.

Ajouter la farine et bien mélanger. Continuer la cuisson pendant 2 minutes à feu doux.

Incorporer le vin et faire cuire 2 minutes à feu vif. Remuer de temps en temps.

Incorporer le bouillon de bœuf et les épices. Rectifier l'assaisonnement. Remuer et amener à ébullition. Couvrir partiellement et laisser mijoter 20 minutes à feu doux. Remuer de temps à autre.

Placer 30 ml (2 c. à soupe) de fromage dans chaque bol à soupe. Verser la soupe dans les bols et recouvrir d'un morceau de pain. Garnir du reste de fromage. En ajouter si nécessaire.

Mettre les bols au four, à 15 cm (6 po) de l'élément supérieur. Faire gratiner pendant 5 minutes.

Servir immédiatement.

1 PORTION	227 CALORIES	21 g GLUCIDES
11 g PROTÉINES	11 g LIPIDES	0,6 g FIBRES

Soupe froide à la mexicaine *(pour 4 à 6 personnes)*

4	tomates mûres, pelées, épépinées et finement hachées
250 ml	(1 tasse) de céleri finement haché
2	oignons verts, finement hachés
2	concombres moyens, pelés et finement hachés
1	petit piment vert fort, épépiné et finement haché*
2 ml	(½ c. à thé) de sauce Tabasco
1 L	(4 tasses) de jus de tomates, froid
15 ml	(1 c. à soupe) d'huile d'olive
	sel et poivre

Mettre tous les légumes hachés dans un bol. Ajouter la sauce Tabasco, le jus de tomates et l'huile. Bien mélanger. Saler, poivrer.

Réfrigérer pendant plusieurs heures.

Servir la soupe dans des bols froids. Garnir d'une tranche de citron.

* Les piments forts ont une essence très forte pouvant irriter l'œil. Il est donc extrêmement important de vous laver les mains après les avoir manipulés.

Soupe au poisson   *(pour 4 personnes)*

30 ml	(2 c. à soupe) de beurre
2	branches de céleri, coupées en dés
1	carotte, pelée et coupée en dés
1	petit poireau, lavé et coupé en dés
2	échalotes sèches, finement hachées
1 L	(4 tasses) de bouillon de poulet léger
150 g	(⅓ livre) de flétan
150 g	(⅓ livre) de filet d'aiglefin
150 g	(⅓ livre) de pétoncles
500 ml	(2 tasses) d'eau chaude
250 ml	(1 tasse) de croûtons
15 ml	(1 c. à soupe) de persil frais haché
	sel et poivre

Faire fondre le beurre dans une casserole de grosseur moyenne. Ajouter les légumes en dés et les échalotes. Couvrir et faire cuire de 4 à 5 minutes.

Incorporer le bouillon de poulet et laisser mijoter. Placer délicatement le flétan et les filets d'aiglefin dans la casserole. Faire pocher le poisson dans le liquide à peine frémissant, pendant 5 minutes.

Délicatement, retirer le poisson de la casserole et le transférer dans un bol.

Placer les pétoncles dans la casserole et les faire pocher pendant 2 minutes. Transférer les pétoncles dans le bol contenant le poisson.

À l'aide d'une fourchette, défaire le poisson en gros morceaux et ajouter un peu de liquide de cuisson pour le tenir chaud. Verser l'eau dans la casserole contenant le liquide de cuisson. Faire mijoter de 15 à 20 minutes.

Incorporer le poisson et les pétoncles délicatement. Assaisonner au goût.

Garnir de croûtons et de persil. Servir immédiatement.

1 PORTION	203 CALORIES	13 g GLUCIDES
22 g PROTÉINES	7 g LIPIDES	0,5 g FIBRES

TECHNIQUE: SOUPE AU POISSON

1 Faire fondre le beurre dans une casserole. Ajouter les légumes et les échalotes. Couvrir et faire cuire 4 à 5 minutes.

2 Incorporer le bouillon de poulet et amener à mijoter.

3 Placer le flétan et l'aiglefin dans la casserole. Faire pocher le poisson dans le liquide frémissant, pendant 5 minutes.

4 Délicatement, retirer le poisson et le transférer dans un bol.

TECHNIQUE: QUELQUES CONSEILS

1 Avant d'être utilisés pour la cuisson, les œufs doivent être à la température de la pièce, car au contact de l'eau chaude les coquilles craquent si les œufs sont trop froids.

2 Pour préparer les œufs pour la cuisson, casser les œufs dans un petit bol avant de les faire glisser dans la poêle. On peut ainsi vérifier leur fraîcheur.

3 Éviter d'utiliser des œufs marqués de grandes taches de sang.

4 Le beurre et la margarine sont des bons corps gras pour la cuisson des œufs. Le gras doit être complètement fondu et légèrement mousseux avant d'ajouter les œufs à la poêle.

5 Lorsqu'on utilise une fourchette pour battre ou mélanger les œufs, pencher le bol vers soi et garder le poignet droit tout en faisant un grand mouvement circulaire avec la fourchette.

6 La couleur du jaune d'œuf peut varier. Il n'y a pas de différence dans la valeur nutritive entre l'œuf à coquille blanche ou brune.

7 Afin d'éviter que les œufs frais et cuits durs ne se mélangent dans le réfrigérateur, faire une marque sur l'œuf dur. Dans le doute, faire pivoter l'œuf sur une surface plane. S'il pivote rapidement, c'est un œuf cuit.

8 En cas de doute sur la fraîcheur d'un œuf, faire le test suivant: placer l'œuf dans un grand verre d'eau et observer sa position. Moins l'œuf flotte, plus il est frais.

TECHNIQUE: LES ŒUFS BROUILLÉS

1 Si une garniture est servie avec des œufs, la préparer à l'avance.

2 Casser les œufs dans un bol et battre au fouet. Saler, poivrer.

3 Faire chauffer le beurre ou la margarine dans une poêle en téflon.
Verser les œufs dans le beurre chaud et les laisser cuire à feu moyen.

4 Remuer les œufs rapidement avec un ustensile en bois. Continuer de remuer jusqu'à ce que les œufs soient brouillés. Poursuivre la cuisson, sans remuer, pour une courte période. Éviter de trop les faire cuire.

98

Œufs brouillés aux légumes *(pour 4 personnes)*

30 ml	(2 c. à soupe) de beurre
30 ml	(2 c. à soupe) d'oignons hachés
½	branche de céleri, coupée en petits dés
1	petite courgette, coupée en petits dés
1 ml	(¼ c. à thé) de marjolaine
5 ml	(1 c. à thé) de poudre de cari
2	tomates, coupées en dés
8	œufs
50 ml	(¼ tasse) de crème à 10%
	sel et poivre

Faire chauffer 15 ml (1 c. à soupe) de beurre dans une grande poêle à frire.

Ajouter les oignons, le céleri et les courgettes. Saler, poivrer et ajouter les épices; faire cuire 3 minutes à feu moyen.

Ajouter les tomates; continuer la cuisson de 3 à 4 minutes.

Entre-temps, casser les œufs dans un bol et battre au fouet. Saler, poivrer et incorporer la crème.

Faire chauffer le reste du beurre dans une grande poêle à frire en téflon.

Verser les œufs dans le beurre chaud et faire cuire 1 minute à feu moyen.

Remuer les œufs rapidement et continuer la cuisson pendant 1 minute.

Ajouter les légumes, mélanger et servir sur du pain grillé.

1 PORTION	261 CALORIES	4 g GLUCIDES
14 g PROTÉINES	21 g LIPIDES	0,8 g FIBRES

Œufs brouillés, sauce aux crevettes

(pour 4 personnes)

45 ml	(3 c. à soupe) de beurre
8	crevettes, décortiquées, nettoyées et coupées en deux
1	boîte d'asperges en conserve de 398 ml (14 oz), égouttées et coupées en deux
8	œufs battus, bien assaisonnés
250 ml	(1 tasse) de sauce aux crevettes chaude*
	sel et poivre

Faire chauffer le beurre dans une grande poêle à frire en téflon. Ajouter les crevettes; saler, poivrer; faire cuire 3 minutes à feu vif.

Ajouter les asperges, mélanger et ajouter les œufs. Remuer rapidement et continuer la cuisson 3 minutes à feu vif.

Verser la sauce aux crevettes dans un plat à service chaud. Disposer les œufs dans la sauce. Accompagner de pain français grillé.

* Voir Sauce aux crevettes, p. 101.

1 PORTION	490 CALORIES	12 g GLUCIDES
34 g PROTÉINES	34 g LIPIDES	0,5 g FIBRES

TECHNIQUE: SAUCE AUX CREVETTES

1 Ajouter les crevettes, les échalotes et le persil au beurre chaud; bien mélanger. Poivrer et faire cuire 4 minutes à feu moyen.
Incorporer le vin; faire cuire 2 minutes à feu vif.

2 Ajouter la sauce blanche; saler, poivrer. Ajouter le fenouil et le paprika. Remuer et laisser mijoter de 4 à 5 minutes à feu doux.

Sauce aux crevettes

15 ml	(1 c. à soupe) de beurre
250 g	(½ livre) de crevettes, décortiquées, nettoyées et finement hachées
1	échalote sèche, finement hachée
5 ml	(1 c. à thé) de persil frais haché
50 ml	(¼ tasse) de vin blanc sec
375 ml	(1½ tasse) de sauce blanche rapide*
1 ml	(¼ c. à thé) de fenouil
	une pincée de paprika
	sel et poivre

Faire chauffer le beurre dans une petite casserole ou une poêle à frire. Ajouter les crevettes, les échalotes et le persil; bien mélanger.

Poivrer et faire cuire 4 minutes à feu moyen.

Incorporer le vin et faire cuire 2 minutes à feu vif.

Ajouter la sauce blanche; saler, poivrer. Ajouter le fenouil et le paprika. Remuer et laisser mijoter de 4 à 5 minutes à feu doux.

Cette sauce accompagne bien plusieurs plats à base d'œufs.

* Voir Sauce blanche rapide, p. 145.

1 PORTION	204 CALORIES	9 g GLUCIDES
15 g PROTÉINES	12 g LIPIDES	0 g FIBRES

Œufs brouillés Christophe *(pour 4 personnes)*

4	vol-au-vent commerciaux congelés
30 ml	(2 c. à soupe) de beurre
125 g	(¼ livre) de champignons frais, nettoyés et coupés en dés
1	échalote sèche, hachée
5 ml	(1 c. à thé) de ciboulette hachée
8	œufs battus, bien assaisonnés
	sel et poivre

Préchauffer le four à 70°C (150°F).

Faire cuire les vol-au-vent selon le mode d'emploi sur le paquet. Garder chaud au four jusqu'à l'utilisation.

Faire chauffer le beurre dans une poêle à frire en téflon. Ajouter les champignons et les échalotes; saler, poivrer. Faire cuire 3 minutes à feu moyen.

Ajouter la ciboulette et incorporer les œufs. Remuer rapidement et continuer la cuisson pendant 3 minutes à feu vif.

Remplir les vol-au-vent chauds avec le mélange d'œufs. Garnir de branches de persil frais. Servir.

1 PORTION	394 CALORIES	16 g GLUCIDES
15 g PROTÉINES	30 g LIPIDES	0,2 g FIBRES

Œufs brouillés à la chair de crabe *(pour 4 personnes)*

30 ml	(2 c. à soupe) de beurre
1	boîte de chair de crabe en conserve de 142 g (5 oz), égouttée
5 ml	(1 c. à thé) de ciboulette hachée
125 ml	(½ tasse) de fromage cheddar râpé
8	œufs battus, bien assaisonnés
	sel et poivre

Faire chauffer le beurre dans une poêle à frire en téflon. Ajouter la chair de crabe et la ciboulette; laisser mijoter 2 minutes à feu doux. Saler, poivrer.

Incorporer le fromage aux œufs battus. Verser le mélange sur la chair de crabe. Cuire 3 minutes tout en remuant.

Servir.

1 PORTION	317 CALORIES	0 g GLUCIDES
23 g PROTÉINES	25 g LIPIDES	0 g FIBRES

Œufs brouillés archiduchesse *(pour 4 personnes)*

1	boîte d'asperges en conserve de 398 ml (14 oz), égouttées
40 ml	(2½ c. à soupe) de beurre
50 ml	(¼ tasse) d'eau
2	tranches de jambon cuit, coupées en dés
125 g	(¼ livre) de champignons frais, nettoyés et coupés en dés
8	œufs battus, bien assaisonnés
	sel et poivre

Mettre les asperges dans une casserole et ajouter 5 ml (1 c. à thé) de beurre. Ajouter l'eau; couvrir et laisser mijoter à feu doux pendant que les œufs cuisent.

Faire chauffer le reste du beurre dans une poêle à frire en téflon. Ajouter le jambon et les champignons; saler, poivrer et faire cuire 3 minutes.

Ajouter les œufs et continuer la cuisson pendant 1 minute à feu vif.

Remuer rapidement et continuer la cuisson pendant 1 minute.

Assaisonner au goût. Transférer les œufs sur un plat de service. Garnir d'asperges. Servir avec du pain français grillé.

1 PORTION	286 CALORIES	4 g GLUCIDES
18 g PROTÉINES	5 g LIPIDES	0 g FIBRES

Œufs pour brunch mexicain   *(pour 4 personnes)*

15 ml	(1 c. à soupe) d'huile d'olive
2	petits piments forts, épépinés et hachés
1	oignon, émincé
3	grosses tomates, hachées
5 ml	(1 c. à thé) de beurre
8	œufs battus, bien assaisonnés
	sel et poivre

Faire chauffer l'huile dans une poêle à frire en téflon. Ajouter les piments et les oignons; faire cuire 3 à 4 minutes à feu moyen.

Ajouter les tomates, mélanger et saler, poivrer. Continuer la cuisson de 7 à 8 minutes à feu moyen.

Dès que le mélange est cuit, le retirer de la poêle à frire et le tenir chaud au four.

Nettoyer la poêle, ajouter le beurre et le faire chauffer. Ajouter les œufs et les faire bouillir 2 à 3 minutes à feu moyen.

Disposer les œufs brouillés sur un plat de service chaud. Garnir du mélange de tomates. Servir.

1 PORTION	252 CALORIES	5 g GLUCIDES
13 g PROTÉINES	20 g LIPIDES	1,2 g FIBRES

Œufs brouillés à la moutarde   *(pour 4 personnes)*

8	œufs
50 ml	(¼ tasse) de fromage gruyère râpé
30 ml	(2 c. à soupe) de moutarde de Dijon
30 ml	(2 c. à soupe) de beurre
3	tranches de pain blanc, grillées et coupées en languettes
	persil frais haché ou ciboulette
	sel et poivre

Casser les œufs dans un bol et les mélanger au fouet. Saler, poivrer.

Ajouter le fromage et la moutarde; mélanger de nouveau.

Faire chauffer le beurre dans une poêle à frire en téflon. Ajouter les œufs; remuer rapidement et faire cuire 3 à 4 minutes à feu vif.

Servir les œufs avec les doigts de pain grillé. Parsemer de persil ou de ciboulette.

Voir technique page suivante.

1 PORTION	307 CALORIES	9 g GLUCIDES
16 g PROTÉINES	23 g LIPIDES	0 g FIBRES

TECHNIQUE

1 Casser les œufs dans un bol.

2 Mélanger au fouet. Saler, poivrer. Ajouter le fromage et la moutarde; mélanger de nouveau.

3 Faire cuire les œufs de 3 à 4 minutes dans le beurre chaud; remuer rapidement.

4 Servir les œufs avec des doigts de pain grillé. Parsemer de persil ou de ciboulette.

TECHNIQUE: L'OMELETTE

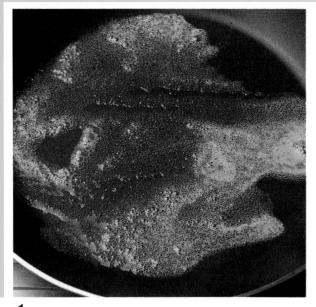

1 Casser les œufs dans un bol et les battre à la fourchette. Saler, poivrer.
Faire chauffer le beurre dans une poêle à frire en téflon.

2 Ajouter les œufs et faire cuire sans remuer.

3 Dès que les œufs ont «pris», remuer rapidement avec un ustensile en bois. Refermer délicatement l'omelette et continuer la cuisson sans remuer.

4 Ajouter la garniture.

5 À l'aide d'une spatule, rouler l'omelette sur elle-même tout en penchant la poêle.

6 Incliner la poêle contre l'assiette et y faire glisser l'omelette.

Omelette simple *(pour 2 personnes)*

5 à 6	œufs
15 ml	(1 c. à soupe) d'eau ou de crème à 10%*
15 ml	(1 c. à soupe) de beurre
	sel et poivre

Casser les œufs dans un bol et les battre avec une fourchette. Saler, poivrer. Ajouter la crème et mélanger.

Faire chauffer le beurre dans une poêle à frire en téflon ou une poêle à omelette.

Verser les œufs dans le beurre chaud et faire cuire 1 minute à feu vif.

Remuer rapidement avec un ustensile en bois. Faire cuire 1 minute sans remuer. Rouler l'omelette (voir technique) et servir.

* En utilisant de l'eau, l'omelette sera plus légère qu'en utilisant de la crème.

1 PORTION	324 CALORIES	0 g GLUCIDES
18 g PROTÉINES	28 g LIPIDES	0 g FIBRES

Omelette aux salsifis   *(pour 2 personnes)*

30 ml	(2 c. à soupe) de beurre
1	carotte cuite, coupée en dés
3	salsifis en conserve, coupés en gros dés
5	œufs
	sel et poivre

Faire chauffer le beurre dans une petite casserole. Ajouter les légumes et saler, poivrer. Couvrir et cuire 3 minutes à feu doux.

Casser les œufs dans un bol et les battre avec une fourchette. Saler, poivrer.

Faire chauffer le reste du beurre dans une poêle à frire en téflon. Verser les œufs dans le beurre chaud et faire cuire 1 minute à feu vif.

Remuer les œufs rapidement avec un ustensile en bois et continuer la cuisson pendant 1 minute sans remuer.

Ajouter la moitié de la garniture. Rouler l'omelette (voir technique) et cuire 30 secondes.

Servir l'omelette avec le reste de la garniture et avec des légumes variés, si désiré.

1 PORTION	385 CALORIES	14 g GLUCIDES
17 g PROTÉINES	29 g LIPIDES	0,5 g FIBRES

Omelette aux crevettes *(pour 2 personnes)*

30 ml	(2 c. à soupe) de beurre
15 ml	(1 c. à soupe) d'oignons hachés
125 g	(¼ livre) de crevettes cuites, nettoyées et coupées en deux
250 ml	(1 tasse) de tomates hachées
1 ml	(¼ c. à thé) de fenouil
5	œufs
	quelques gouttes de sauce Tabasco
	jus de citron
	sel et poivre

Faire chauffer 15 ml (1 c. à soupe) de beurre dans une poêle à frire. Ajouter les oignons et les crevettes; saler, poivrer. Faire cuire 2 minutes à feu moyen.

Ajouter les tomates, le fenouil, la sauce Tabasco et le jus de citron. Saler, poivrer; mélanger et cuire 5 minutes à feu doux.

Casser les œufs dans un bol et les battre à la fourchette. Saler, poivrer.

Faire chauffer le reste du beurre dans une poêle en téflon.

Verser les œufs dans le beurre chaud; faire cuire 1 minute à feu vif.

Remuer les œufs rapidement et continuer la cuisson pendant 1 minute sans remuer.

Ajouter la garniture de crevettes et plier l'omelette en deux. Continuer la cuisson pendant 10 secondes.

Servir avec des choux-fleurs.

1 PORTION	298 CALORIES	6 g GLUCIDES
28 g PROTÉINES	18 g LIPIDES	0,9 g FIBRES

Omelette lyonnaise *(pour 2 personnes)*

30 ml	(2 c. à soupe) de beurre
1	petit oignon, pelé et émincé
¼	pomme, évidée, pelée et émincée
5	œufs
2 ml	(½ c. à thé) de persil frais haché
	sel et poivre

Faire chauffer 15 ml (1 c. à soupe) de beurre dans une poêle téflon. Ajouter les oignons. Saler, poivrer; faire cuire 4 minutes à feu moyen. Ajouter les pommes, mélanger et continuer la cuisson pendant 2 minutes.

Entre-temps, casser les œufs dans un bol et les battre à la fourchette. Saler, poivrer.

Transférer la garniture d'oignons dans un petit bol. Mettre de côté.

Faire chauffer le reste du beurre dans la poêle à frire. Verser les œufs dans le beurre chaud; faire cuire 1 minute à feu vif.

Remuer les œufs rapidement et continuer la cuisson pendant 1 minute sans remuer.

Ajouter la moitié de la garniture d'oignons. Rouler l'omelette (voir technique) et continuer la cuisson pendant 30 secondes.

Disposer l'omelette sur un plat de service. Décorer avec le reste de la garniture.

Parsemer de persil. Servir.

1 PORTION	353 CALORIES	7 g GLUCIDES
16 g PROTÉINES	29 g LIPIDES	0,4 g FIBRES

Omelette aux cœurs d'artichauts *(pour 2 personnes)*

30 ml	(2 c. à soupe) de beurre
4	cœurs d'artichauts en conserve, égouttés et coupés en deux
12	olives vertes farcies
8	champignons, nettoyés et coupés en deux
5	œufs
	sel et poivre

Faire chauffer 15 ml (1 c. à soupe) de beurre dans une poêle à frire. Ajouter les artichauts, les olives et les champignons. Couvrir et faire cuire 3 minutes. Saler, poivrer.

Casser les œufs dans un bol et les battre à la fourchette. Saler, poivrer.

Faire chauffer le reste du beurre dans une poêle en téflon ou une poêle à omelette.

Verser les œufs dans le beurre chaud; faire cuire 1 minute à feu vif.

Remuer les œufs rapidement et continuer la cuisson pendant 1 minute sans remuer.

Ajouter la moitié de la garniture. Rouler l'omelette (voir technique) et continuer la cuisson pendant 30 secondes.

Disposer l'omelette sur un plat de service. Décorer avec le reste de la garniture. Servir.

1 PORTION	484 CALORIES	11 g GLUCIDES
20 g PROTÉINES	40 g LIPIDES	1,0 g FIBRES

Omelette de dernière minute *(pour 2 personnes)*

30 ml	(2 c. à soupe) de beurre
1	oignon, pelé et émincé
¼	piment rouge, émincé
2	tomates miniatures, hachées
5	œufs
	sel et poivre

Faire chauffer 15 ml (1 c. à soupe) de beurre dans une poêle à frire. Ajouter les oignons; faire cuire 3 minutes à feu vif.

Ajouter les piments et les tomates. Saler, poivrer; cuire 3 minutes à feu moyen.

Entre-temps, casser les œufs dans un bol et les battre à la fourchette. Saler, poivrer.

Faire chauffer le reste du beurre dans une poêle en téflon.

Verser les œufs dans le beurre chaud; faire cuire 1 minute à feu vif.

Remuer les œufs rapidement et continuer la cuisson pendant 1 minute sans remuer.

Ajouter la moitié de la garniture. Rouler l'omelette (voir technique) et continuer la cuisson pendant 30 secondes.

Servir avec le reste de la garniture et des légumes.

1 PORTION	349 CALORIES	5 g GLUCIDES
17 g PROTÉINES	29 g LIPIDES	0,7 g FIBRES

Omelette au sirop d'érable et au jambon *(pour 2 personnes)*

30 ml	(2 c. à soupe) de beurre
1	petit oignon, haché
½	tranche de jambon cuit, coupé en gros dés
½	pomme, évidée, pelée et coupée en cubes
15 ml	(1 c. à soupe) de sirop d'érable
5	œufs
	sel et poivre

Faire chauffer 15 ml (1 c. à soupe) de beurre dans une poêle en téflon.

Ajouter les oignons, le jambon et les pommes. Saler, poivrer; faire cuire 3 à 4 minutes à feu moyen.

Ajouter le sirop d'érable, mélanger et continuer la cuisson pendant 2 minutes. Mettre de côté.

Faire chauffer le reste du beurre dans une poêle en téflon ou une poêle à omelette.

Verser les œufs dans le beurre chaud; cuire 1 minute à feu vif.

Remuer les œufs rapidement et continuer la cuisson pendant 1 minute sans remuer.

Ajouter la moitié de la garniture. Rouler l'omelette (voir technique) et continuer la cuisson pendant 30 secondes.

Servir avec le reste de la garniture et des légumes frais.

1 PORTION	414 CALORIES	8 g GLUCIDES
28 g PROTÉINES	30 g LIPIDES	0,2 g FIBRES

Omelette du fermier *(pour 2 personnes)*

30 ml	(2 c. à soupe) de beurre
15 ml	(1 c. à soupe) d'oignons finement hachés
2	saucisses cuites, coupées en dés
4	tranches de bacon cuit, coupées en dés
20	champignons frais, nettoyés et coupés en dés
6	œufs
	ciboulette hachée
	sel et poivre

Faire chauffer 15 ml (1 c. à soupe) de beurre dans une poêle à frire.

Ajouter les oignons, les saucisses et le bacon; cuire 2 minutes.

Ajouter les champignons, et la ciboulette; saler, poivrer. Faire cuire 3 minutes à feu moyen. Mettre de côté.

Faire chauffer le reste du beurre dans une poêle en téflon.

Entre-temps, casser les œufs dans un bol et les battre à la fourchette. Saler, poivrer.

Verser les œufs dans le beurre chaud; faire cuire 1 minute à feu vif.

Remuer rapidement; continuer la cuisson pendant 1 minute sans remuer.

Ajouter la garniture; cuire 1 minute.

Plier l'omelette et servir.

1 PORTION	557 CALORIES	8 g GLUCIDES
39 g PROTÉINES	41 g LIPIDES	1,3 g FIBRES

Omelette rapide au fromage   *(pour 2 personnes)*

5	œufs
15 ml	(1 c. à soupe) de beurre
50 ml	(¼ tasse) de fromage cheddar râpé
	sel et poivre

Casser les œufs dans un bol et les battre avec une fourchette. Saler, poivrer.

Faire chauffer le beurre dans une poêle en téflon ou une poêle à omelette.

Verser les œufs dans le beurre chaud et cuire 1 minute à feu vif.

Entre-temps, préchauffer le four à gril (broil).

Remuer les œufs rapidement et ajouter les ¾ du fromage. Rouler l'omelette (voir technique) et continuer la cuisson pendant 1 minute.

Placer l'omelette dans un plat de service allant au four et parsemer du reste de fromage. Cuire au four pendant 2 minutes.

Servir avec des légumes.

1 PORTION	324 CALORIES	0 g GLUCIDES
18 g PROTÉINES	28 g LIPIDES	0 g FIBRES

Omelette nouvelle cuisine *(pour 4 personnes)*

1	grosse carotte, pelée et coupée en dés
½	courgette, coupée en dés
250 ml	(1 tasse) de brocolis en fleurette
125 ml	(½ tasse) de crème à 10 %
1 ml	(¼ c. à thé) de muscade
5 ml	(1 c. à thé) de fécule de maïs
30 ml	(2 c. à soupe) d'eau froide
8	œufs
15 ml	(1 c. à soupe) de beurre
	une pincée de clou moulu
	quelques gouttes de sauce Tabasco
	sel et poivre

Mettre les carottes dans une casserole contenant 500 ml (2 tasses) d'eau salée; couvrir et cuire 4 minutes à feu moyen.

Ajouter les courgettes; cuire 3 minutes.

Ajouter le brocoli et continuer la cuisson pendant 3 minutes.

Égoutter les légumes et les remettre dans la casserole. Incorporer la crème, les épices et la sauce Tabasco; cuire 1 minute.

Délayer la fécule de maïs dans l'eau froide. Incorporer le mélange aux légumes. Laisser mijoter quelques minutes à feu doux.

Casser les œufs dans un bol et les battre avec une fourchette. Saler, poivrer.

Faire chauffer le beurre dans une grande poêle en téflon. Verser les œufs dans le beurre chaud; cuire 1 minute à feu vif.

Remuer les œufs rapidement et continuer la cuisson 1 à 2 minutes sans remuer.

Ajouter la garniture de légumes, plier en deux et cuire 1 minute.

Servir.

1 PORTION	237 CALORIES	7 g GLUCIDES
14 g PROTÉINES	17 g LIPIDES	0,9 g FIBRES

Omelette aux champignons *(pour 2 personnes)*

45 ml	(3 c. à soupe) de beurre
15 ml	(1 c. à soupe) d'oignons hachés
125 g	(¼ livre) de champignons frais, nettoyés et tranchés
15 ml	(1 c. à soupe) de piments rouges marinés, hachés
5	œufs
15 ml	(1 c. à soupe) de persil frais haché
	sel et poivre

Faire chauffer 30 ml (2 c. à soupe) de beurre dans une poêle à frire en téflon.

Ajouter les oignons et les champignons; saler, poivrer. Faire cuire 3 minutes à feu vif.

Ajouter les piments rouges; continuer la cuisson pendant 1 minute. Mettre de côté.

Casser les œufs dans un bol et les battre à la fourchette. Saler, poivrer et ajouter le persil.

Faire chauffer le reste du beurre dans une autre poêle en téflon ou une poêle à omelette.

Verser les œufs dans le beurre chaud; cuire 1 minute à feu vif.

Remuer les œufs rapidement et ajouter la garniture de champignons; cuire 1 à 2 minutes sans remuer.

Rouler l'omelette (voir technique) et la disposer sur un plat de service.

Servir avec des légumes frais.

1 PORTION	386 CALORIES	3 g GLUCIDES
17 g PROTÉINES	34 g LIPIDES	0,5 g FIBRES

Omelette espagnole *(pour 4 personnes)*

15 ml	(1 c. à soupe) d'huile végétale
2	oignons, émincés
1	gousse d'ail, écrasée et hachée
2	tomates coupées en dés
1	piment rouge, émincé
5 ml	(1 c. à thé) de ciboulette hachée
8	œufs
15 ml	(1 c. à soupe) de beurre
	une pincée de paprika
	sel et poivre

Faire chauffer l'huile dans une grande poêle à frire en téflon. Ajouter les oignons; cuire 4 à 5 minutes à feu moyen. Mélanger 1 fois pendant la cuisson.

Ajouter l'ail, les tomates et les piments rouges. Saler, poivrer et assaisonner de paprika. Continuer la cuisson pendant 5 minutes.

Parsemer de ciboulette et faire cuire 1 minute. Mettre de côté en gardant au chaud.

Casser les œufs dans un bol et les battre au fouet. Saler, poivrer.

Faire chauffer le beurre dans une autre poêle en téflon. Verser les œufs dans le beurre chaud; cuire 1 minute à feu vif.

Remuer les œufs rapidement; continuer la cuisson pendant 2 minutes sans remuer.

Étendre les légumes sur l'omelette et faire griller au four (broil) pendant 2 minutes. Servir.

1 PORTION	281 CALORIES	9 g GLUCIDES
14 g PROTÉINES	21 g LIPIDES	1,5 g FIBRES

Omelette aux courgettes *(pour 2 personnes)*

30 ml	(2 c. à soupe) de beurre
½	courgette, coupée en julienne
1	petit piment fort, épépiné et haché
6	œufs battus, bien assaisonnés
	une pincée de paprika
	sel et poivre

Faire chauffer 15 ml (1 c. à soupe) de beurre dans une poêle à frire en téflon. Ajouter les courgettes et assaisonner au goût. Saupoudrer de paprika.

Ajouter le piment; cuire 3 minutes.

Retirer la poêle du feu et verser le mélange dans le bol contenant les œufs battus.

Faire chauffer le reste du beurre dans la poêle à frire. Verser le mélange d'œufs dans la poêle. Cuire 2 minutes à feu moyen. Ne pas remuer!

Retourner l'omelette avec une spatule; continuer la cuisson pendant 2 minutes. Servir.

1 PORTION	384 CALORIES	5 g GLUCIDES
19 g PROTÉINES	32 g LIPIDES	0,6 g FIBRES

TECHNIQUE: OMELETTE AUX COURGETTES

1 Mettre les courgettes dans le beurre chaud. Saler, poivrer et saupoudrer de paprika. Ajouter le piment; cuire 3 minutes.

2 Verser le mélange dans les œufs battus.

3 Verser le mélange d'œufs dans le beurre chaud; cuire 2 minutes à feu moyen. Ne pas remuer. Retourner l'omelette et continuer la cuisson pendant 2 minutes.

TECHNIQUE : OMELETTE MOUSSELINE

1 Mettre les jaunes œufs dans un bol.

2 Ajouter la crème.à 35 %

3 Bien mélanger avec un fouet.

4 Dans un autre bol, battre les blancs d'œufs jusqu'à ce qu'ils forment des pics.

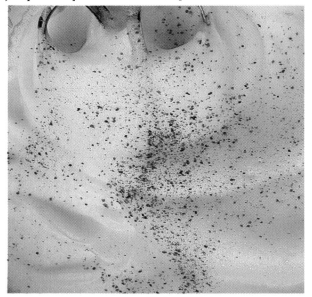

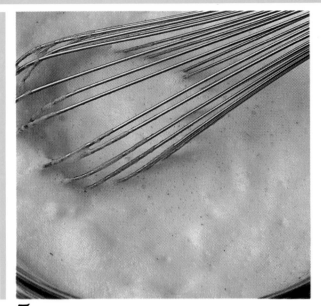

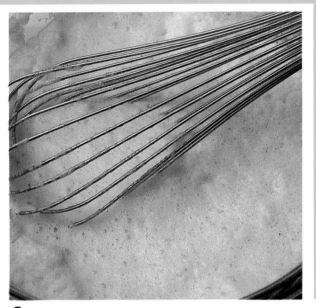

5 Plier les blancs d'œufs dans le mélange de jaunes d'œufs.

6 Bien mélanger avec un fouet.

7 L'omelette mousseline après la cuisson.

Omelette soufflée aux poires *(pour 2 personnes)*

30 ml	(2 c. à soupe) de beurre
15 ml	(1 c. à soupe) de sucre granulé
1	grosse poire mûre, pelée, évidée et émincée
4	jaunes d'œufs
30 ml	(2 c. à soupe) de crème à 10%
4	blancs d'œufs, battus fermement
15 ml	(1 c. à soupe) de sucre à glacer
	jus de 1 orange

Faire chauffer 15 ml (1 c. à soupe) de beurre dans une petite casserole ou poêle à frire. Ajouter le sucre granulé et faire cuire à feu moyen. Remuer constamment jusqu'à ce que le sucre devienne brun. Ajouter le jus d'orange et continuer de remuer. Faire cuire environ 30 secondes.

Ajouter les poires, remuer et cuire 30 secondes. Retirer du feu et mettre de côté.

Mettre les jaunes d'œufs dans un bol et ajouter la crème; bien mélanger.

Plier les blancs d'œufs dans le mélange de jaunes d'œufs. Bien incorporer.

Faire chauffer le reste du beurre dans une poêle en téflon. Verser les œufs dans le beurre chaud; faire cuire 2 à 3 minutes. Remuer 2 fois pendant la cuisson.

Quand le dessus de l'omelette est presque cuit, retourner l'omelette. Étendre le mélange de poires sur l'omelette et plier en deux. Continuer la cuisson pendant 10 secondes.

Transférer l'omelette dans un plat de service allant au four. Saupoudrer l'omelette de sucre à glacer. Faire dorer au four (broil) pendant 1 minute.

1 PORTION	398 CALORIES	28 g GLUCIDES
13 g PROTÉINES	26 g LIPIDES	0,8 g FIBRES

TECHNIQUE

1 Mettre le sucre granulé dans le beurre chaud; faire cuire à feu moyen. Remuer constamment.

2 Le sucre commence à prendre une couleur brun doré.

3 Ajouter le jus d'orange et continuer de remuer.

4 Faire cuire 30 secondes.

Voir page suivante.

125

5 Ajouter les poires, remuer et faire cuire 30 secondes. Retirer du feu. Mettre de côté.

6 Quand le dessus de l'omelette est presque cuit, retourner l'omelette. Étendre le mélange de poires sur l'omelette. Plier et continuer la cuisson pendant 10 secondes. Faire dorer sous le gril.

Omelette soufflée à la confiture   *(pour 2 personnes)*

4	jaunes d'œufs
30 ml	(2 c. à soupe) de crème à 10%
4	blancs d'œufs battus fermement
15 ml	(1 c. à soupe) de beurre
30 ml	(2 c. à soupe) de confiture (au choix)
15 ml	(1 c. à soupe) de sucre à glacer

Mettre les jaunes d'œufs dans un bol. Ajouter la crème et bien mélanger.

Incorporer les blancs d'œufs dans le mélange.

Faire chauffer le beurre dans une poêle en téflon. Verser les œufs dans le beurre chaud; faire cuire 2 à 3 minutes. Remuer 2 à 3 fois pendant la cuisson.

Quand le dessus de l'omelette est presque cuit, retourner l'omelette. Étendre la confiture sur l'omelette. Plier en deux et continuer la cuisson pendant 10 secondes.

Transférer l'omelette sur un plat de service allant au four. Saupoudrer l'omelette de sucre à glacer. Faire dorer au four (broil) pendant 1 minute.

1 PORTION	309 CALORIES	18 g GLUCIDES
12 g PROTÉINES	21 g LIPIDES	0 g FIBRES

Omelette soufflée du week-end   *(pour 2 personnes)*

125 ml	(½ tasse) de fraises décongelées
30 ml	(2 c. à soupe) de sucre granulé
5 ml	(1 c. à thé) de zeste de citron haché
4	jaunes d'œufs
30 ml	(2 c. à soupe) de crème à 10%
4	blancs d'œufs, battus fermement
15 ml	(1 c. à soupe) de beurre
15 ml	(1 c. à soupe) de sucre à glacer

Mettre les fraises dans une petite casserole. Ajouter le sucre granulé et le zeste de citron; cuire 3 à 4 minutes à feu moyen.

Mettre les jaunes d'œufs dans un bol. Ajouter la crème et bien mélanger.

Plier les blancs d'œufs dans le mélange; bien incorporer.

Faire chauffer le beurre dans une poêle en téflon. Verser les œufs dans le beurre chaud; cuire 2 à 3 minutes. Remuer 2 fois pendant la cuisson.

Quand le dessus de l'omelette est presque cuit, retourner l'omelette. Étendre la moitié des fraises sur l'omelette. Plier en deux et continuer la cuisson pendant 10 secondes.

Transférer l'omelette sur un plat de service allant au four. Saupoudrer l'omelette de sucre à glacer. Garnir du reste des fraises.

Faire dorer au four (broil) pendant 1 minute.

1 PORTION	357 CALORIES	30 g GLUCIDES
12 g PROTÉINES	21 g LIPIDES	0,4 g FIBRES

Omelette en sandwich *(pour 4 personnes)*

45 ml	(3 c. à soupe) de beurre
1	oignon, haché
5 ml	(1 c. à thé) de persil frais haché
½	courgette, émincée
1	aubergine chinoise, émincée
1	gousse d'ail, écrasée et hachée
2	tomates, hachées grossièrement
1 ml	(¼ c. à thé) de basilic
1 ml	(¼ c. à thé) d'origan
125 ml	(½ tasse) de fromage parmesan râpé
2	tranches de pain grillé
6	œufs battus, bien assaisonnés
50 ml	(¼ tasse) de fromage gruyère râpé
	sel et poivre

Chauffer 25 ml (1½ c. à soupe) de beurre dans une poêle à frire. Ajouter les oignons et le persil; couvrir et cuire 3 min à feu doux.

Ajouter les courgettes, les aubergines et l'ail; saler, poivrer. Couvrir et continuer la cuisson de 6 à 7 min.

Ajouter les tomates et les épices; bien mélanger. Continuer la cuisson, sans couvrir, de 6 à 7 min.

Ajouter la moitié du fromage parmesan; cuire 2 min. Découper les tranches de pain en bâtonnets.

Chauffer la moitié du reste de beurre dans une poêle en téflon. Verser la moitié des œufs dans le beurre chaud. Faire cuire l'omelette 2 min. de chaque côté. Placer l'omelette dans un plat allant au four.

Disposer les bâtonnets autour du bord de l'omelette, couper si nécessaire. Placer la garniture au centre de l'omelette. Saupoudrer du fromage parmesan non utilisé.

Prendre le reste du beurre pour préparer la seconde omelette.

Placer la seconde omelette sur la garniture. Parsemer de fromage gruyère. Faire dorer ou four (broil) pendant 3 minutes.

1 PORTION	340 CALORIES	14 g GLUCIDES
17 g PROTÉINES	24 g LIPIDES	1,9 g FIBRES

TECHNIQUE: OMELETTE EN SANDWICH

1 Mettre les oignons et le persil dans le beurre chaud. Couvrir et faire cuire 3 minutes à feu doux.

2 Ajouter les courgettes, les aubergines et l'ail. Saler, poivrer; couvrir et faire cuire 6 à 7 minutes.

3 Ajouter les tomates et les épices; bien mélanger. Continuer la cuisson, sans couvrir, de 6 à 7 minutes.

4 Ajouter la moitié du fromage parmesan; cuire 2 minutes.

Voir page suivante.

129

5 Découper les tranches de pain en bâtonnets. Préparer l'omelette et disposer le pain autour du bord.

6 Placer la garniture au centre de l'omelette. Saupoudrer du fromage parmesan non utilisé.

7 Préparer la seconde omelette et la placer sur la garniture.

8 Saupoudrer de gruyère. Faire cuire au four (broil) pendant 3 minutes.

TECHNIQUE: ŒUFS FRITS

1 Faire chauffer le beurre ou la margarine dans une poêle en téflon.
Le beurre doit être chaud avant d'ajouter les œufs.

2 Faire cuire les œufs à feu doux pour éviter que le beurre ou la margarine ne brûle.

3 Pour faire cuire le jaune d'œuf sans le retourner l'arroser de beurre chaud. S'il est difficile de prendre le gras de la poêle, faire fondre un peu de beurre dans une petite casserole.

4 En couvrant la poêle avec un couvercle, la chaleur cuira mieux le jaune d'œuf.

Œufs aux légumes *(pour 4 personnes)*

15 ml	(1 c. à soupe) d'huile végétale
5 ml	(1 c. à thé) de beurre
1	oignon, finement haché
5 ml	(1 c. à thé) de persil frais haché
2	gousses d'ail, écrasées et hachées
1	petite aubergine, coupée en dés
1	boîte de tomates en conserve, de 796 ml (28 oz), égouttées et hachées
1 ml	(¼ c. à thé) d'origan
50 ml	(¼ tasse) de fromage gruyère râpé
4	œufs
	une pincée de piments rouges broyés
	sel et poivre

Préchauffer le four à 180°C (350°F).

Faire chauffer l'huile et le beurre dans une grande poêle à frire.

Ajouter les oignons, le persil et l'ail; cuire 3 minutes à feu moyen.

Incorporer les aubergines. Saler, poivrer; cuire 4 à 5 minutes.

Couvrir et continuer la cuisson des aubergines pendant 14 minutes à feu doux.

Ajouter les tomates et les épices. Assaisonner au goût. Continuer la cuisson, sans couvrir, de 4 à 5 minutes.

Ajouter le fromage; bien mélanger.

Casser les œufs au-dessus des légumes. Faire cuire 10 à 12 minutes au four.

Servir avec du pain à l'ail.

132

1 PORTION	236 CALORIES	12 g GLUCIDES
11 g PROTÉINES	16 g LIPIDES	1,4 g FIBRES

TECHNIQUE: ŒUFS AUX LÉGUMES

1 Mettre les oignons, le persil et l'ail dans la poêle; cuire 3 minutes à feu moyen.

2 Ajouter les aubergines. Saler, poivrer; cuire 4 à 5 minutes.

3 Couvrir et continuer la cuisson des aubergines pendant 14 minutes à feu doux.

4 Ajouter les tomates et les épices. Assaisonner au goût. Continuer la cuisson, sans couvrir, de 4 à 5 minutes.

Voir page suivante.

5 Ajouter le fromage; bien mélanger.

6 Casser les œufs sur les légumes. Faire cuire au four de 10 à 12 minutes.

Œufs frits à l'ail *(pour 4 personnes)*

4	tranches de pain français
15 ml	(1 c. à soupe) de beurre
4	gros œufs
125 ml	(½ tasse) de fromage gruyère râpé
	beurre à l'ail
	sel et poivre

Griller les tranches de pain et les tartiner de beurre à l'ail. Disposer dans un plat allant au four. Mettre de côté.

Faire chauffer le beurre dans une poêle en téflon. Ajouter les œufs; cuire 3 minutes à feu moyen. Pour ceux qui préfèrent le jaune cuit, retourner les œufs et continuer la cuisson pendant 1 minute.

Retirer les œufs de la poêle et les placer sur les tranches de pain. Parsemer de fromage. Saler, poivrer.

Faire cuire au four (broil) pendant 3 minutes. Servir.

1 PORTION	272 CALORIES	11 g GLUCIDES
12 g PROTÉINES	20 g LIPIDES	0 g FIBRES

TECHNIQUE : ŒUFS EN COCOTTE

1 Déposer les cocottes ou les ramequins dans un plat contenant de l'eau mijotante. Mettre du beurre dans chaque cocotte ou ramequin.

2 Casser les œufs dans le beurre fondu et réduire la chaleur pour que l'eau mijote. Verser la crème sur les œufs. Terminer la cuisson au four.

Œufs en cocotte de façon simple *(pour 4 personnes)*

30 ml	(2 c. à soupe) de beurre
4	œufs
75 ml	(⅓ tasse) de crème à 35 %
15 ml	(1 c. à soupe) de ciboulette fraîche hachée
	sel et poivre

Remplir un grand plat de 2,5 cm (1 po) d'eau chaude. Placer le plat sur l'élément de la cuisinière.

Beurrer 4 ramequins et casser un œuf dans chacun. Ne pas briser les jaunes. Saler, poivrer et ajouter la crème.

Déposer les ramequins dans le plat contenant l'eau et couvrir. Amener l'eau à ébullition et faire cuire 2 à 3 minutes.

Parsemer de ciboulette. Servir avec du pain grillé.

TECHNIQUE: ŒUFS POCHÉS

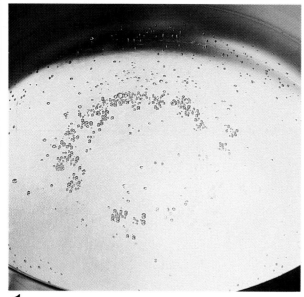

1 Verser l'eau dans une grande casserole. Ajouter un peu de vinaigre et une pincée de sel; amener à ébullition.

2 Casser le premier œuf dans un petit bol.

3 Réduire la chaleur pour que l'eau mijote. Délicatement, glisser les œufs, un à la fois, dans l'eau mijotante. Faire cuire 3 à 4 minutes à feu moyen. Le vinaigre aidera le blanc à s'enrouler autour du jaune d'œuf.

4 Retirer les œufs pochés avec une cuiller à trous et égoutter.

Œufs pochés à la Charron *(pour 4 personnes)*

2	muffins anglais, coupés en deux
4	tranches de bacon cuit, hachées
4	œufs pochés
175 ml	(¾ tasse) de sauce hollandaise*
30 ml	(2 c. à soupe) de purée de tomates

Griller les muffins et déposer dans un plat allant au four.

Placer du bacon sur chaque demi-muffin et ajouter un œuf poché.

Mélanger la sauce hollandaise et la purée de tomates. Verser le mélange sur les œufs.

Faire cuire au four (broil) pendant 2 minutes.

* Voir Sauce hollandaise, p. 137.

1 PORTION	571 CALORIES	15 g GLUCIDES
16 g PROTÉINES	51 g LIPIDES	0 g FIBRES

Sauce hollandaise

375 g	(¾ livre) de beurre non salé
2	jaunes d'œufs
15 ml	(1 c. à soupe) d'eau
5 ml	(1 c. à thé) de jus de citron
	sel et poivre

Mettre le beurre dans un bol et placer le bol sur une casserole contenant de l'eau chaude. Clarifier le beurre à feu doux.* Conserver au chaud jusqu'au moment de l'utiliser.

Mettre les jaunes d'œufs et l'eau dans un bol. Placer le bol sur une casserole contenant de l'eau chaude. Mélanger pendant 10 secondes avec un fouet.

Continuer la cuisson, à feu doux, pendant 30 secondes pour faire épaissir les jaunes d'œufs.

Ajouter le beurre clarifié, *très lentement*, tout en mélangeant constamment avec un fouet.

Dès que la sauce est épaisse, ajouter le jus de citron et assaisonner au goût.

Il est préférable de servir la sauce hollandaise immédiatement, mais on peut la conserver environ 1 heure, en plaçant un papier ciré directement sur la surface de la sauce maintenue à feu doux.

* Assurez-vous de retirer tous les dépôts.

Voir technique page suivante.

1 PORTION	234 CALORIES	0 g GLUCIDES
0 g PROTÉINES	26 g LIPIDES	0 g FIBRES

TECHNIQUE: SAUCE HOLLANDAISE

1 Mettre le beurre dans un bol et placer le bol sur une casserole contenant de l'eau chaude. Clarifier le beurre à feu doux. Garder au chaud.

2 Mettre les jaunes d'œufs et l'eau dans un bol. Placer le bol sur une casserole contenant de l'eau chaude. Remuer pendant 10 secondes à feu très doux, avec un fouet.

3 Ajouter le beurre clarifié, *très lentement*, tout en remuant constamment avec un fouet.

4 La sauce doit être épaisse et onctueuse. Il est préférable de la servir immédiatement.

Œufs Bénédictine *(pour 4 personnes)*

2	muffins anglais, coupés en deux
4	tranches de jambon cuit chaud
4	œufs pochés
175 ml	(¾ tasse) de sauce hollandaise*

Griller les demi-muffins et les placer dans un plat allant au four.

Placer une tranche de jambon sur chaque demi-muffin. Ajouter un œuf poché.

Napper de sauce hollandaise.

Faire cuire au four (broil) pendant 2 minutes.

Servir pour le brunch.

* Voir Sauce hollandaise, p. 137

Voir technique page suivante.

1 PORTION	527 CALORIES	14 g GLUCIDES
12 g PROTÉINES	47 g LIPIDES	0 g FIBRES

TECHNIQUE: ŒUFS BÉNÉDICTINE

1 Placer les demi-muffins grillés dans un plat allant au four.

2 Placer le jambon sur les muffins.

3 Ajouter les œufs pochés.

4 Napper de sauce hollandaise. Faire cuire au four (broil) pendant 2 minutes.

Œufs à la sauce cheddar *(pour 2 personnes)*

45 ml	(3 c. à soupe) de beurre
45 ml	(3 c. à soupe) de farine
375 ml	(1 ½ tasse) lait chaud
50 ml	(¼ tasse) de fromage cheddar râpé
2	œufs pochés
2 ml	(½ c. à thé) de persil frais haché
	sel et poivre

Faire chauffer le beurre dans une casserole.

Ajouter la farine et mélanger. Faire cuire 1 minute à feu doux.

Incorporer le lait. Saler, poivrer et mélanger au fouet. Continuer la cuisson de 6 à 7 minutes à feu doux.

Ajouter la moitié du fromage et remuer; cuire 2 minutes. Le fromage doit être complètement fondu et la sauce épaisse.

Placer les œufs pochés dans un plat à gratin et les recouvrir de sauce. Faire cuire au four (broil) pendant 3 minutes.

Parsemer du reste de fromage et de persil. Servir avec des champignons sautés.

Voir technique page suivante.

1 PORTION	446 CALORIES	18 g GLUCIDES
17 g PROTÉINES	34 g LIPIDES	0 g FIBRES

TECHNIQUE: ŒUFS À LA SAUCE CHEDDAR

1 Faire chauffer le beurre dans une casserole.
Ajouter la farine et mélanger.
Faire cuire 1 minute à feu doux.

2 Incorporer le lait chaud. Saler, poivrer et
remuer avec un fouet. Continuer la cuisson de 6 à
7 minutes à feu doux.

3 Ajouter la moitié du fromage; mélanger et
faire cuire 2 minutes.

4 Le fromage doit être complètement fondu et
la sauce épaisse.

Œufs cuits dans les pommes de terre *(pour 4 personnes)*

4	grosses pommes de terre cuites au four
4	gros œufs
30 ml	(2 c. à soupe) de beurre
15 ml	(1 c. à soupe) d'oignons hachés
15 ml	(1 c. à soupe) de ciboulette hachée
	crème sure
	sel et poivre

Préchauffer le four à 200°C (400°F).

Placer les pommes de terre sur une planche à découper et enlever le quart supérieur. Retirer les ¾ de la pulpe et mettre de côté.

Saler, poivrer les pelures de pommes de terre et casser un œuf dans chacune. Faire cuire 10 minutes au four ou jusqu'à ce que le blanc soit «pris».

Faire chauffer le beurre dans une poêle en téflon. Ajouter les oignons et la ciboulette; faire cuire 3 minutes à feu moyen.

Ajouter la pulpe des pommes de terre et l'aplatir à la spatule. Saler, poivrer généreusement et cuire 3 minutes de chaque côté.

Servir les galettes de pommes de terre comme garniture avec de la crème.

Voir technique page suivante.

1 PORTION	307 CALORIES	33 g GLUCIDES
10 g PROTÉINES	15 g LIPIDES	0,9 g FIBRES

TECHNIQUE

1 Placer les pommes de terre sur une planche à découper et enlever le quart supérieur.

2 Retirer les ¾ de la pulpe. Mettre de côté.

3 Saler, poivrer les pelures de pommes de terre et casser un œuf dans chacune. Faire cuire au four.

4 Après 10 minutes de cuisson, le blanc est «pris». Servir.

Œufs aux épinards *(pour 4 personnes)*

15 ml	(1 c. à soupe) de beurre
500 ml	(2 tasses) d'épinards frais cuits, hachés
250 ml	(1 tasse) de sauce blanche rapide, chaude*
1 ml	(¼ c. à thé) de muscade
4	gros œufs
	sel et poivre

Préchauffer le four à 200°C (400°F).

Beurrer un plat à gratin.

Mettre les épinards dans un bol. Ajouter la sauce blanche et saupoudrer de muscade. Bien mélanger et assaisonner au goût.

Verser le mélange dans le plat à gratin. Ajouter les œufs et brasser légèrement avec une fourchette en prenant soin de ne pas briser les jaunes d'œufs.

Mettre au four et faire cuire 6 à 8 minutes.

Servir sur du pain grillé, beurré.

* Voir Sauce blanche rapide, ci-dessous.

1 PORTION	224 CALORIES	9 g GLUCIDES
11 g PROTÉINES	16 g LIPIDES	0,8 g FIBRES

Sauce blanche rapide

60 ml	(4 c. à soupe) de beurre
70 ml	(4 ½ c. à soupe) de farine
750 ml	(3 tasses) de lait chaud
1 ml	(¼ c. à thé) de muscade
1 ml	(¼ c. à thé) de graines de céleri
	une pincée de paprika
	sel et poivre blanc

Faire chauffer le beurre dans une petite casserole. Ajouter la farine; mélanger au fouet. Continuer la cuisson pendant 1 minute à feu doux.

Incorporer la moitié du lait et bien remuer. Ajouter le reste du lait et les épices. Saler, poivrer. Remuer.

Faire cuire la sauce 8 minutes à feu doux tout en brassant de 2 à 3 fois pendant la cuisson.

Cette sauce peut être conservée 2 semaines au réfrigérateur, recouverte d'un papier ciré.

1 PLAT	976 CALORIES	63 g GLUCIDES
28 g PROTÉINES	68 g LIPIDES	0 g FIBRES

Œufs en cocotte *(pour 2 personnes)*

30 ml	(2 c. à soupe) de beurre
4	œufs
125 ml	(½ tasse) de crème à 35 %
15 ml	(1 c. à soupe) de persil frais haché
	sel et poivre

Préchauffer le four à 190°C (375°F).

Partager le beurre entre deux plats à œufs individuels ou deux plats à gratin.

Placer les plats au four pendant 3 minutes.

Casser 2 œufs dans un petit bol. Casser les deux autres œufs dans un autre bol.

Retirer les plats du four. Délicatement, glisser 2 œufs dans chaque plat.

Ajouter la crème. Saler, poivrer généreusement. Faire cuire 8 à 10 minutes au four.

Parsemer de persil frais. Servir.

1 PORTION	447 CALORIES	2 g GLUCIDES
13 g PROTÉINES	43 g LIPIDES	0 g FIBRES

Rouleaux de jambon aux œufs *(pour 4 personnes)*

4	œufs durs, tranchés
1	boîte d'asperges en conserve, de 398 ml (14 oz), égouttées et coupées en morceaux de 1,3 cm (½ po)
375 ml	(1 ½ tasse) de sauce blanche rapide, chaude*
5 ml	(1 c. à thé) de persil frais haché
4	tranches minces de jambon cuit
50 ml	(¼ tasse) de fromage cheddar râpé
	une pincée de paprika
	sel et poivre

Préchauffer le four à 190°C (375°F).

Mettre les œufs et les asperges dans un bol; bien mélanger.

Ajouter la moitié de la sauce blanche et le persil; bien brasser et assaisonner au goût.

Placer 30 ml (2 c. à soupe) du mélange d'œufs sur chaque tranche de jambon. Rouler et déposer dans un plat à gratin légèrement beurré.

Verser le reste de la sauce sur les rouleaux. Saupoudrer de paprika. Parsemer de fromage et faire cuire 8 minutes au four.

Servir au brunch ou pour le lunch.

* Voir Sauce blanche rapide, p. 145.

Voir technique page suivante.

1 PORTION	279 CALORIES	11 g GLUCIDES
16 g PROTÉINES	19 g LIPIDES	0,5 g FIBRES

TECHNIQUE

1 Mettre les œufs et les asperges dans un bol; bien mélanger.
Ajouter la moitié de la sauce blanche et le persil; bien brasser et assaisonner au goût.

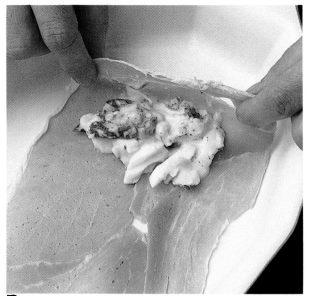

2 Placer 30 ml (2 c. à soupe) du mélange d'œufs sur chaque tranche de jambon.

3 Rouler et déposer dans un plat à gratin légèrement beurré.

4 Verser le reste de la sauce sur les rouleaux et saupoudrer de paprika.
Parsemer de fromage et faire cuire 8 minutes au four.

148

Croquettes d'œufs *(pour 4 personnes)*

45 ml	(3 c. à soupe) de beurre
15 ml	(1 c. à soupe) d'oignons hachés
5 ml	(1 c. à thé) de persil frais haché
60 ml	(4 c. à soupe) de farine
250 ml	(1 tasse) de lait chaud
6	œufs durs, hachés
2	œufs battus
375 ml	(1 ½ tasse) de chapelure
	sel et poivre

Préchauffer de l'huile d'arachide dans une friteuse, à 180°C (350°F).

Faire chauffer le beurre dans une petite casserole. Ajouter les oignons et le persil; cuire 2 minutes.

Ajouter la farine; bien mélanger.

Incorporer le lait chaud, remuer et assaisonner au goût. Continuer la cuisson de 6 à 7 minutes à feu doux. Remuer souvent.

Retirer la casserole du feu et laisser refroidir.

Mettre les œufs hachés dans un grand bol et incorporer la sauce; bien mélanger.

Former des croquettes avec le mélange, les tremper dans les œufs battus et les rouler dans la chapelure.

Plonger les croquettes dans l'huile chaude pendant 2 minutes. Servir avec une sauce tomate, si désiré.

Voir technique page suivante.

1 PORTION	408 CALORIES	31 g GLUCIDES
17 g PROTÉINES	24 g LIPIDES	0 g FIBRES

TECHNIQUE: CROQUETTES D'ŒUFS

1 Mettre les oignons et le persil dans le beurre chaud.

2 Ajouter la farine; bien mélanger.

3 Incorporer le lait chaud, remuer et assaisonner au goût. Continuer la cuisson 6 à 7 minutes à feu doux.

4 Mettre les œufs hachés dans un grand bol. Ajouter la sauce blanche refroidie; bien incorporer.
Former des croquettes avec le mélange.

5 Tremper les croquettes dans les œufs battus.

6 Rouler les croquettes dans la chapelure. Faire cuire 2 minutes.

Œufs en sauce   *(pour 4 personnes)*

50 ml	(¼ tasse) de fromage cheddar émietté
5 ml	(1 c. à thé) de moutarde préparée
375 ml	(1 ½ tasse) de sauce blanche rapide, chaude*
4	gros œufs
	une pincée de paprika
	sel et poivre

Préchauffer le four à 190°C (375°F).

Incorporer le fromage et la moutarde à la sauce blanche. Saler, poivrer généreusement; cuire 3 minutes pour faire fondre le fromage.

Verser la moitié de la sauce dans un plat à gratin. Ajouter les œufs et les recouvrir du reste de la sauce. Saupoudrer de paprika. Faire cuire 8 minutes au four.

Servir avec des saucisses ou du bacon.

* Voir Sauce blanche rapide, p. 145.

1 PORTION	238 CALORIES	8 g GLUCIDES
11 g PROTÉINES	18 g LIPIDES	0 g FIBRES

TECHNIQUE: ŒUFS À LA COQUE

1 Prendre des œufs à la température de la pièce et à l'aide d'une cuiller, les glisser délicatement, un à la fois, dans l'eau bouillante. Réduire la chaleur pour que l'eau demeure au point d'ébullition.

2 Cet œuf de 4 minutes peut servir dans diverses recettes, mais attention à l'écaillage car le blanc n'est pas complètement cuit.

3 Cet œuf de 10 minutes est l'œuf dur traditionnel. Les œufs cuits plus longtemps deviendront caoutchouteux et des réactions chimiques feront changer le jaune de couleur.

4 Dès que les œufs sont cuits à votre goût, les placer dans l'eau froide pour arrêter la cuisson. Lorsqu'ils sont froids, on peut facilement les conserver au réfrigérateur de 2 à 3 jours.

Œufs du boulanger *(pour 4 personnes)*

4	petits pains individuels
45 ml	(3 c. à soupe) de beurre
30 ml	(2 c. à soupe) d'oignons tranchés
60 ml	(4 c. à soupe) de farine
375 ml	(1 ½ tasse) de lait chaud
50 ml	(¼ tasse) de fromage gruyère râpé
8	œufs durs, hachés
	une pincée de paprika
	sel et poivre

Préparer les petits pains en suivant la technique décrite ci-après.

Faire chauffer le beurre dans une casserole. Ajouter les oignons; couvrir et faire cuire 4 minutes.

Incorporer la farine et continuer la cuisson pendant 1 minute.

Ajouter le lait et le paprika; bien remuer et assaisonner au goût. Faire cuire 5 à 6 minutes à feu doux.

Ajouter le fromage et remuer jusqu'à ce que le fromage soit bien incorporé. Laisser mijoter pendant quelques minutes à feu doux.

Placer les œufs hachés dans les petits pains et napper de sauce. Faire cuire au four (broil) pendant 3 minutes.

Servir et décorer avec des œufs tranchés, si désiré.

Voir technique page suivante.

1 PORTION	457 CALORIES	28 g GLUCIDES
21 g PROTÉINES	29 g LIPIDES	0 g FIBRES

153

1 Découper une mince calotte sur chaque pain. Retirer la mie. Placer les pains évidés dans un plat allant au four.

2 Faire griller les pains dans le four. Mettre de côté.

3 Mettre les oignons dans le beurre chaud; couvrir et faire cuire 4 minutes.

4 Incorporer la farine et continuer la cuisson pendant 1 minute.

5 Incorporer le lait et le paprika; bien remuer et assaisonner au goût. Cuire 5 à 6 minutes à feu doux.

6 Ajouter le fromage et remuer pour incorporer. Laisser mijoter quelques minutes.

7 Mettre les œufs hachés dans les pains évidés.

8 Recouvrir de sauce. Cuire 3 minutes au four.

155

Œufs surprise *(pour 2 personnes)*

15 ml	(1 c. à soupe) de beurre
½	petit oignon, haché
1	petit poireau, le blanc seulement, tranché
6	champignons frais, nettoyés et coupés en deux
2	œufs durs, coupés en gros dés
30 ml	(2 c. à soupe) de crème à 35 %
	une pincée de paprika
	croûtons
	sel et poivre

Faire chauffer le beurre dans une poêle à frire.

Ajouter les oignons et le paprika. Saler, poivrer; couvrir et cuire 3 minutes à feu moyen.

Ajouter les poireaux et les champignons; saler, poivrer. Couvrir et continuer la cuisson de 4 à 5 minutes.

Déposer le mélange dans un plat à gratin et ajouter les œufs. Arroser de crème. Parsemer de quelques croûtons. Saler, poivrer et cuire au four (broil) pendant 5 minutes.

Servir.

1 PORTION	242 CALORIES	10 g GLUCIDES
10 g PROTÉINES	18 g LIPIDES	0,6 g FIBRES

TECHNIQUE: ŒUFS SURPRISE

1 Mettre les oignons et le paprika dans le beurre chaud.
Saler, poivrer; couvrir et cuire 3 minutes à feu moyen

2 Ajouter les poireaux.

3 Ajouter les champignons. Saler, poivrer. Couvrir et continuer la cuisson de 4 à 5 minutes.

4 Déposer le mélange dans un plat à gratin et ajouter les œufs durs.
Ajouter la crème et les croûtons. Assaisonner au goût. Faire cuire au four (broil) pendant 5 minutes.

Œufs du petit matin *(pour 4 personnes)*

4	tranches de pain grillé
30 ml	(2 c. à soupe) de beurre à l'ail
250 ml	(1 tasse) d'huile d'arachide
4	gros œufs
	sel et poivre

Disposer le pain grillé dans un plat allant au four. Étendre le beurre à l'ail sur chaque tranche de pain. Garder chaud au four à 70°C (150°F).

Verser l'huile dans une sauteuse et chauffer. Mettre un œuf dans l'huile et l'arroser rapidement d'huile chaude à l'aide d'une cuiller. Faire cuire 30 à 40 secondes.

Retirer l'œuf cuit et l'égoutter. Répéter l'opération pour les autres œufs.

Placer un œuf sur chaque tranche de pain. Saler, poivrer. Servir.

1 PORTION	260 CALORIES	12 g GLUCIDES
8 g PROTÉINES	20 g LIPIDES	0 g FIBRES

Duxelles de champignons

45 ml	(3 c. à soupe) de beurre
2	échalotes sèches, finement hachées
15 ml	(1 c. à soupe) de persil frais haché
500 g	(1 livre) de champignons frais, nettoyés et finement hachés
50 ml	(¼ tasse) de crème à 35 %
	quelques gouttes de sauce Tabasco
	sel et poivre

Faire chauffer le beurre dans une poêle à frire. Ajouter les échalotes et le persil; faire cuire 3 minutes à feu doux.

Ajouter les champignons; bien mélanger. Ajouter la sauce Tabasco et assaisonner généreusement. Continuer la cuisson de 8 à 10 minutes à feu doux. Brasser 2 fois pendant la cuisson.

Incorporer la crème et bien remuer. Continuer la cuisson de 3 à 4 minutes à feu doux ou jusqu'à évaporation du liquide.

Dès que le mélange est cuit, mettre en purée dans un mortier ou dans un blender.

1 PLAT	648 CALORIES	22 g GLUCIDES
14 g PROTÉINES	56 g LIPIDES	4,0 g FIBRES

TECHNIQUE: DUXELLES DE CHAMPIGNONS

1 Mettre les échalotes et le persil dans le beurre chaud. Faire cuire 3 minutes à feu doux.

2 Ajouter les champignons; bien mélanger. Ajouter la sauce Tabasco et assaisonner généreusement. Continuer la cuisson de 8 à 10 minutes. Brasser 2 fois pendant la cuisson.

3 Incorporer la crème; bien remuer. Continuer la cuisson de 3 à 4 minutes ou jusqu'à évaporation du liquide.

4 Dès que le mélange est cuit, mettre en purée dans un mortier ou dans un blender.

Œufs farcis à la duxelles de champignons *(pour 4 personnes)*

8	œufs durs
30 ml	(2 c. à soupe) de crème sure
250 ml	(1 tasse) de duxelles de champignons*
50 ml	(¼ tasse) de crème à 35 %
15 ml	(1 c. à soupe) de persil frais haché
	sel et poivre

Préchauffer le four à 200°C (400°F).

Écailler et couper les œufs en deux sur la longueur. Retirer délicatement le jaune d'œuf et écraser à travers une passoire.

Ajouter la crème sure aux jaunes d'œufs; bien mélanger.

Ajouter la duxelles de champignons et bien assaisonner. Mêler.

Farcir les blancs d'œufs avec le mélange et les placer dans un plat à gratin. Ajouter la crème; faire cuire 6 à 7 minutes au four.

Parsemer de persil et servir.

* Voir Duxelles de champignons, p. 158.

1 PORTION	394 CALORIES	6 g GLUCIDES
16 g PROTÉINES	34 g LIPIDES	1,0 g FIBRES

TECHNIQUE

1 Écraser les jaunes d'œufs à travers une passoire. Ajouter la crème sure et bien mélanger.

2 Ajouter la duxelles de champignons et bien assaisonner. Mêler.

3 Farcir les blancs d'œufs avec le mélange et les placer dans un petit plat à gratin.

Pâte à quiche

500 g	(1 livre) de farine tout usage
1 ml	(¼ c. à thé) de sel
125 g	(¼ livre) de beurre
125 g	(¼ livre) de saindoux
60 à 75 ml	(4 à 5 c. à soupe) d'eau froide

Tamiser la farine et le sel dans un grand bol à mélanger.

Ajouter le beurre et le saindoux; incorporer avec un couteau à pâtisserie. Continuer à défaire les corps gras dans la farine jusqu'à ce que le mélange ressemble à de gros flocons d'avoine.

Creuser un puits au centre de la farine et ajouter l'eau froide. Pétrir la pâte pour obtenir un mélange uniforme.

Former une boule et recouvrir la pâte d'un linge propre. Réfrigérer 1 heure.

Note: Ramener la pâte à la température de la pièce avant de l'utiliser.

1 PORTION	1273 CALORIES	127 g GLUCIDES
18 g PROTÉINES	77 g LIPIDES	0,5 g FIBRES

Précuire la pâte à quiche

Lorsqu'on utilise des légumes à haute teneur en eau, comme les tomates, il est préférable de précuire le fond de tarte. Autrement, la pâte absorbera l'excédent d'eau durant la cuisson et restera humide.

Foncer un moule à quiche avec la pâte. Piquer le fond avec une fourchette. Mettre de côté de 20 à 30 minutes.

Préchauffer le four à 200°C (400°F).

Placer une feuille de papier ciré dans le fond de tarte. Ajouter 375 ml (1 ½ tasse) de petits poids à pâtisserie pour empêcher la pâte de gonfler pendant la cuisson.

Précuire 15 minutes.

TECHNIQUE: PÂTE À QUICHE

1 Tamiser la farine et le sel dans un grand bol à mélanger.
Ajouter le beurre et le saindoux.

2 Incorporer le tout avec un couteau à pâtisserie.
Continuer à défaire les corps gras dans la farine pour obtenir un mélange ressemblant à de gros flocons d'avoine.

3 Creuser un puits au centre de la farine et ajouter l'eau froide. Pétrir la pâte pour obtenir un mélange uniforme.

4 Former une boule. Couvrir avec un linge propre et réfrigérer 1 heure.

Quiche aux tomates *(pour 4 personnes)*

1	abaisse de pâte à quiche*
30 ml	(2 c. à soupe) d'huile végétale
1	gousse d'ail, pelée et coupée en deux
2	grosses tomates, pelées et coupées en tranches de 0,65 cm (¼ po)
125 ml	(½ tasse) de fromage gruyère râpé
3	œufs battus
250 ml	(1 tasse) de crème à 35 %
	une pincée de poivre de cayenne
	persil frais haché
	sel

1 moule à quiche oval de 27 × 19 cm (10 ½ × 7 ½ po) et de 4 cm (1 ½ po) de profondeur.

Préchauffer le four à 190°C (375°F).

Foncer le moule à quiche de l'abaisse de pâte et mettre de côté de 20 à 30 minutes. Précuire le fond de tarte.**

Faire chauffer l'huile dans une poêle à frire. Ajouter l'ail et faire cuire 2 minutes. Retirer et jeter l'ail.

Mettre les tomates dans la poêle à frire. Assaisonner au goût. Cuire 3 minutes de chaque côté à feu moyen.

Disposer les tomates dans le fond de tarte précuit. Parsemer de fromage.

Mélanger les œufs et la crème. Ajouter le poivre de cayenne, le persil et le sel. Verser dans le fond de tarte.

Cuire 45 minutes au four.

Note: Cette quiche restera assez humide une fois cuite.

* Voir Pâte à quiche, p. 162.
** Voir Précuire la pâte à quiche, p. 162.

1 PORTION	604 CALORIES	37 g GLUCIDES
15 g PROTÉINES	44 g LIPIDES	0,6 g FIBRES

Quiche aux aubergines   *(pour 4 personnes)*

1	abaisse de pâte à quiche*
30 ml	(2 c. à soupe) de beurre
1	petit oignon, finement haché
1	gousse d'ail, écrasée et hachée
1	petite aubergine, coupée en morceaux de grosseur moyenne
30 ml	(2 c. à soupe) de pâte de tomates
50 ml	(¼ tasse) de fromage emmenthal râpé
2	œufs battus
250 ml	(1 tasse) de crème à 35 %
	sel et poivre

1 moule à quiche de 23 cm (9 po) et de 4 cm (1 ½ po) de profondeur.

Préchauffer le four à 190°C (375°F).

Foncer le moule à quiche de l'abaisse de pâte et mettre de côté de 20 à 30 minutes. Précuire le fond de tarte.**

Faire chauffer le beurre dans une poêle à frire. Ajouter les oignons et l'ail; couvrir et cuire 5 minutes à feu moyen.

Incorporer les aubergines. Assaisonner au goût; couvrir et cuire 14 minutes à feu doux. Remuer fréquemment pendant la cuisson.

Ajouter la pâte de tomates et remuer; continuer la cuisson pendant 6 minutes.

Étendre le mélange d'aubergine dans le fond de tarte précuit. Parsemer de fromage.

Mélanger les œufs et la crème. Verser le mélange dans le fond de tarte.

Faire cuire 45 minutes.

* Voir Pâte à quiche, p. 162.
** Voir Précuire la pâte à quiche, p. 162

1 PORTION	534 CALORIES	37 g GLUCIDES
11 g PROTÉINES	38 g LIPIDES	0,3 g FIBRES

Quiche aux épinards   *(pour 4 personnes)*

1	abaisse de pâte à quiche*
500 ml	(2 tasses) d'épinards cuits hachés, sautés dans le beurre
50 ml	(¼ tasse) de fromage gruyère râpé
3	œufs battus
250 ml	(1 tasse) de crème à 35 %
	une pincée de muscade
	sel et poivre

1 moule à quiche de 23 cm (9 po) et de 4 cm (1 ½ po) de profondeur.

Préchauffer le four à 190°C (375°F).

Foncer le moule à quiche de l'abaisse de pâte et mettre de côté de 20 à 30 minutes. Précuire le fond de tarte.**

Étendre les épinards dans le fond de tarte précuit. Parsemer de fromage.

Mélanger les œufs et la crème. Ajouter la muscade et assaisonner au goût. Verser le mélange dans le fond de tarte.

Faire cuire 45 minutes au four.

* Voir Pâte à quiche, p. 162.
** Voir Précuire la pâte à quiche, p. 162

1 PORTION	533 CALORIES	36 g GLUCIDES
14 g PROTÉINES	37 g LIPIDES	0,9 g FIBRES

Quiche aux oignons *(pour 4 personnes)*

1	abaisse de pâte à quiche*
30 ml	(2 c. à soupe) de beurre
3	gros oignons, émincés
30 ml	(2 c. à soupe) de pâte de tomates
125 ml	(½ tasse) de fromage gruyère râpé
15 ml	(1 c. à soupe) de persil frais haché
3	œufs battus
250 ml	(1 tasse) de crème à 35 %
	une pincée de sucre
	quelques gouttes de sauce Tabasco
	sel et poivre

1 moule à quiche de 23 cm (9 po) et de 4 cm (1 ½ po) de profondeur.

Préchauffer le four à 190°C (375°F).

Foncer le moule à quiche de l'abaisse de pâte et mettre de côté de 20 à 30 minutes.

Faire chauffer le beurre dans une poêle à frire. Ajouter les oignons et assaisonner au goût. Faire cuire 15 minutes à feu doux. Remuer occasionnellement.

Incorporer la pâte de tomates et le sucre; bien remuer. Continuer la cuisson pendant 5 minutes.

Étendre les oignons dans le fond de tarte et parsemer de fromage. Assaisonner de sauce Tabasco, de sel et de poivre.

Mélanger le persil, les œufs et la crème. Assaisonner au goût. Verser le mélange dans le fond de tarte.

Si désiré: badigeonner le bord de la pâte d'un peu d'œuf battu. Ceci permettra à la pâte de brunir pendant la cuisson.

Faire cuire 45 minutes.

* Voir Pâte à quiche, p. 162.

1 PORTION	594 CALORIES	39 g GLUCIDES
15 g PROTÉINES	42 g LIPIDES	0,7 g FIBRES

TECHNIQUE: QUICHE AUX OIGNONS

2 Faire cuire les oignons dans le beurre chaud à feux doux. Bien assaisonner.

2 Voici les oignons après 15 minutes de cuisson.

3 Incorporer la pâte de tomates et le sucre; bien mélanger. Continuer la cuisson pendant 5 minutes.

4 Étendre les oignons dans le fond de tarte.

Voir page suivante.

5 Parsemer de fromage.

6 Assaisonner de sauce Tabasco, de sel et de poivre.

7 Mélanger le persil, les œufs et la crème. Assaisonner au goût. Verser le mélange dans le fond de tarte.

8 Si désiré: badigeonner le bord de la pâte avec un œuf battu. Ceci permettra à la pâte de brunir pendant la cuisson.

Quiche au bacon de maïs *(pour 4 personnes)*

1	abaisse de pâte à quiche*
5	tranches de bacon enrobé de chapelure de maïs, cuit et coupé en julienne
2	grandes tranches de fromage gruyère, coupées en julienne
3	œufs battus
1	jaune d'œuf
250 ml	(1 tasse) de crème à 35 %
15 ml	(1 c. à soupe) de ciboulette hachée
	une pincée de muscade
	poivre du moulin

1 moule à quiche de 23 cm (9 po) et de 4 cm (1 ½ po) de profondeur.

Préchauffer le four à 190°C (375°F).

Foncer le moule à quiche de l'abaisse de pâte et mettre de côté de 20 à 30 minutes.

Mélanger le bacon et le fromage; étaler dans le fond de tarte.

Mélanger les œufs battus, le jaune d'œuf et la crème. Ajouter la ciboulette, la muscade et le poivre. Verser dans le fond de la tarte.

Faire cuire 45 minutes au four.

* Voir Pâte à quiche, p. 162.

1 PORTION	578 CALORIES	33 g GLUCIDES
17 g PROTÉINES	42 g LIPIDES	0 g FIBRES

Quiche au jambon et aux œufs durs *(pour 4 personnes)*

1	abaisse de pâte à quiche*
3	œufs durs tranchés
3	tranches de jambon cuit, coupées en julienne
30 ml	(2 c. à soupe) de fromage mozzarella râpé
3	œufs battus
250 ml	(1 tasse) de crème à 35 %
15 ml	(1 c. à soupe) de persil frais haché
	une pincée de poivre de cayenne
	une pincée de muscade
	sel

1 moule à quiche de 23 cm (9 po) et de 4 cm (1 ½ po) de profondeur.

Préchauffer le four à 190°C (375°F).

Foncer le moule à quiche de l'abaisse de pâte et mettre de côté de 20 à 30 minutes.

Disposer les tranches d'œufs dans le fond de tarte. Ajouter le jambon, le fromage et le poivre de cayenne.

Mélanger les œufs et la crème. Ajouter le persil, la muscade et le sel. Verser dans le fond de tarte.

Faire cuire 45 minutes au four.

* Voir Pâte à quiche, p. 162.

1 PORTION	494 CALORIES	32 g GLUCIDES
15 g PROTÉINES	34 g LIPIDES	0,1 g FIBRES

Quiche lorraine *(pour 4 personnes)*

1	abaisse de pâte à quiche*
3	tranches de bacon, coupées en gros dés
75 ml	(⅓ tasse) de fromage gruyère râpé
3	œufs battus
250 ml	(1 tasse) de crème à 35 %
15 ml	(1 c. à soupe) de persil frais haché
	une pincée de muscade
	sel et poivre

1 moule à quiche de 23 cm (9 po) et de 4 cm (1 ½ po) de profondeur.

Préchauffer le four à 190°C (375°F).

Foncer le moule à quiche de l'abaisse de pâte et mettre de côté de 20 à 30 minutes.

Mettre le bacon dans une casserole contenant 500 ml (2 tasses) d'eau bouillante. Cuire 4 à 5 minutes.

Égoutter le bacon et le faire sauter de 2 à 3 minutes dans une poêle à frire.

À l'aide d'une cuiller à trous, retirer le bacon et en garnir le fond de tarte.

Parsemer de fromage. Ajouter la muscade, le persil et assaisonner au goût.

Mélanger les œufs et la crème. Verser sur les dés de bacon. Bien assaisonner.

Faire cuire 45 minutes au four.

* Voir Pâte à quiche, p. 162.

1 PORTION	551 CALORIES	33 g GLUCIDES
17 g PROTÉINES	39 g LIPIDES	0,1 g FIBRES

TECHNIQUE: QUICHE LORRAINE

1 Si désiré: piquer la pâte avec une fourchette pour l'empêcher de gonfler pendant la cuisson.

2 Placer le bacon dans une casserole contenant 500 ml (2 tasses) d'eau bouillante. Cuire 4 à 5 minutes.

3 Égoutter le bacon et le faire sauter de 2 à 3 minutes dans une poêle à frire.

4 Mettre le bacon dans le fond de tarte.

Voir page suivante.

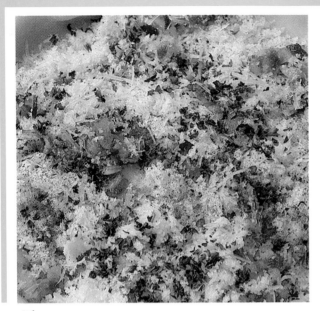

5 Parsemer de fromage. Ajouter la muscade et le persil. Assaisonner au goût.

6 Verser le mélange d'œufs et de crème dans le fond de tarte. Bien assaisonner.

Quiche au poulet et aux champignons

(pour 4 personnes)

1	abaisse de pâte à quiche*
45 ml	(3 c. à soupe) de beurre
250 g	(½ livre) de champignons frais, nettoyés et émincés
1	poitrine de poulet, désossée, sans peau et coupée en petits dés
15 ml	(1 c. à soupe) de persil frais haché
50 ml	(¼ tasse) de fromage emmenthal râpé
3	œufs battus
250 ml	(1 tasse) de crème à 35 %
	sel et poivre

1 moule à quiche de 23 cm (9 po) et de 4 cm (1 ½ po) de profondeur.

Préchauffer le four à 190°C (375°F).

Foncer le moule à quiche de l'abaisse de pâte et mettre de côté de 20 à 30 minutes.

Faire chauffer le beurre dans une poêle à frire. Ajouter les champignons. Saler, poivrer. Faire cuire 3 à 4 minutes à feu vif.

Retirer les champignons et garder de côté.

Mettre le poulet dans la poêle. Saler, poivrer. Faire cuire 6 à 7 minutes à feu moyen.

Remettre les champignons dans la poêle et ajouter le persil; bien mélanger. Verser dans le fond de tarte. Parsemer de fromage.

Mélanger les œufs et la crème. Saler, poivrer. Verser dans le fond de tarte.

Faire cuire 45 minutes au four.

* Voir Pâte à quiche, p. 162.

172

1 PORTION	603 CALORIES	34 g GLUCIDES
20 g PROTÉINES	43 g LIPIDES	0,4 g FIBRES

Soufflé au gruyère   *(pour 4 personnes)*

60 ml	(4 c. à soupe) de beurre
375 ml	(1 ½ tasse) de fromage gruyère râpé
45 ml	(3 c. à soupe) de farine
250 ml	(1 tasse) de lait chaud
4	jaunes d'œufs extra-gros
5	blancs d'œufs extra-gros, battus fermement
	une pincée de muscade
	sel et poivre

Préchauffer le four à 190°C (375°F).

Beurrer un moule à soufflé de 1,5 L (6 tasses). Saupoudrer le fond et les côtés du moule d'un peu de fromage. Mettre de côté.

Faire chauffer le reste du beurre dans une casserole. Ajouter la farine et remuer rapidement. Cuire 1 minute.

Incorporer le lait et la muscade; bien brasser au fouet. Saler, poivrer et cuire 8 minutes à feu doux. Remuer 2 fois pendant la cuisson.

Retirer la casserole du feu. Laisser refroidir légèrement. Ajouter les jaunes d'œufs, un à un, tout en mélangeant avec un fouet entre chaque addition. Bien incorporer.

Transférer la pâte dans un bol et incorporer le reste du fromage.

Incorporer les blancs d'œufs dans la pâte à l'aide d'une spatule. Ne pas trop mélanger.

Verser dans le moule jusqu'à 4 cm (1 ½ po) du bord.

Faire cuire au four 35 à 40 minutes.

1 PORTION	439 CALORIES	10 g GLUCIDES
21 g PROTÉINES	35 g LIPIDES	0 g FIBRES

TECHNIQUE: DÉCOUPER LE POULET

1 Découper un poulet en morceaux est assez simple, mais il est nécessaire d'avoir un couteau bien aiguisé et si possible, une planche à dépecer en bois.

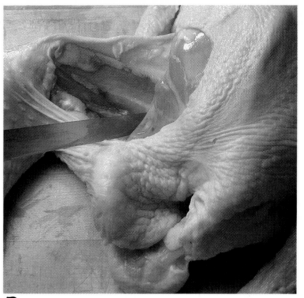

2 Placer le poulet, la poitrine vers le haut, sur une planche à dépecer. Tirer la cuisse vers l'extérieur et couper à travers la peau, en glissant le couteau le long du corps.

3 Plier la cuisse vers l'arrière et tordre, si nécessaire, pour disloquer. Couper les ligaments avec le couteau et retirer la cuisse.

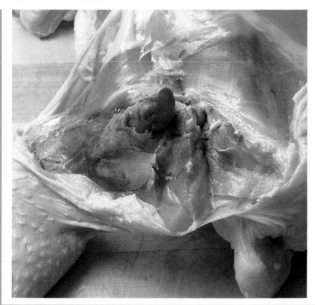

4 Répéter la même opération pour l'autre cuisse.

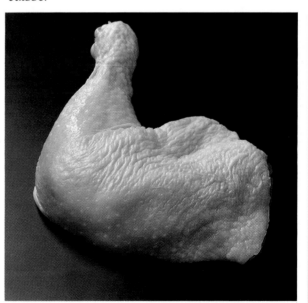

Voir page suivante.

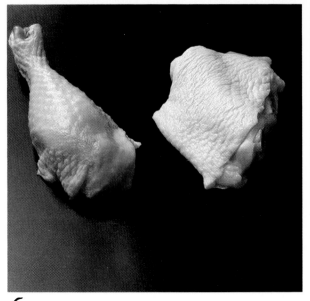

5 Placer la cuisse, le côté de la peau vers le bas, et avec le couteau, repérer la jointure entre le haut de la cuisse et le pilon. Couper complètement.

6 Répéter la même opération pour l'autre cuisse.

7 Couper à travers la chair et les jointures; retirer les ailerons.
Couper la carcasse en deux et commencer à retirer la poitrine en coupant le long de la cage thoracique.

8 Continuer de couper vers le devant du poulet et tailler autour de la fourchette (wishbone).

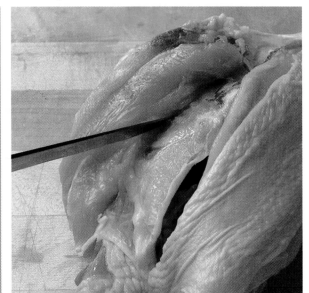

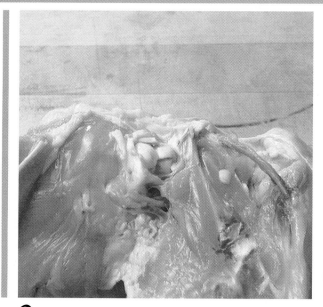

9 Forcer la poitrine vers le bas et disloquer. Couper les ligaments avec un couteau.

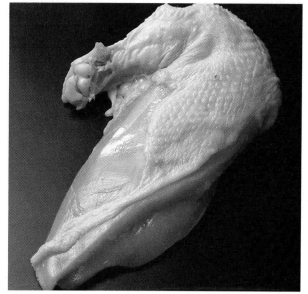

10 Répéter la même opération pour l'autre poitrine.
Note: conserver la carcasse pour préparer un bouillon de poulet.

11 Finir de désosser la poitrine de poulet en repoussant la chair. Tirer sur l'os pour le retirer.
Note: il est possible de retirer cet os lorsque l'aileron est enlevé.

12 Voici les morceaux d'un demi-poulet. Le nombre total de morceaux demandés pour la plupart des recettes varie entre 6 à 10 selon que la poitrine et les cuisses soient entières ou coupées en deux.

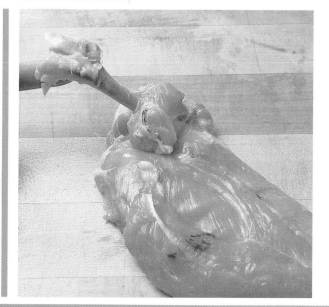

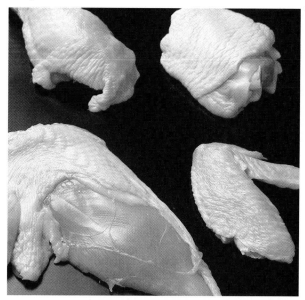

Riz vapeur *(pour 4 personnes)*

250 ml	(1 tasse) de riz de longs grains, lavé et égoutté
1,2 L	(5 tasses) d'eau bouillante salée

Verser le riz dans la casserole contenant l'eau bouillante salée. Remuer, couvrir et cuire 12 minutes.

Bien égoutter le riz et rincer à l'eau. Égoutter de nouveau.

Placer le riz dans une marmite à étuver; couvrir et faire chauffer de 10 à 15 minutes. Servir chaud.

1 PORTION	108 CALORIES	25 g GLUCIDES
2 g PROTÉINES	0 g LIPIDES	0,1 g FIBRES

Sauce blanche au raifort

60 ml	(4 c. à soupe) de beurre
30 ml	(2 c. à soupe) d'oignons hachés
60 ml	(4 c. à soupe) de farine
500 ml	(2 tasses) de lait chaud
1 ml	(¼ c. à thé) de muscade
40 ml	(2 ½ c. à soupe) de raifort
	une pincée de paprika
	sel et poivre blanc

Faire chauffer le beurre dans une casserole. Ajouter les oignons; couvrir et cuire 3 minutes à feu doux.

Ajouter la farine et mélanger; cuire, sans couvrir, pendant 1 minute.

Incorporer la moitié du lait et bien remuer. Ajouter le reste du lait. Saler, poivrer et ajouter les épices.

Amener la sauce à ébullition; continuer la cuisson, sans couvrir, de 8 à 10 minutes à feu moyen-vif. Remuer fréquemment.

Incorporer le raifort et laisser mijoter 2 minutes.

1 PORTION	211 CALORIES	14 g GLUCIDES
5 g PROTÉINES	15 g LIPIDES	0,2 g FIBRES

Cuisses de poulet sautées   *(pour 4 personnes)*

30 ml	(2 c. à soupe) d'huile végétale
4	grosses cuisses de poulet, coupées en deux, sans peau et nettoyées
1	oignon émincé
1	petite aubergine, émincée
2	gousses d'ail, écrasées et hachées
1 ml	(¼ c. à thé) d'origan
⅓	concombre anglais, émincé
2	tomates mûres, coupées en gros dés
1	grosse carotte, pelée et émincée
	sel et poivre

Faire chauffer l'huile dans une sauteuse. Ajouter le poulet et assaisonner généreusement. Faire griller 4 à 5 minutes de chaque côté à feu moyen.

Ajouter les oignons et les aubergines. Saler, poivrer et bien mélanger.

Incorporer l'ail et l'origan; couvrir et cuire 10 minutes à feu doux.

Ajouter les concombres, les tomates et les carottes. Rectifier l'assaisonnement. Couvrir et cuire 8 à 10 minutes à feu moyen-doux. Remuer de temps à autre. Servir.

1 PORTION	319 CALORIES	13 g GLUCIDES
33 g PROTÉINES	15 g LIPIDES	1,6 g FIBRES

Poulet Miranda *(pour 4 personnes)*

1	chapon de 1,8 à 2,3 kg (4 à 5 livres), coupé en 8 morceaux, sans peau, nettoyé*
250 ml	(1 tasse) de farine assaisonnée
30 ml	(2 c. à soupe) d'huile
½	oignon, finement haché
15 ml	(1 c. à soupe) de gingembre frais haché
1	piment vert, émincé
1	piment rouge, émincé
250 ml	(1 tasse) de fleurettes de brocoli blanchi
15 ml	(1 c. à soupe) de sauce soja
	piment banane, émincé
	sel et poivre

Préchauffer le four à 190°C (375°F).

Désosser les cuisses de poulet et pratiquer des incisions dans la chair avec un couteau. Enfariner le poulet.

Faire chauffer l'huile dans une sauteuse. Ajouter les morceaux de poulet et cuire 4 à 5 minutes à feu moyen.

Saler, poivrer et retourner le poulet; continuer la cuisson de 4 à 5 minutes.

Ajouter les oignons, remuer et rectifier l'assaisonnement. Couvrir et continuer la cuisson, au four, pendant 15 minutes.

Retirer les morceaux de viande blanche de la sauteuse et les mettre de côté. Continuer la cuisson du reste du poulet, au four, pendant 10 minutes.

Remettre le blanc dans la sauteuse et ajouter le gingembre. Placer la sauteuse sur l'élément de la cuisinière, à feu moyen. Ajouter les légumes; cuire 4 à 5 minutes.

Incorporer la sauce soja et laisser mijoter quelques minutes à feu doux. Servir sur du riz.

* Voir technique pour découper le poulet, page 175.

1 PORTION	496 CALORIES	18 g GLUCIDES
52 g PROTÉINES	21 g LIPIDES	1,2 g FIBRES

Ailerons en sauce tomate *(pour 4 personnes)*

30 ml	(2 c. à soupe) d'huile végétale
1,1 kg	(2½ livres) d'ailerons de poulet, nettoyés
1	oignon haché
½	aubergine, finement hachée
1	gousse d'ail, écrasée et hachée
1	boîte de tomates en conserve de 796 ml (28 oz), égouttées et hachées
125 ml	(½ tasse) de sauce brune, chaude
	sel et poivre

Faire chauffer l'huile dans une sauteuse. Ajouter le poulet et cuire 3 minutes à feu moyen.

Saler, poivrer et retourner le poulet; continuer la cuisson pendant 3 minutes.

Ajouter les oignons; cuire 2 minutes.

Incorporer les aubergines et l'ail; couvrir partiellement et faire cuire 8 minutes à feu moyen. Remuer de temps en temps.

Incorporer les tomates; faire cuire, sans couvrir, 3 à 4 minutes à feu moyen. Rectifier l'assaisonnement.

Ajouter la sauce brune et remuer. Saler, poivrer. Couvrir partiellement et faire cuire 8 minutes à feu moyen. Remuer à intervalles.

1 PORTION	322 CALORIES	12 g GLUCIDES
28 g PROTÉINES	18 g LIPIDES	1,3 g FIBRES

Poulet émincé sur linguini *(pour 4 personnes)*

1	grosse poitrine de poulet entière, sans peau, désossée et nettoyée
15 ml	(1 c. à soupe) de beurre
15 ml	(1 c. à soupe) d'huile végétale
50 ml	(¼ tasse) de piment doux mariné, haché
125 g	(¼ livre) de champignons frais, nettoyés et émincés
2	oignons verts, émincés
1	piment vert, émincé
1	gousse d'ail, écrasée et hachée
250 ml	(1 tasse) de sauce tomate chaude
250 ml	(1 tasse) de sauce brune chaude
250 ml	(1 tasse) de fleurettes de brocoli cuit
4	portions de linguini
	fromage parmesan râpé
	sel et poivre

Émincer le poulet en longs morceaux de 0,65 cm (¼ po) d'épaisseur.

Faire chauffer le beurre et l'huile dans une sauteuse. Ajouter le poulet; cuire 3 minutes à feu moyen.

Saler, poivrer et retourner le poulet. Ajouter les piments marinés, les oignons, les champignons, les piments verts et l'ail. Cuire 3 minutes.

Incorporer les deux sauces et ajouter le brocoli. Bien remuer et laisser mijoter quelques minutes à feu moyen-doux.

Étaler les pâtes cuites sur un plat de service. Napper de sauce au poulet. Parsemer de fromage râpé. Servir.

1 PORTION	381 CALORIES	27 g GLUCIDES
39 g PROTÉINES	13 g LIPIDES	1,9 g FIBRES

Poulet pour Abigail *(pour 4 personnes)*

45 ml	(3 c. à soupe) de beurre
15 ml	(1 c. à soupe) de jus de citron
75 ml	(⅓ tasse) de bouillon de poulet chaud
2	grosses poitrines de poulet entières, sans peau, désossées, nettoyées et coupées en gros dés
250 g	(½ livre) de champignons frais, nettoyés et entiers
1	piment vert, coupé en gros dés
1	piment rouge, coupé en gros dés
125 ml	(½ tasse) de petits oignons cuits
125 ml	(½ tasse) de vin de Madère
500 ml	(2 tasses) de crème à 35 %
	une pincée de paprika
	quelques gouttes de sauce Worcestershire et de sauce Tabasco
	une pincée de muscade
	sel et poivre

Faire ch..ffer 15 ml (1 c. à soupe) de beurre dans une grande poêle. Ajouter le citron et le bouillon de poulet.

Ajouter le poulet et saler, poivrer; couvrir et cuire 8 à 10 minutes à feu doux.

Verser le poulet et la sauce dans un bol; mettre de côté

Faire chauffer le reste du beurre dans la poêle. Ajouter les champignons, les piments et les oignons; cuire, sur feu vif sans couvrir, pendant 3 minutes.

Retirer les légumes de la poêle. Garder de côté dans le bol.

Verser le vin dans la poêle et laisser cuire 3 minutes à feu vif.

Ajouter la crème et les épices; remuer et continuer la cuisson de 6 à 7 minutes à feu vif.

Remettre le mélange de poulet et de légumes dans la sauce. Brasser et laisser mijoter 3 minutes pour réchauffer.

Servir sur du pain grillé.

1 PORTION	764 CALORIES	11 g GLUCIDES
63 g PROTÉINES	52 g LIPIDES	2,0 g FIBRES

Poulet frit du Maryland   *(pour 4 personnes)*

2	grosses poitrines de poulet entières, sans peau, désossées et nettoyées
250 ml	(1 tasse) de farine assaisonnée
2	œufs battus
375 ml	(1½ tasse) de chapelure
30 ml	(2 c. à soupe) d'huile végétale
4	bananes
60 ml	(4 c. à soupe) de cassonade
8	tranches de bacon cuit pour décorer
	sel et poivre

Préchauffer le four à 190°C (375°F).

Enfariner le poulet, le tremper dans les œufs battus et l'enrober de chapelure.

Faire chauffer l'huile dans une poêle à frire. Ajouter le poulet; faire cuire 4 minutes à feu moyen-vif.

Retourner le poulet; continuer la cuisson pendant 4 minutes. Saler, poivrer.

Déposer les poitrines de poulet dans un plat à gratin; cuire de 10 à 12 minutes au four.

Entre-temps, préparer les bananes en enlevant une partie de la pelure. Saupoudrer les bananes de cassonade et les ranger sur une plaque à biscuits.

Faire cuire les bananes de 5 à 6 minutes au four, à côté du poulet.

1 PORTION	860 CALORIES	72 g GLUCIDES
80 g PROTÉINES	28 g LIPIDES	0,6 g FIBRES

Poulet à l'ananas *(pour 4 personnes)*

30 ml	(2 c. à soupe) de beurre
2	grosses poitrines de poulet entières, sans peau, désossées et nettoyées
3	pommes, évidées et émincées
375 ml	(1½ tasse) de bouillon de poulet chaud
50 ml	(¼ tasse) de jus d'ananas
4	rondelles d'ananas
	quelques gouttes de jus de limette
	sel et poivre

Faire chauffer le beurre dans une sauteuse. Ajouter le poulet et arroser de jus de limette. Couvrir et faire cuire 4 minutes à feu moyen-doux.

Saler, poivrer et retourner le poulet; couvrir et continuer la cuisson 4 minutes.

Retourner le poulet de nouveau; couvrir et cuire 8 minutes à feu moyen-doux.

Ajouter les pommes, le bouillon de poulet et le jus d'ananas. Bien remuer; couvrir et laisser mijoter 3 à 4 minutes.

Saler, poivrer et ajouter les rondelles d'ananas; couvrir et terminer la cuisson 1 à 2 minutes à feu moyen-doux. Servir.

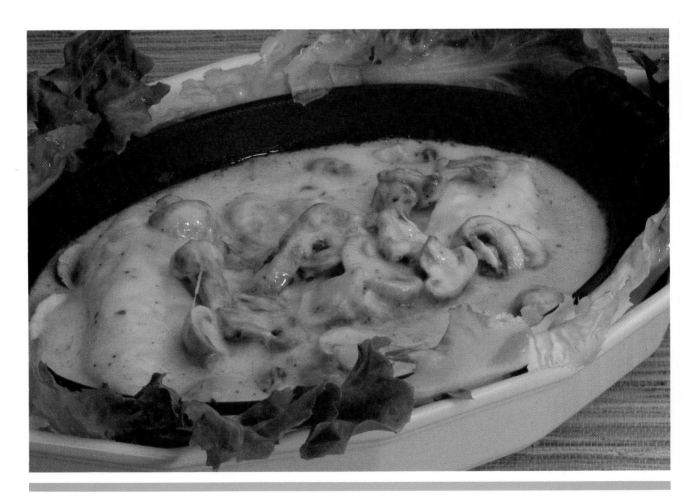

Poulet en sauce *(pour 4 personnes)*

30 ml	(2 c. à soupe) de beurre
2	grosses poitrines de poulet entières, sans peau, désossées et nettoyées
250 g	(½ livre) de champignons frais, nettoyés et émincés
500 ml	(2 tasses) de sauce au fromage commerciale, chaude
50 ml	(¼ tasse) de fromage mozzarella râpé
	quelques gouttes de jus de citron
	une pincée de basilic
	une pincée de graines de céleri
	sel et poivre

Préchauffer le four à 190°C (375°F).

Faire chauffer le beurre dans une grande poêle. Ajouter le poulet et arroser de jus de citron. Couvrir et faire cuire 2 minutes de chaque côté à feu moyen-doux. Saler, poivrer.

Ajouter les champignons et les épices. Couvrir et cuire 3 à 4 minutes.

Incorporer la sauce au fromage. Transférer le tout dans un plat à gratin. Parsemer de fromage et laisser cuire au four de 6 à 7 minutes.

1 PORTION	445 CALORIES	14 g GLUCIDES
41 g PROTÉINES	25 g LIPIDES	0,6 g FIBRES

Poitrines de poulet au fromage   *(pour 4 personnes)*

2	poitrines de poulet entières, sans peau, désossées et nettoyées
250 ml	(1 tasse) de farine assaisonnée
2	œufs battus
375 ml	(1½ tasse) de chapelure
30 ml	(2 c. à soupe) d'huile végétale
4	tranches de fromage gruyère
250 ml	(1 tasse) de sauce tomate, chaude
	sel et poivre

Préchauffer le four à 200°C (400°F).

Enfariner le poulet, le tremper dans les œufs et l'enrober de chapelure.

Faire chauffer l'huile dans une poêle à frire. Ajouter le poulet et faire dorer 4 minutes à feu moyen-vif.

Retourner le poulet; continuer la cuisson pendant 4 minutes.

Déposer le poulet dans un plat allant au four. Cuire 5 minutes au four.

Déposer une tranche de fromage sur chaque poitrine; continuer la cuisson au four pendant 5 minutes.

Napper ou servir avec la sauce tomate.

1 PORTION	647 CALORIES	51 g GLUCIDES
50 g PROTÉINES	27 g LIPIDES	0,4 g FIBRES

Poitrines de poulet frites
au raifort *(pour 4 personnes)*

2	grosses poitrines de poulet entières, sans peau, désossées et nettoyées
250 ml	(1 tasse) de farine assaisonnée
2	œufs battus
375 ml	(1 ½ tasse) de chapelure
30 ml	(2 c. à soupe) d'huile végétale
375 ml	(1 ½ tasse) de sauce blanche au raifort, chaude*
	sel et poivre

Préchauffer le four à 190°C (375°F).

Enfariner le poulet, le tremper dans les œufs battus et l'enrober de chapelure.

Faire chauffer l'huile dans une poêle à frire. Ajouter le poulet et faire cuire 4 minutes à feu moyen-vif.

Retourner le poulet; continuer la cuisson pendant 4 minutes. Saler, poivrer généreusement.

Finir la cuisson au four de 10 à 12 minutes.

Servir avec une sauce blanche au raifort, page 178.

1 PORTION	742 CALORIES	47 g GLUCIDES
71 g PROTÉINES	30 g LIPIDES	0,2 g FIBRES

Poitrines de poulet aux champignons

(pour 4 personnes)

2	grosses poitrines de poulet entières, sans peau, désossées et nettoyées
15 ml	(1 c. à soupe) de persil frais haché
1 L	(4 tasses) de bouillon de poulet froid
250 g	(½ livre) de champignons frais, nettoyés et émincés
1 ml	(¼ c. à thé) de jus de citron
60 ml	(4 c. à soupe) de beurre
45 ml	(3 c. à soupe) de farine
50 ml	(¼ tasse) de crème à 35 %
5 ml	(1 c. à thé) de zeste de citron finement haché
125 ml	(½ tasse) de petits oignons cuits
1	piment vert, émincé
	une pincée de paprika
	sel et poivre

Préchauffer le four à 70°C (150°F).

Placer les poitrines de poulet dans une sauteuse. Parsemer de persil et verser le bouillon de poulet; amener à ébulliton. Couvrir partiellement et faire cuire de 8 à 10 minutes à feu moyen.

Ajouter les champignons et le jus de citron; continuer la cuisson pendant 3 minutes.

Retirer le poulet et les champignons de la sauteuse. Garder au chaud dans le four. Réserver 500 ml (2 tasses) du liquide de cuisson.

Faire fondre 45 ml (3 c. à soupe) de beure dans une casserole. Ajouter la farine et mélanger; cuire 1 minute. Ne pas brûler la farine!

Ajouter 500 ml (2 tasses) du liquide de cuisson et assaisonner au goût. Faire cuire 5 minutes à feu moyen.

Incorporer la crème et le zeste de citron. Saupoudrer de paprika. Continuer la cuisson pendant 2 minutes. Entre-temps, faire chauffer le reste du beurre dans une poêle. Ajouter les oignons et les piments verts; faire sauter 3 à 4 minutes. Saler, poivrer.

Placer le poulet sur un plat de service. Verser la sauce sur le poulet. Garnir d'oignons et de piments sautés.

1 PORTION	487 CALORIES	9 g GLUCIDES
61 g PROTÉINES	23 g LIPIDES	1,3 g FIBRES

Poitrines de poulet aux tomates *(pour 4 personnes)*

15 ml	(1 c. à soupe) de beurre
15 ml	(1 c. à soupe) d'huile végétale
2	grosses poitrines de poulet entières, sans peau, désossées et nettoyées
1	petit oignon, finement haché
5 ml	(1 c. à thé) de paprika
1	boîte de tomates en conserve de 796 ml (28 oz), égouttées et hachées
1 ml	(¼ c. à thé) de basilic
1 ml	(¼ c. à thé) d'origan
50 ml	(¼ tasse) de crème à 35 %
	persil frais haché
	sel et poivre

Faire chauffer le beurre et l'huile dans une poêle à frire. Ajouter le poulet; faire cuire 3 à 4 minutes à feu moyen.

Saler, poivrer et retourner le poulet; couvrir partiellement et continuer la cuisson pendant 4 minutes.

Ajouter les oignons et le paprika; bien mélanger. Couvrir partiellement et cuire 3 à 4 minutes à feu doux.

Incorporer les tomates et les épices; couvrir et laisser mijoter 8 à 10 minutes à feu moyen-doux.

2 minutes avant la fin de la cuisson, ajouter la crème; bien remuer.

Parsemer de persil et servir.

1 PORTION	446 CALORIES	11 g GLUCIDES
60 g PROTÉINES	18 g LIPIDES	1,0 g FIBRES

Poitrines de poulet aux concombres et aux courgettes *(pour 4 personnes)*

30 ml	(2 c. à soupe) de beurre
2	grosses poitrines de poulet entières, sans peau, désossés et nettoyées
1	courgette, coupée sur la longueur et émincée
½	concombre anglais, coupé sur la longueur et émincé
125 ml	(½ tasse) de piment doux mariné, émincé
2 ml	(½ c. à thé) d'estragon
375 ml	(1½ tasse) de bouillon de poulet chaud
15 ml	(1 c. à soupe) de fécule de maïs
30 ml	(2 c. à soupe) d'eau froide
	une pincée de graines de céleri
	quelques gouttes de sauce Tabasco
	riz vapeur*
	sel et poivre

Faire chauffer le beurre dans une sauteuse. Ajouter le poulet; couvrir et cuire 4 minutes à feu moyen-doux.

Retourner le poulet et laisser cuire 4 minutes

Bien assaisonner le poulet; couvrir et continuer la cuisson de 10 à 12 minutes.

3 minutes avant la fin de la cuisson, ajouter les légumes et les épices.

Placer le poulet et les légumes dans un plat de service.

Verser le bouillon de poulet dans la sauteuse et l'amener à ébullition.

Délayer la fécule de maïs dans l'eau froide. Mélanger à la sauce. Laisser cuire quelques minutes à feu doux pour épaissir la sauce.

Arroser de quelques gouttes de Tabasco. Saler, poivrer. Verser la sauce sur le poulet. Servir avec le riz.

* Voir Riz vapeur, page 178.

1 PORTION	360 CALORIES	5 g GLUCIDES
58 g PROTÉINES	12 g LIPIDES	0,4 g FIBRES

Poulet avec julienne de légumes   *(pour 4 personnes)*

45 ml	(3 c. à soupe) de beurre
2	grosses poitrines de poulet entières, sans peau, désossées et nettoyées
1	grosse carotte, pelée et coupée en julienne
1	branche de céleri, coupée en julienne
1	petite courgette, coupée en julienne
	jus de ½ citron
	oignons verts pour décorer
	sel et poivre

Mettre 30 ml (2 c. à soupe) de beurre, le poulet et le jus de citron dans une sauteuse. Saler, poivrer; couvrir et laisser cuire 12 à 15 minutes à feu moyen-doux. Retourner deux fois.

Entre-temps, faire chauffer le reste du beurre dans une poêle à frire. Ajouter les légumes; faire cuire 5 à 6 minutes à feu moyen. Assaisonner généreusement.

Garnir d'oignons verts. Servir.

1 PORTION	383 CALORIES	4 g GLUCIDES
58 g PROTÉINES	15 g LIPIDES	0,7 g FIBRES

Poitrines de poulet au cari *(pour 4 personnes)*

45 ml	(3 c. à soupe) de beurre
2	oignons émincés
30 ml	(2 c. à soupe) de poudre de cari
2	grosses poitrines de poulet entières, sans peau, désossées, nettoyés et coupées en gros morceaux
500 ml	(2 tasses) de bouillon de poulet chaud
15 ml	(1 c. à soupe) de fécule de maïs
30 ml	(2 c. à soupe) d'eau froide
50 ml	(¼ tasse) de crème à 35 %
15 ml	(1 c. à soupe) de persil ou de ciboulette
	olives noires
	sel et poivre

Faire chauffer le beurre dans une grande poêle à frire. Ajouter les oignons; faire cuire 5 à 6 minutes à feu moyen. Remuer de temps à autre.

Incorporer la poudre de cari et cuire 3 à 4 minutes à feu doux.

Ajouter le poulet et mélanger; saler, poivrer. Faire cuire 2 à 3 minutes à feu moyen.

Incorporer le bouillon de poulet et amener à ébullition. Continuer la cuisson de 9 à 10 minutes à feu moyen-doux.

Délayer la fécule de maïs dans l'eau froide. Mélanger à la sauce et faire cuire 1 minute.

Incorporer la crème et amener à ébullition; faire cuire 2 à 3 minutes. Bien assaisonner.

Placer le mélange de poulet dans un plat de service. Saupoudrer de ciboulette. Décorer d'olives. Servir.

1 PORTION	444 CALORIES	7 g GLUCIDES
59 g PROTÉINES	20 g LIPIDES	0,3 g FIBRES

Coq au vin *(pour 4 personnes)*

1	chapon de 2,3 à 2,7 kg (5 à 6 livres), coupé en 8 morceaux, sans peau et nettoyé*
250 ml	(1 tasse) de farine assaisonnée
30 ml	(2 c. à soupe) d'huile végétale
1	oignon, finement haché
2	gousses d'ail, écrasées et hachées
500 ml	(2 tasses) de vin rouge sec
500 ml	(2 tasses) de sauce brune chaude
1 ml	(¼ c. à thé) de cerfeuil
1	feuille de laurier
250 g	(½ livre) de têtes de champignons, sautées dans le beurre
125 ml	(½ tasse) de petits oignons cuits
	une pincée de thym
	sel et poivre

Préchauffer le four à 190°C (375°F).

Enfariner le poulet. Secouer pour enlever l'excès de farine.

Chauffer l'huile dans une sauteuse. Ajouter le poulet et saisir 8 à 10 minutes à feu moyen. Retourner de temps en temps.

Ajouter les oignons hachés et l'ail; faire cuire 2 à 3 minutes à feu doux.

Mouiller avec le vin et faire cuire 5 à 6 minutes à feu doux.

Incorporer la sauce brune et les épices; remuer et amener à ébullition. Couvrir et faire cuire 35 minutes au four.

Ajouter les champignons et les petits oignons; continuer la cuisson pendant 10 minutes.

Servir sur des tranches épaisses de pain grillé.

* Voir technique pour découper le poulet, page 175.

1 PORTION	392 CALORIES	22 g GLUCIDES
76 g PROTÉINES	33 g LIPIDES	1,3 g FIBRES

Poulet bouilli au riz *(pour 4 personnes)*

1	chapon de 1,8 à 2,3 kg (4 à 5 livres), coupé en 8 morceaux, sans peau et nettoyé*
2 L	(8 tasses) d'eau froide
1 ml	(¼ c. à thé) de cerfeuil
1 ml	(¼ c. à thé) de muscade
5 ml	(1 c. à thé) de persil frais haché
5 ml	(1 c. à thé) de ciboulette hachée
375 ml	(1½ tasse) de riz à longs grains, lavé et égoutté
45 ml	(3 c. à soupe) de beurre
60 ml	(4 c. à soupe) de farine
	une pincée de gingembre moulu
	sel et poivre

Mettre les morceaux de poulet dans une sauteuse. Ajouter assez d'eau pour couvrir; amener à ébullition. Faire cuire 4 à 5 minutes à feu moyen.

Égoutter le poulet et le remettre dans la sauteuse. Ajouter 500 ml (2 tasses) d'eau froide et les épices. Saler, poivrer. Amener à ébullition et faire cuire 35 à 40 minutes à feu doux, partiellement couvert.

18 minutes avant la fin de la cuisson, ajouter le riz.

Quand le poulet est cuit, le retirer et le disposer dans un plat de service. Égoutter le riz mais réserver 500 ml (2 tasses) de liquide de cuisson.

Faire chauffer le beurre dans une casserole. Ajouter la farine et faire cuire 1 minute à feu doux. Remuer occasionnellement.

Verser 500 ml (2 tasses) du liquide de cuisson dans la casserole. Continuer la cuisson de 3 à 4 minutes. Remuer fréquemment.

Verser la sauce sur le poulet et le riz. Servir.

* Voir technique pour découper le poulet, page 175.

1 PORTION	577 CALORIES	45 g GLUCIDES
52 g PROTÉINES	21 g LIPIDES	0,2 g FIBRES

Poulet au gratin   *(pour 4 personnes)*

1	chapon de 1,8 à 2,3 kg (4 à 5 livres), coupé en 6 morceaux, sans peau et nettoyé*
3	branches de persil
1	feuille de laurier
½	oignon, piqué d'un clou de girofle
5 ml	(1 c. à thé) de muscade
45 ml	(3 c. à soupe) de beurre
55 ml	(3½ c. à soupe) de farine
125 ml	(½ tasse) de fromage Emmenthal râpé
	bouillon de poulet chaud
	sel et poivre

* Voir technique pour découper le poulet, page 175.

Placer les morceaux de poulet dans un plat à rôtir. Verser assez d'eau pour couvrir. Recouvrir avec un papier d'aluminium et amener à ébullition sur la cuisinière.

Égoutter le poulet. Remettre le poulet dans le plat à rôtir et verser assez de bouillon de poulet pour couvrir.

Ajouter le persil, la feuille de laurier, les oignons et la muscade. Saler, poivrer généreusement. Couvrir avec un papier d'aluminium et amener à ébullition. Faire cuire 30 minutes à feu doux.

Retirer le poulet du plat et le placer dans un plat de service. Réserver 500 ml (2 tasses) du liquide de cuisson. Mettre de côté

Faire chauffer le beurre dans une casserole. Ajouter la farine et faire cuire 1 minute à feu doux. Remuer occasionnellement.

Ajouter 500 ml (2 tasses) du liquide de cuisson et amener à ébullition. Saler, poivrer et laisser cuire 5 à 6 minutes à feu moyen.

Ajouter les ¾ du fromage; bien mêler et continuer la cuisson pendant 1 minute.

Verser la sauce sur le poulet. Parsemer avec le reste du fromage. Servir avec des légumes.

1 PORTION	461 CALORIES	6 g GLUCIDES
53 g PROTÉINES	25 g LIPIDES	0 g FIBRES

Poulet au cari nouvelle vague   *(pour 4 personnes)*

1	chapon de 1,8 à 2,3 kg (4 à 5 livres), coupé en 8 morceaux, sans peau et nettoyé*
250 ml	(1 tasse) de farine assaisonnée
30 ml	(2 c. à soupe) d'huile végétale
30 ml	(2 c. à soupe) de beurre
1	petit oignon, finement haché
30 ml	(2 c. à soupe) de poudre de cari
2	pommes, évidées et coupées
500 ml	(2 tasses) de bouillon de poulet chaud
20	cosses de pois blanchies
375 ml	(1½ tasse) de fèves germées
15 ml	(1 c. à soupe) de sauce soya
15 ml	(1 c. à soupe) de fécule de maïs
45 ml	(3 c. à soupe) d'eau froide
	quelques piments rouges broyés
	une pincée de gingembre
	sel et poivre

Enfariner les morceaux de poulet.

Chauffer l'huile dans une sauteuse. Ajouter le poulet et cuire 4 à 5 min à feu moyen. Retourner le poulet et continuer la cuisson de 4 à 5 min.

Ajouter 15 ml (1 c. à soupe) de beurre, les oignons et la poudre de cari. Bien mélanger; couvrir et cuire 8 à 10 min à feu doux. Ajouter les pommes; couvrir et continuer la cuisson de 3 à 4 min.

Incorporer le bouillon de poulet et les épices. Assaisonner au goût. Couvrir partiellement et cuire 15 minutes à feu doux.

Entre-temps, chauffer le reste du beurre dans une poêle à frire. Ajouter les cosses de pois et les fèves germées; faire sauter 3 min à feu moyen. Incorporer la sauce soya et continuer la cuisson pendant 2 min.

Dès que le poulet est cuit, retirer et déposer dans un plat de service. Laisser la sauteuse sur l'élément de la cuisinière. Délayer la fécule de maïs dans l'eau froide. Incorporer le mélange à la sauce. Faire cuire 1 à 2 min à feu doux.

Verser la sauce sur le poulet. Servir avec les légumes sautés.

* Voir technique pour découper le poulet, page 175.

1 PORTION	561 CALORIES	32 g GLUCIDES
52 g PROTÉINES	25 g LIPIDES	0 g FIBRES

Poulet braisé de grand-maman *(pour 4 personnes)*

30 ml	(2 c. à soupe) d'huile végétale
1	chapon de 1,8 à 2,3 kg (4 à 5 livres), coupé en 8 morceaux, sans peau et nettoyé*
1	oignon, coupé en gros dés
15 ml	(1 c. à soupe) de beurre
750 ml	(3 tasses) de bouillon de bœuf chaud
1 ml	(¼ c. à thé) de thym
1 ml	(¼ c. à thé) d'origan
1 ml	(¼ c. à thé) de marjolaine
45 ml	(3 c. à soupe) de pâte de tomates
2	carottes, pelées et coupées en bâtonnets
250 ml	(1 tasse) de pommes de terre à la parisienne
250 g	(½ livre) de boutons de champignons frais, nettoyés
	quelques piments rouges broyés
	une pincée de sauge
	sel et poivre

Préchauffer le four à 190°C (375°F).

Faire chauffer l'huile dans une casserole allant au four. Ajouter le poulet et cuire 4 à 5 minutes à feu moyen.

Retourner le poulet et continuer la cuisson de 4 à 5 minutes.

Ajouter les oignons et le beurre; continuer la cuisson de 6 à 7 minutes.

Incorporer le bouillon de bœuf et les épices; amener à ébullition.

Incorporer la pâte de tomates et laisser mijoter 1 minute à feu doux. Couvrir et cuire au four pendant 20 minutes.

Ajouter les carottes et les pommes de terre; couvrir et continuer la cuisson 15 minutes.

Ajouter les champignons et prolonger la cuisson de 5 minutes. Servir.

* Voir technique pour découper le poulet, page 175.

1 PORTION	442 CALORIES	10 g GLUCIDES
51 g PROTÉINES	22 g LIPIDES	0,9 g FIBRES

TECHNIQUE

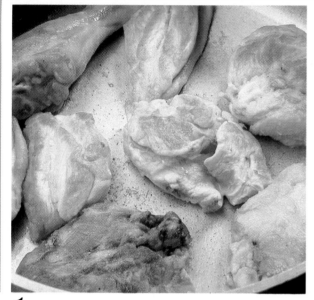

1 Saisir les morceaux de poulet de 4 à 5 minutes de chaque côté.

2 Ajouter les oignons et le beurre; faire cuire 6 à 7 minutes.

3 Incorporer le bouillon de bœuf et les épices. Amener à ébullition.

4 Incorporer la pâte de tomates et laisser mijoter 1 minute à feu doux. Couvrir et cuire 20 minutes au four.

Voir page suivante.

5 Ajouter les carottes et les pommes de terre; couvrir et continuer la cuisson pendant 15 minutes.

6 Ajouter les champignons et prolonger la cuisson de 5 minutes.

Farce au riz

15 ml	(1 c. à soupe) de beurre
2	oignons verts, hachés
½	branche de céleri, finement hachée
4	châtaignes d'eau, émincées
50 ml	(¼ tasse) de pousses de bambou, hachées
500 ml	(2 tasses) de riz blanc et sauvage, à longs grains, cuit
5	tranches de pain blanc
15 ml	(1 c. à soupe) de persil frais haché
50 ml	(¼ tasse) de crème à 35 %
	une pincée de thym
	une pincée de gingembre
	une pincée de piment de la jamaïque
	sel et poivre

Faire chauffer le beurre dans une poêle à frire. Ajouter les légumes et bien mélanger; faire cuire 2 minutes à feu moyen. Assaisonner généreusement.

Ajouter le riz et les épices; bien mélanger. Retirer la poêle du feu et laisser refroidir.

Mettre le pain, le persil et la crème dans un grand bol. Écraser le pain et ajouter le riz; bien mélanger.

Rectifier l'assaisonnement.

1 RECETTE	982 CALORIES	158 g GLUCIDES
20 g PROTÉINES	30 g LIPIDES	1,8 g FIBRES

Fricassée au poulet *(pour 4 à 6 personnes)*

1	chapon de 2,3 kg (5 livres), coupé en 8 morceaux*, sans peau et nettoyé
2	carottes pelées et coupées en bâtonnets épais
2	oignons, coupés en quatre
1	branche de céleri, coupée en bâtonnets épais
5 ml	(1 c. à thé) de persil frais haché
4	petites pommes de terre, pelées et coupées en deux (si nécessaire)
45 ml	(3 c. à soupe) de beurre
55 ml	(3 ½ c. à soupe) de farine
	une grosse pincée d'origan
	une pincée de sauge
	une pincée de paprika
	une pincée de gingembre
	quelques graines de céleri
	sel et poivre

Placer les morceaux de poulet dans une grande casserole et les recouvrir d'eau froide. Amener à ébullition et faire cuire 5 à 6 minutes à feu doux. Égoutter le poulet et le remettre dans la casserole. Ajouter les légumes, le persil et les épices. Couvrir d'eau froide et bien assaisonner. Couvrir et amener à ébullition à feu vif.

Continuer la cuisson du poulet à feu doux pendant 30 minutes.

Retirer la viande blanche et les légumes cuits de la casserole. Mettre de côté. Poursuivre la cuisson du reste des ingrédients de 10 à 15 minutes à feu doux.

Quand tout est cuit, retirer le poulet et le reste des légumes. Réserver 750 ml (3 tasses) du liquide de cuisson.

Faire chauffer le beurre dans une autre casserole. Ajouter la farine; remuer et cuire 1 minute à feu doux.

Incorporer le liquide de cuisson et bien assaisonner. Cuire 8 minutes sans couvrir à feu moyen-doux. Ajouter le poulet et les légumes; laisser mijoter 3 à 4 minutes à feu doux pour réchauffer. Servir.

* Voir technique pour découper le poulet, page 175.

Poulet rôti et farce au riz *(pour 4 à 6 personnes)*

1	poulet de 2,3 à 2,5 kg (5 à 5 ½ livres), nettoyé
1	recette de farce au riz*
15 ml	(1 c. à soupe) de beurre
15 ml	(1 c. à soupe) d'huile végétale
	sel et poivre

Préchauffer le four à 200°C (400°F).

Saler, poivrer la cavité du poulet et remplir de farce au riz. Ficeler.

Faire chauffer le beurre et l'huile dans un plat à rôtir. Placer le poulet dans le plat et le badigeonner. Saler, poivrer.

Mettre au four et cuire 45 minutes en badigeonnant fréquemment.

Tourner le poulet sur le côté et continuer la cuisson pendant 15 minutes.

Réduire le four à 190°C (375). Retourner le poulet sur le dos. Finir la cuisson de 35 à 40 minutes. Badigeonner fréquemment. Servir.

* Voir Farce au riz, page 200.

1 PORTION	890 CALORIES	26 g GLUCIDES
57 g PROTÉINES	62 g LIPIDES	0,3 g FIBRES

Ailerons frits *(pour 4 personnes)*

250 ml	(1 tasse) de farine assaisonnée
2 ml	(½ c. à thé) de paprika
2 ml	(½ c. à thé) de gingembre
2 ml	(½ c. à thé) d'origan
1 ml	(¼ c. à thé) de thym
1 ml	(¼ c. à thé) de sauge
2 ml	(½ c. à thé) de graines de céleri
20	ailerons de poulet, nettoyés et coupés en deux
4	œufs battus
750 ml	(3 tasses) de chapelure

Huile d'arachide pour la friture, préchauffée à 180°C (400°F).

Mélanger la farine et les épices dans un grand bol. Ajouter les ailerons et mélanger pour bien enrober les ailerons.

Tremper les ailerons dans les œufs battus et enrober de chapelure.

Frire dans l'huile chaude de 5 à 6 minutes, en plusieurs étapes. Finir la cuisson au four de 10 à 12 minutes. Servir.

1 PORTION	560 CALORIES	36 g GLUCIDES
23 g PROTÉINES	36 g LIPIDES	0,2 g FIBRES

Poitrines de poulet en croûte *(pour 4 personnes)*

2	poitrines de poulet entières, désossées, sans peau, nettoyées et coupées en deux
1	œuf battu
	pâte feuilletée commerciale
	sel et poivre

Préchauffer le four à 220°C (425°F).

Beurrer et enfariner une plaque à biscuits; mettre de côté.

Sur une surface enfarinée, rouler la pâte mince et découper en quatre grands carrés.

Saler, poivrer les poitrines de poulet et placer chacune sur un carré de pâte. Humecter la bordure et replier la pâte sur la poitrine. Sceller les bords.

Répéter la même opération pour le reste du poulet.

Déposer les poitrines sur la plaque à biscuits. Piquer la pâte avec une fourchette. Badigeonner d'œuf battu. Cuire 10 minutes au four.

Réduire le four à 200°C (400°F) et continuer la cuisson pendant 15 minutes. Servir avec une sauce Mandarin, page 205.

1 PORTION	552 CALORIES	23 g GLUCIDES
61 g PROTÉINES	24 g LIPIDES	0 g FIBRES

Sauce Mandarin

15 ml	(1 c. à soupe) de beurre
125 g	(¼ livre) de champignons frais, nettoyés et coupés en dés
1	boîte de mandarine en conserve, de 284 ml (10 oz), en sections
50 ml	(¼ tasse) du jus des mandarines
300 ml	(1 ¼ tasse) de bouillon de poulet chaud
5 ml	(1 c. à thé) de persil frais haché
15 ml	(1 c. à soupe) de fécule de maïs
30 ml	(2 c. à soupe) d'eau froide
	sel et poivre

Faire chauffer le beurre dans une poêle à frire. Ajouter les champignons. Saler, poivrer et rissoler 3 à 4 minutes à feu moyen.

Ajouter les sections de mandarine, le jus et le bouillon de poulet; remuer et cuire 2 à 3 minutes.

Parsemer de persil. Délayer la fécule de maïs dans l'eau froide. Incorporer à la sauce. Saler, poivrer et laisser mijoter 2 à 3 minutes. Servir.

1 PLAT	248 CALORIES	31 g GLUCIDES
4 g PROTÉINES	12 g LIPIDES	2,7 g FIBRES

Poulet Chow Mein   *(pour 4 personnes)*

45 ml	(3 c. à soupe) d'huile végétale
2	poitrines de poulet entières, désossées, sans peau, nettoyées et coupées en bouchées
2	oignons verts hachés
125 g	(¼ livre) de champignons frais, nettoyés et émincés
1	branche de céleri, émincée
125 ml	(½ tasse) de pousses de bambou
125 ml	(½ tasse) de châtaignes d'eau, coupées en deux
250 ml	(1 tasse) de fèves germées fraîches
50 ml	(¼ tasse) de piment doux mariné, haché
250 ml	(1 tasse) de bouillon de poulet chaud
1 ml	(¼ c. à thé) de gingembre
5 ml	(1 c. à thé) de fécule de maïs
30 ml	(2 c. à soupe) d'eau froide
15 ml	(1 c. à soupe) de sauce soya
	sel et poivre

Faire chauffer 30 ml (2 c. à soupe) d'huile dans une poêle à frire ou un wok. Ajouter le poulet et sauter 6 minutes à feu moyen. Remuer fréquemment.

Retirer le poulet et le mettre de côté.

Verser le reste d'huile dans la poêle. Ajouter les oignons, les champignons et le céleri; saler, poivrer et faire cuire 4 minutes.

Ajouter les pousses de bambou, les châtaignes d'eau, les fèves germées et les piments; faire cuire 2 minutes.

Incorporer le bouillon de poulet et le gingembre; amener à ébullition et continuer la cuisson 1 minute.

Remettre le poulet dans la poêle. Délayer la fécule de maïs dans l'eau froide. Incorporer à la sauce.

Incorporer la sauce soya; cuire 1 minute. Servir immédiatement.

1 PORTION	434 CALORIES	8 g GLUCIDES
60 g PROTÉINES	18 g LIPIDES	1,2 g FIBRES

Cuisses de poulet dans le sac *(pour 4 personnes)*

500 ml	(2 tasses) de farine
1 ml	(¼ c. à thé) de thym
1 ml	(¼ c. à thé) de clou moulu
1 ml	(¼ c. à thé) de gingembre
2 ml	(½ c. à thé) de cannelle
5 ml	(1 c. à thé) d'origan
5 ml	(1 c. à thé) de paprika
5 ml	(1 c. à thé) de basilic
4	cuisses de poulet, nettoyées
5 ml	(1 c. à thé) d'huile végétale
	sel d'ail
	poivre

Mélanger la farine et les épices dans un bol. Mettre de côté.

Faire bouillir les cuisses de poulet pendant 10 minutes. Égoutter et laisser refroidir. Retirer la peau.

Mettre la farine assaisonnée dans un sac de papier brun. Ajouter les cuisses de poulet, une à la fois, et secouer pour bien enrober le poulet.

Faire chauffer l'huile dans une grande poêle à frire. Ajouter le poulet; couvrir et faire cuire 6 à 7 minutes à feu moyen. Retourner le poulet 1 fois pendant la cuisson.

Retirer le couvercle et continuer la cuisson de 6 à 7 minutes ou jusqu'à la cuisson désirée.

1 PORTION	279 CALORIES	12 g GLUCIDES
33 g PROTÉINES	11 g LIPIDES	0 g FIBRES

Foies de volailles suprême   *(pour 4 personnes)*

30 ml	(2 c. à soupe) d'huile végétale
500 g	(1 livre) de foies de volailles, dégraissés et nettoyés
1	gousse d'ail, écrasée et hachée
45 ml	(3 c. à soupe) d'oignons hachés
1	branche de céleri, émincée
1	piment jaune, coupé en gros morceaux
2	tomates, coupées en quartiers ou en gros morceaux
5 ml	(1 c. à thé) de persil frais haché
1 ml	(¼ c. à thé) de sauce Worcestershire
375 ml	(1 ½ tasse) de bouillon de poulet chaud
15 ml	(1 c. à soupe) de fécule de maïs
30 ml	(2 c. à soupe) d'eau froide
	sel et poivre

Faire chauffer l'huile dans une poêle à frire. Ajouter les foies de volailles. Saler, poivrer. Remuer et cuire 2 minutes à feu moyen.

Bien mêler et retourner les foies; continuer la cuisson pendant 2 minutes.

Ajouter l'ail et les oignons. Saler, poivrer et remuer. Cuire 2 à 3 minutes à feu moyen.

Ajouter le céleri et les piments jaunes; continuer la cuisson de 3 à 4 minutes.

Ajouter les tomates, le persil et la sauce Worcestershire. Saler, poivrer et cuire 3 minutes.

Incorporer le bouillon de poulet et amener à ébullition. Continuer la cuisson de 4 à 5 minutes à feu doux.

Délayer la fécule de maïs dans l'eau froide. Mélanger à la sauce. Laisser mijoter 1 à 2 minutes à feu doux.

1 PORTION	248 CALORIES	9 g GLUCIDES
26 g PROTÉINES	12 g LIPIDES	0,9 g FIBRES

Poulet farci au fromage à la sauce aux raisins *(pour 4 personnes)*

2	poitrines de poulet entières, désossées, sans peau, nettoyées et coupées en deux
4	petites tranches de fromage gruyère
250 ml	(1 tasse) de farine assaisonnée
3	œufs battus
250 ml	(1 tasse) de grosse chapelure
30 ml	(2 c. à soupe) de beurre
15 ml	(1 c. à soupe) d'huile végétale
250 ml	(1 tasse) de raisins verts sans pépins
15 ml	(1 c. à soupe) de persil frais haché
30 à 45 ml	(2 à 3 c. à soupe) de porto
125 ml	(½ tasse) de crème à 35 %
	quelques gouttes de sauce Tabasco
	sel et poivre

Préchauffer le four à 180°C (350°F).

Pratiquer une longue incision dans chaque poitrine de poulet et y insérer une tranche de fromage.

Enfariner les poitrines, tremper dans les œufs battus, et enrober de chapelure.

Faire chauffer le beurre et l'huile dans une poêle à frire. Ajouter le poulet; cuire 5 à 6 minutes de chaque côté à feu moyen.

Retirer le poulet et le ranger dans un plat allant au four. Finir la cuisson au four 8 à 10 minutes.

Entre-temps, mettre les raisins et le persil dans la poêle à frire; cuire 1 à 2 minutes à feu moyen.

Incorporer le vin et continuer la cuisson 2 minutes à feu vif.

Ajouter la crème et la sauce Tabasco. Saler, poivrer et bien remuer. Continuer la cuisson de 3 à 4 minutes à feu moyen.

Verser la sauce sur le poulet et servir. Si désiré, garnir de raisins trempés dans le sucre.

1 PORTION	670 CALORIES	22 g GLUCIDES
69 g PROTÉINES	34 g LIPIDES	0,2 g FIBRES

Cuisses de poulet au bacon *(pour 4 personnes)*

3	tranches de bacon, coupées en dés
4	cuisses de poulet, sans peau et nettoyées
250 ml	(1 tasse) de farine assaisonnée
1	petit oignon, grossièrement haché
1	gousse d'ail, écrasée et hachée
5 ml	(1 c. à thé) de paprika
250 g	(½ livre) de têtes de champignons frais, nettoyés
75 ml	(5 c. à soupe) de crème sure
5 ml	(1 c. à thé) de ciboulette fraîche hachée
	jus de ¼ de citron
	sel et poivre

Cuire le bacon dans une poêle à frire 4 à 5 minutes à feu moyen.

Retirer et mettre de côté. Laisser le gras du bacon dans la poêle.

Enfariner le poulet et déposer dans le gras de bacon. Faire cuire 4 minutes de chaque côté à feu moyen.

Ajouter les oignons et l'ail; bien mélanger et saupoudrer de paprika. Couvrir et cuire 12 minutes à feu doux.

Ajouter les champignons et remettre le bacon dans la poêle; couvrir et continuer la cuisson de 5 à 6 minutes à feu doux, selon la grosseur des cuisses.

Retirer la poêle du feu et incorporer le jus de citron.

Remettre à feu doux. Incorporer la crème sure et la ciboulette; assaisonner généreusement. Mélanger pour bien incorporer.

1 PORTION	354 CALORIES	17 g GLUCIDES
40 g PROTÉINES	14 g LIPIDES	1,1 g FIBRES

Cuisses de poulet à la farine de maïs *(pour 4 personnes)*

250 ml	(1 tasse) de farine de maïs
375 ml	(1½ tasse) de chapelure
1 ml	(¼ c. à thé) de graines de céleri
1 ml	(¼ c. à thé) de thym
1 ml	(¼ c. à thé) de muscade
4	cuisses de poulet, nettoyées
250 ml	(1 tasse) de farine
4	œufs battus
	sel et poivre

Huile d'arachide pour la friture, préchauffée à 180°C (350°F).

Mélanger la farine de maïs, la chapelure et les épices dans un grand bol; mettre de côté.

Placer le poulet dans un grand plat et le couvrir d'eau. Saler, poivrer et amener à ébullition.

Écumer le liquide et continuer la cuisson, partiellement couvert, de 20 à 22 minutes à feu doux.

Retirer le poulet et enlever la peau.

Enfariner les cuisses de poulet et les tremper dans les œufs battus. Enrober du mélange de maïs.

Frire de 6 à 7 minutes pour bien brunir tous les côtés. Servir avec la friture de maïs, page 211.

1 PORTION	723 CALORIES	65 g GLUCIDES
46 g PROTÉINES	31 g LIPIDES	0,3 g FIBRES

Ailerons de poulet à l'érable *(pour 4 personnes)*

30 ml	(2 c. à soupe) d'huile végétale
1,2 kg	(2 ½ livres) d'ailerons de poulet, nettoyés
2	gousses d'ail, écrasées et hachées
30 ml	(2 c. à soupe) de sauce soya
30 ml	(2 c. à soupe) de sirop d'érable
	sel et poivre

Faire chauffer l'huile dans une poêle à frire. Ajouter les ailerons et bien assaisonner. Faire cuire 2 à 3 minutes à feu moyen.

Retourner les ailerons et continuer la cuisson pendant 3 minutes.

Retourner les ailerons de nouveau et continuer la cuisson pendant 8 minutes. Retourner les ailerons 3 à 4 fois durant la cuisson.

Retirer le poulet de la poêle et jeter le gras. Remettre les ailerons dans la poêle et ajouter l'ail; bien mélanger. Arroser de sauce soya et de sirop d'érable; couvrir et cuire 6 à 7 minutes à feu moyen.

Rectifier l'assaisonnement. Servir avec votre sauce préférée.

1 PORTION	298 CALORIES	7 g GLUCIDES
27 g PROTÉINES	18 g LIPIDES	0 g FIBRES

Friture de maïs *(pour 6 à 8 personnes)*

45 ml	(3 c. à soupe) de beurre
45 ml	(3 c. à soupe) de farine
250 ml	(1 tasse) de lait
500 ml	(2 tasses) de maïs en grains, en conserve, bien égoutté
1	jaune d'œuf
	quelques gouttes de sauce Tabasco
	panure: farine, œuf battu et chapelure
	sel et poivre

Faire chauffer le beurre dans une casserole. Ajouter 45 ml (3 c. à soupe) de farine et bien mélanger; faire cuire 1 minute à feu doux.

Incorporer le lait et assaisonner. Ajouter la sauce Tabasco et cuire 5 minutes à feu doux.

Ajouter le maïs et le jaune d'œuf; bien mélanger. Faire cuire 1 à 2 minutes à feu moyen.

Transférer le mélange dans une grande assiette et couvrir d'une pellicule de plastique. Réfrigérer 1 heure.

Façonner en forme de galettes épaisses. Enfariner, tremper dans l'œuf battu et enrober chaque galette de chapelure.

Frire dans l'huile chaude pendant 4 minutes. Retourner 1 fois pendant la cuisson. Servir avec du poulet.

1 PORTION	201 CALORIES	17 g GLUCIDES
4 g PROTÉINES	13 g LIPIDES	0,4 g FIBRES

Croquettes de poulet au maïs *(pour 4 personnes)*

45 ml	(3 c. à soupe) de beurre
45 ml	(3 c. à soupe) de farine
250 ml	(1 tasse) de lait chaud
500 ml	(2 tasses) de maïs en grains, en conserve, bien égoutté
375 ml	(1½ tasse) de poulet cuit, finement haché
1	jaune d'œuf
	panure : farine, œuf battu et chapelure
	sel et poivre

Faire chauffer le beurre dans une casserole. Ajouter la farine et bien mélanger; faire cuire 1 minute à feu doux.

Incorporer le lait et assaisonner au goût. Cuire 5 minutes à feu doux.

Ajouter le maïs, le jaune œuf et le poulet; mélanger. Cuire 1 à 2 minutes à feu moyen.

Transférer le mélange dans une grande assiette. Couvrir d'une pellicule de plastique et réfrigérer 1 heure.

Façonner en rouleaux. Enfariner chaque rouleau, tremper dans l'œuf battu et enrober de chapelure.

Frire dans l'huile chaude pendant 4 minutes pour brunir tous les côtés.

Servir avec une sauce à cocktail.

1 PORTION	607 CALORIES	46 g GLUCIDES
27 g PROTÉINES	35 g LIPIDES	0,8 g FIBRES

Ragoût de dinde aux légumes *(pour 4 à 6 personnes)*

30 ml	(2 c. à soupe) de beurre
2	oignons, coupés en dés
1	branche de céleri, coupée en bâtonnets de 2,5 cm (1 po)
2	carottes pelées et coupées en bâtonnets de 2,5 cm (1 po)
2	pommes de terre, coupées en cubes
45 ml	(3 c. à soupe) de farine
750 ml	(3 tasses) de bouillon de poulet chaud
1 ml	(¼ c. à thé) de marjolaine
1	poitrine de dinde, sans peau, coupée en cubes
1	piment vert, coupé en dés
	quelques gouttes de sauce Tabasco
	sel et poivre

Faire chauffer le beurre dans une sauteuse. Ajouter les oignons; couvrir et cuire 3 minutes.

Ajouter le céleri et les carottes; bien mélanger et assaisonner. Continuer la cuisson de 3 à 4 minutes.

Ajouter les pommes de terre et la farine; cuire 1 minute.

Incorporer le bouillon de poulet, la marjolaine et la sauce Tabasco. Remuer et rectifier l'assaisonnement.

Ajouter la dinde et amener à ébullition. Faire cuire 40 à 45 minutes à feu doux.

8 minutes avant la fin de la cuisson, ajouter les piments.

1 PORTION	403 CALORIES	15 g GLUCIDES
58 g PROTÉINES	19 g LIPIDES	1,5 g FIBRES

213

Chapon au vin rouge

(pour 6 à 8 personnes)

2	chapons de 2,3 kg (5 livres), coupés en 8 morceaux*, sans peau et nettoyés
375 ml	(1½ tasse) de farine assaisonnée
45 ml	(3 c. à soupe) d'huile végétale
45 ml	(3 c. à soupe) de beurre
1	oignon coupé en dés
2	gousses d'ail, écrasées et hachées
5 ml	(1 c. à thé) d'estragon
2 ml	(½ c. à thé) de basilic
45 ml	(3 c. à soupe) de farine
1 L	(4 tasses) de vin rouge sec
30 ml	(2 c. à soupe) d'extrait de bœuf
250 g	(½ livre) de champignons frais, nettoyés et coupés en dés
15 ml	(1 c. à soupe) de persil frais haché
	quelques gouttes de sauce Tabasco
	sel et poivre

Préchauffer le four à 180°C (350°F).

Enfariner les morceaux de poulet. Faire chauffer la moitié de l'huile dans une sauteuse. Ajouter la moitié du poulet; cuire 3 à 4 min de chaque côté. Retirer et mettre de côté.

Répéter le même procédé pour le reste du poulet. Retirer et mettre de côté.

Chauffer la moitié du beurre dans la même sauteuse. Ajouter les oignons, l'ail et les épices; cuire 6 à 7 min à feu doux. Remuer une ou deux fois. Ajouter 45 ml (3 c. à soupe) de farine et continuer la cuisson 1 min.

Remettre le poulet dans la sauteuse et bien assaisonner. Incorporer le vin et l'extrait de bœuf; amener à ébullition. Couvrir et cuire 1 h 15 au four. Après 1 heure de cuisson, vérifier si la viande blanche est cuite. Si oui, retirer et finir la cuisson de la viande brune.

10 min. avant la fin de la cuisson, préparer la garniture: faire chauffer le reste du beurre dans une poêle à frire. Ajouter les champignons et cuire 5 min. à feu moyen. Bien assaisonner et servir avec le chapon.

* Voir technique pour découper le poulet, page 175.

1 PORTION	304 CALORIES	13 g GLUCIDES
27 g PROTÉINES	16 g LIPIDES	0,7 g FIBRES

Poulet aux fraises *(pour 4 personnes)*

30 ml	(2 c. à soupe) de beurre
2	grosses poitrines de poulet entières, sans peau, désossées et nettoyées
125 ml	(½ tasse) de fraises congelées, dégelées
4	demi-poires
250 ml	(1 tasse) de bouillon de poulet chaud
15 ml	(1 c. à soupe) de fécule de maïs
30 ml	(2 c. à soupe) d'eau froide
	quelques gouttes de jus de citron
	sel et poivre

Faire chauffer le beurre dans une sauteuse. Ajouter le poulet et arroser de jus de citron. Couvrir et cuire 4 minutes à feu moyen-doux.

Saler, poivrer et retourner le poulet; couvrir et continuer la cuisson pendant 4 minutes.

Retourner le poulet de nouveau; couvrir et cuire 8 minutes à feu moyen-doux.

Ajouter les fraises et les poires; continuer la cuisson de 3 à 4 minutes.

Retirer le poulet et les poires de la sauteuse. Mettre de côté.

Incorporer le bouillon de poulet au liquide de cuisson. Amener à ébullition et cuire 2 à 3 minutes à feu moyen.

Délayer la fécule de maïs dans l'eau froide. Incorporer à la sauce. Laisser mijoter 2 minutes à feu moyen-doux.

Rectifier l'assaisonnement. Verser la sauce sur le poulet et les fruits.

1 PORTION	408 CALORIES	17 g GLUCIDES
58 g PROTÉINES	12 g LIPIDES	0,5 g FIBRES

Barbecue :

Quelques petits conseils

— Vu la grande variété de barbecues que l'on trouve sur le marché, respectez notre guide de temps de cuisson.

— Huilez la grille du barbecue avant d'y déposer les aliments, afin que la plupart des aliments n'attachent pas à la grille.

— Prenez l'habitude de préchauffer votre barbecue bien à l'avance. Consultez votre manuel d'instructions pour les températures et pour les suggestions.

— En raison de la cuisson rapide des viandes au barbecue, il est important de retourner fréquemment les pièces pour éviter qu'elles ne brûlent.

— Vous pouvez utiliser plusieurs de nos marinades pour toute une variété d'aliments de votre choix que vous désirez cuire au barbecue.

— Régler la cuisson simultanée de différents aliments au barbecue demande un peu de pratique, mais avec de la patience et quelques conseils ceci deviendra aussi facile que la cuisson sur l'élément de la cuisinière.

Délicieux poulet au barbecue   *(pour 2 personnes)*

15 ml	(1 c. à soupe) de sauce soya
45 ml	(3 c. à soupe) de ketchup
30 ml	(2 c. à soupe) de sirop d'érable
1 ml	(¼ c. à thé) de sauce Tabasco
15 ml	(1 c. à soupe) de jus de citron
1	gousse d'ail, écrasée et hachée
½	poulet, coupé en deux et nettoyé
30 ml	(2 c. à soupe) d'huile végétale
	sel et poivre

Préchauffer le barbecue à feu moyen.

Bien mélanger la sauce soya, le ketchup, le sirop d'érable et la sauce Tabasco dans un bol. Ajouter le jus de citron et l'ail. Saler, poivrer. Bien mélanger et mettre de côté.

Placer le poulet dans un plat à rôtir ou une grande assiette. Badigeonner généreusement d'huile. Saler, poivrer.

Poser le poulet sur la grille du barbecue; couvrir et cuire 3 minutes.

Badigeonner fréquemment le poulet de marinade et le retourner. Faire cuire, sans couvrir, pendant 2 minutes.

Badigeonner de nouveau; couvrir partiellement et continuer la cuisson 3 minutes.

Placer les morceaux de poulet sur la grille supérieure; couvrir et faire cuire 7 minutes.

Ouvrir le barbecue et continuer la cuisson de 20 à 25 minutes ou selon la grosseur des morceaux. Badigeonner fréquemment.

Note: La chair blanche cuira plus rapidement que la chair brune.

Si désiré, servir avec une sauce aigre-douce.

1 PORTION	268 CALORIES	9 g GLUCIDES
31 g PROTÉINES	12 g LIPIDES	0 g FIBRES

Saucisses et légumes en papier *(pour 4 personnes)*

340 g	(12 oz) de carottes naines, lavées
1	oignon rouge, en quartiers
2	grosses tranches de beurre à l'ail
1	courgette, coupée en bâtonnets
1	piment vert, coupé en gros morceaux
1	saucisse polonaise, tranchée en biseau
	sel et poivre

Préchauffer le barbecue à feu moyen-vif.

Découper une grande feuille de papier d'aluminium et plier en deux. Étendre à plat sur un comptoir.

Déposer les carottes, les oignons et le beurre à l'ail; façonner le papier pour former un panier.

Recouvrir d'une autre feuille de papier. Sceller les extrémités. Placer le tout sur la grille du barbecue; couvrir et laisser cuire 30 minutes.

Retirer la feuille du dessus. Ajouter les courgettes, les piments et les saucisses. Saler, poivrer; remettre la feuille. Couvrir et continuer la cuisson au barbecue pendant 30 minutes.

1 PORTION	677 CALORIES	15 g GLUCIDES
26 g PROTÉINES	57 g LIPIDES	1,5 g FIBRES

Entrecôtes marinées   *(pour 4 personnes)*

4	entrecôtes, de 2,5 cm (1 po) d'épaisseur
1	recette de marinade au ketchup*
	sel et poivre
	beurre à l'ail

Préchauffer le barbecue à feu vif.

Badigeonner généreusement les entrecôtes de marinade et les poser sur la grille du barbecue. Choisir le temps de cuisson selon la cuisson désirée:

Saignant: 7 à 8 minutes
Moyen: 8 à 10 minutes
À point: 10 à 12 minutes

Retourner les entrecôtes 2 ou 3 fois pendant la cuisson. Saler, poivrer.

Si désiré, servir avec des pommes de terre ou d'autres légumes. Garnir de beurre à l'ail, selon le goût.

* Voir marinade au ketchup, page 225.

Tranches de saumon grillées *(pour 4 personnes)*

60 ml	(4 c. à soupe) de beurre clarifié
5 ml	(1 c. à thé) de persil frais haché
5 ml	(1 c. à thé) d'origan
2 ml	(½ c. à thé) de basilic
4	tranches de saumon, de 2 cm (¾ po) d'épaisseur
	jus de 2 limettes
	sel et poivre

Préchauffer le barbecue à feu moyen.

Mélanger le beurre, le persil, l'origan, le basilic et le jus de limette dans un bol.

Badigeonner le saumon de marinade. Saler, poivrer. Faire cuire, sans couvrir, pendant 4 minutes sur la grille du barbecue.

Badigeonner et retourner le saumon; couvrir partiellement et continuer la cuisson pendant 15 minutes. Badigeonner et retourner le poisson fréquemment pour éviter de le brûler.

Servir avec des légumes cuits au barbecue.

1 PORTION	329 CALORIES	0 g GLUCIDES
35 g PROTÉINES	21 g LIPIDES	0 g FIBRES

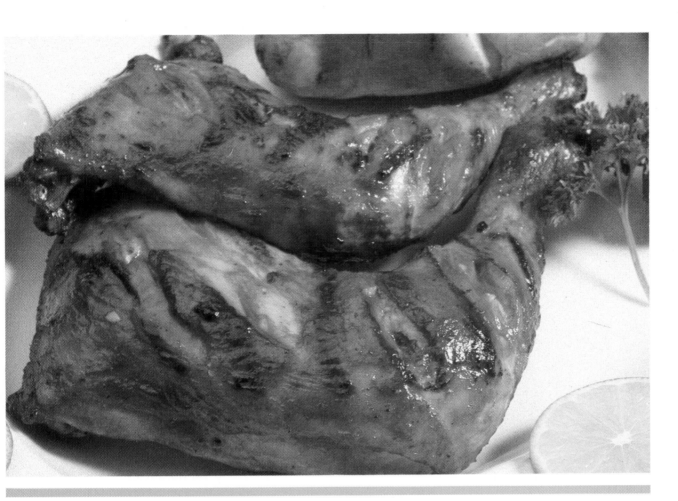

Cuisses de poulet au barbecue *(pour 4 personnes)*

125 ml	(½ tasse) de ketchup
50 ml	(¼ tasse) de vinaigre de vin
3	gousses d'ail, écrasées et hachées
1 ml	(¼ c. à thé) de cumin
1 ml	(¼ c. à thé) de poudre de cari
125 ml	(½ tasse) de jus de tomates aux palourdes
30 ml	(2 c. à soupe) d'huile
4	cuisses de poulet entières, nettoyées
	quelques gouttes de sauce Tabasco
	une pincée de cassonade
	sel et poivre

Préchauffer le barbecue à feu moyen.

Mélanger le ketchup et le vinaigre dans un bol.

Ajouter l'ail, les épices et le jus de tomates; bien remuer. Ajouter la cassonade.

Incorporer l'huile. Rectifier l'assaisonnement.

Pratiquer des entailles dans la chair du poulet et badigeonner de marinade. Saler, poivrer.

Poser le poulet sur la grille; couvrir et faire cuire 3 minutes.
Badigeonner le poulet et le retourner; faire cuire 2 minutes sans couvrir.

Badigeonner de nouveau; couvrir partiellement et continuer la cuisson pendant 3 minutes.

Placer le poulet sur la grille supérieure; couvrir et faire cuire 7 minutes.

Ouvrir le couvercle et continuer la cuisson de 20 à 25 minutes ou selon la cuisson désirée. Badigeonner fréquemment.

Servir avec des pommes de terre au four.

1 PORTION	299 CALORIES	9 g GLUCIDES
32 g PROTÉINES	15 g LIPIDES	0,3 g FIBRES

Poulet plein air *(pour 4 personnes)*

2	gousses d'ail, écrasées et hachées
45 ml	(3 c. à soupe)) d'huile d'olive
15 ml	(1 c. à soupe) de sauce soya
15 ml	(1 c. à soupe) de pâte de tomates
50 ml	(¼ tasse) de bouillon de poulet chaud
2	poulets de 1,3 kg (1 ½ livre), nettoyés et coupés en deux
	quelques gouttes de sauce Worcestershire
	jus de limette
	une pincée de paprika
	sel et poivre

Préchauffer le barbecue à feu moyen.

Bien mélanger tous les ingrédients, sauf le poulet, dans un bol.

Déposer le poulet dans une assiette et badigeonner de marinade. Saler, poivrer.

Placer le poulet sur la grille et faire cuire 8 minutes.

Retourner le poulet; badigeonner de marinade et continuer la cuisson pendant 8 minutes.

Badigeonner de nouveau. Retourner le poulet; continuer la cuisson de 24 à 34 minutes. Il est important de badigeonner et de retourner le poulet fréquemment durant cette période.

Dès que le poulet est cuit, le retirer. Servir avec une salade.

1 PORTION	465 CALORIES	1 g GLUCIDES
68 g PROTÉINES	21 g LIPIDES	0 g FIBRES

Brochettes d'agneau *(pour 4 personnes)*

1,4 kg	(3 livres) de longe d'agneau
1	recette de marinade au vin rouge*
8	petites pommes de terre nouvelles, cuites avec la peau
1	oignon rouge, en cubes
2	courgettes, émincées
	sel et poivre

Dégraisser la longe d'agneau et couper la chair en cubes. Mettre dans un bol et recouvrir de marinade; réfrigérer 8 heures.

Préchauffer le barbecue à feu moyen-vif.

Égoutter l'agneau et réserver la marinade.

Sur des brochettes, enfiler, en alternant: agneau, pomme de terre, oignon et courgette. Badigeonner de marinade. Saler, poivrer.

Déposer les brochettes sur la grille; faire cuire, sans couvrir, 5 à 6 minutes. Badigeonner fréquemment.

Retourner les brochettes et continuer la cuisson de 5 à 6 minutes. Badigeonner fréquemment. Servir.

* Voir marinade au vin rouge, page 235.

1 PORTION	572 CALORIES	21 g GLUCIDES
50 g PROTÉINES	32 g LIPIDES	1,0 g FIBRES

Brochettes de porc *(pour 4 personnes)*

1	filet de porc, nettoyé et tranché
1	recette de marinade au soya ou au ketchup*
2	pommes, pelées et coupées en sections
1	saucisse polonaise, tranchée
4	oignons verts, coupés en bâtonnets
1	piment vert, en cubes
	sel et poivre

Mettre le porc dans un bol et le recouvrir de marinade; réfrigérer 2 heures. Retourner les tranches de porc 1 fois.

Préchauffer le barbecue à feu moyen-vif.

Égoutter le porc et réserver la marinade.

Sur des brochettes, enfiler, en alternant: pomme, saucisse, oignon vert, porc et piment. Badigeonner de marinade. Saler, poivrer.

Déposer les brochettes sur la grille; faire cuire, sans couvrir, 6 à 7 minutes. Badigeonner de temps à autre.

Retourner les brochettes et continuer la cuisson 6 à 7 minutes. Badigeonner fréquemment.

Servir avec une salade.

* Voir marinade au soya ou au ketchup, page 225.

1 PORTION	627 CALORIES	37 g GLUCIDES
32 g PROTÉINES	39 g LIPIDES	1,4 g FIBRES

Marinade au ketchup

45 ml	(3 c. à soupe) d'huile d'olive
125 ml	(½ tasse) de ketchup
50 ml	(¼ tasse) de sauce chili
2 ml	(½ c. à thé) de raifort
50 ml	(¼ tasse) de vinaigre de vin
45 ml	(3 c. à soupe) de miel pur
15 ml	(1 c. à soupe) de ciboulette finement hachée
	quelques gouttes de sauce Tabasco
	quelques gouttes de sauce soya
	poivre du moulin

Bien mélanger tous les ingrédients dans un bol.

Réfrigérer jusqu'au moment d'utiliser.

Cette marinade convient bien au bœuf et au poulet.

1 PLAT	787 CALORIES	96 g GLUCIDES
4 g PROTÉINES	43 g LIPIDES	1,2 g FIBRES

Marinade au soya

50 ml	(¼ tasse) de sauce soya
30 ml	(2 c. à soupe) de vermouth sec
5 ml	(1 c. à thé) de sucre
¼	oignon, finement haché
1	mince tranche de gingembre, finement haché

Bien mélanger tous les ingrédients dans un bol.

Réfrigérer jusqu'au moment de l'utiliser.

1 PLAT	72 CALORIES	12 g GLUCIDES
6 g PROTÉINES	0 g LIPIDES	0,2 g FIBRES

Lapin, style barbecue *(pour 4 personnes)*

1	lapin de 1,6 à 1,8 kg (3 ½ à 4 livres), nettoyé
60 ml	(4 c. à soupe) de beurre mou
30 ml	(2 c. à soupe) de moutarde de Dijon
50 ml	(¼ tasse) de vin blanc sec
	une pincée de paprika
	sel et poivre

Préchauffer le four à 190°C (375°F).
Temps de cuisson: 20 minutes par 500 g (1 livre).

Placer une feuille de papier d'aluminium dans le fond d'un plat. Déposer le lapin sur le papier. Saler, poivrer généreusement. Saupoudrer de paprika.

Mélanger le beurre et la moutarde. Étendre le mélange sur le lapin. Ajouter le vin. Couvrir le plat d'une autre feuille de papier d'aluminium et bien sceller. Cuire au four.

Accompagner de choux de Bruxelles et de pommes de terre au four. Arroser le lapin du jus de cuisson avant de servir.

1 PORTION	612 CALORIES	0 g GLUCIDES
72 g PROTÉINES	36 g LIPIDES	0 g FIBRES

London Broil à l'ail *(pour 4 personnes)*

45 ml	(3 c. à soupe) de sauce soya
15 ml	(1 c. à soupe) de miel
1	goulle d'ail, écrasée et hachée
15 ml	(1 c. à soupe) d'huile végétale
4	steaks London Broil, de 170 g (6 oz)
4	pommes de terre cuites avec la peau, coupées en 2
1	concombre anglais, en tranches de 5 cm (2 po)
	jus de ½ citron
	sel et poivre

Préchauffer le four à feu moyen.

Mélanger la sauce soya, le miel, l'ail, l'huile, le jus de citron et le poivre dans un bol.

Placer les steaks et les légumes dans une assiette et badigeonner de marinade. Saler, poivrer.

Poser la viande sur la grille du barbecue et faire cuire 10 à 12 minutes. Badigeonner fréquemment et retourner la viande 4 fois pendant la cuisson.

Avant que la viande ne soit complètement cuite, placer les légumes sur la grille. Cuire 3 à 4 minutes de chaque côté. Badigeonner fréquemment. Servir.

1 PORTION	361 CALORIES	22 g GLUCIDES
39 g PROTÉINES	13 g LIPIDES	0,7 g FIBRES

Bifteck papillon *(pour 4 personnes)*

30 ml	(2 c. à soupe) d'huile végétale
15 ml	(1 c. à soupe) de sauce soya
2	gousses d'ail, écrasées et hachées
125 ml	(½ tasse) de vin blanc sec
8	tranches épaisses d'aubergine
4	biftecks de filet, papillon, de 227 g (8 oz)
	quelques gouttes de sauce Tabasco
	sel et poivre

Préchauffer le four à feu moyen-vif.

Mélanger l'huile, le soya, l'ail, le vin et la sauce Tabasco dans un bol.

Mettre les aubergines dans un bol et ajouter la marinade; réfrigérer 15 minutes.

Badigeonner les steaks de marinade. Faire cuire les aubergines et les steaks sur la grille du barbecue, de 10 à 12 minutes ou selon la cuisson désirée.

Badigeonner fréquemment et retourner les aliments 3 fois. Saler, poivrer.

Servir avec des épis de maïs.

1 PORTION	583 CALORIES	6 g GLUCIDES
70 g PROTÉINES	31 g LIPIDES	0,9 g FIBRES

Ailerons de poulet au gingembre *(pour 4 personnes)*

2	gousses d'ail, écrasées et hachées
30 ml	(2 c. à soupe) de gingembre frais haché
30 ml	(2 c. à soupe) de sauce soya
50 ml	(¼ tasse) de jus de citron
5 ml	(1 c. à thé) de sauce Tabasco
15 ml	(1 c. à soupe) de vinaigre de vin
125 ml	(½ tasse) d'huile d'olive
900 g	(2 livres) d'ailerons de poulet, nettoyés
	sel et poivre

Préchauffer le barbecue à feu moyen.

Mélanger l'ail, le gingembre, le soya, le jus de citron, la sauce Tabasco, le vinaigre et l'huile dans un bol. Saler, poivrer.

Mettre les ailerons dans un bol. Réfrigérer 1 heure.

Placer les ailerons sur la grille et faire cuire 12 à 15 minutes selon leur grosseur.

Retourner les ailerons 4 à 5 fois durant la cuisson et badigeonner fréquemment. Saler, poivrer.

Servir avec une salade verte et des cornichons.

Pétoncles enroulés de bacon *(pour 4 personnes)*

500 g	(1 livre) de pétoncles frais
5	tranches de bacon cuit
1	pomme, pelée et tranchée
¼	de concombre, tranché
8	tomates naines
45 ml	(3 c. à soupe) de beurre fondu
5 ml	(1 c. à thé) de sauce Worcestershire
15 ml	(1 c. à soupe) de jus de citron
	sel et poivre

Préchauffer le barbecue à feu moyen.

Selon la grosseur des pétoncles, couper le bacon en morceaux et enrouler autour de chaque pétoncle.

Sur des brochettes, enfiler, en alternant: pomme, pétoncle enroulé de bacon, concombre et tomate. Finir avec une tranche de pomme.

Mélanger le beurre, la sauce Worcestershire et le jus de citron dans un bol. Saler, poivrer.

Badigeonner les brochettes du mélange et placer sur la grille. Faire cuire 5 à 6 minutes ou selon le goût.

Retourner et badigeonner fréquemment les brochettes pendant la cuisson.

1 PORTION	294 CALORIES	15 g GLUCIDES
27 g PROTÉINES	14 g LIPIDES	0,6 g FIBRES

Brochettes pour végétarien   *(pour 4 personnes)*

1	recette de marinade au soya*
8	tomates naines
½	concombre tranché
½	piment vert tranché
1	oignon, tranché
2	pieds de brocoli, blanchis et tranchés
8	oignons verts, coupés en morceaux de 2,5 cm (1 po)
	sel et poivre

Préchauffer le four à feu moyen.

Faire alterner les légumes sur des brochettes, badigeonner de marinade.

Placer les brochettes sur la grille du barbecue; faire cuire 6 à 7 minutes, selon le goût. Badigeonner de de temps à autre. Saler, poivrer.

Retourner les brochettes pour que les légumes cuisent également.

Les légumes doivent être encore croquants lorsqu'ils sont servis.

* Voir sauce soya, page 225.

Brochettes de crevettes *(pour 4 personnes)*

750 g	(1 ½ livre) de crevettes fraîches ou congelées, pelées et nettoyées
30 ml	(2 c. à soupe) de jus de citron
2	gousses d'ail, écrasées et hachées
¼	de concombre anglais, tranché
12	tomates naines
1	piment vert tranché
	quelques gouttes de sauce épicée mexicaine commerciale
	quelques graines de céleri
	sel et poivre

Mettre les crevettes dans un bol et ajouter le jus de citron et l'ail; bien mélanger.

Ajouter la sauce épicée, les graines de céleri et le poivre; bien mélanger. Réfrigérer 1 h ½.

Préchauffer le barbecue à feu élevé.

Sur des brochettes, enfiler, en alternant: concombre, tomate, crevette, et piment. Badigeonner de marinade. Saler, poivrer.

Placer les brochettes sur la grille; faire griller 7 à 8 minutes ou au goût. Retourner 3 fois durant la cuisson et badigeonner fréquemment. Servir.

1 PORTION	190 CALORIES	7 g GLUCIDES
36 g PROTÉINES	2 g LIPIDES	0,7 g FIBRES

Saucisses grillées *(pour 4 personnes)*

15 ml	(1 c. à soupe) de sauce soya
50 ml	(¼ tasse) de ketchup
15 ml	(1 c. à soupe) d'huile végétale
8	saucisses knackwurst
	sel et poivre

Bien mélanger le soya, le ketchup et l'huile dans un bol.

Entailler légèrement les saucisses et les badigeonner de marinade. Placer les saucisses sur la grille; faire cuire 8 à 10 minutes.

Retourner les saucisses 3 à 4 fois durant la cuisson. Badigeonner fréquemment. Saler, poivrer.

Servir avec du maïs frais.

Saumon mariné au vin *(pour 4 personnes)*

30 ml	(2 c. à soupe) d'huile végétale
50 ml	(¼ tasse) de vin blanc sec ou de saké
15 ml	(1 c. à soupe) de gingembre frais haché
5 ml	(1 c. à thé) de sauce soya
5 ml	(1 c. à thé) de jus de citron
4	tranches de saumon, de 2 cm (¾ po) d'épaisseur
	quelques gouttes de sauce Tabasco
	sel et poivre

Préchauffer le barbecue à feu moyen.

Mélanger l'huile, le vin, le gingembre, le soya, le jus de citron et la sauce Tabasco dans un grand bol. Poivrer.

Placer les tranches de saumon dans la marinade; réfrigérer 15 minutes.

Faire cuire le saumon sur la grille du barbecue, couvert, de 12 à 14 minutes. Retourner le saumon deux fois et le badigeonner de temps à autre. Saler, poivrer.

Servir avec un riz aux piments, page 235.

1 PORTION	370 CALORIES	0 g GLUCIDES
52 g PROTÉINES	18 g LIPIDES	0 g FIBRES

Marinade au vin rouge

500 ml	(2 tasses) de vin rouge sec
50 ml	(¼ tasse) de vinaigre de vin
50 ml	(¼ tasse) d'huile d'olive
2	gousses d'ail, écrasées et hachées
½	branche de céleri, coupée en lanières
1 ml	(¼ c. à thé) de cerfeuil
30 ml	(2 c. à soupe) de ciboulette hachée
	une pincée de menthe
	une pincée de muscade
	sel et poivre

Bien mélanger tous les ingrédients dans un bol avec un fouet.

Réfrigérer jusqu'au moment d'utiliser.

Cette marinade convient pour l'agneau, le porc ou le bœuf.

1 PLAT	504 CALORIES	0 g GLUCIDES
0 g PROTÉINES	56 g LIPIDES	0 g FIBRES

Riz aux piments *(pour 4 personnes)*

15 ml	(1 c. à soupe) d'huile végétale
1	échalote sèche hachée
1	gousse d'ail, écrasée et hachée
½	piment jaune ou rouge, coupé en dés
½	piment vert, coupé en dés
2	petites tomates, coupées en dés
500 ml	(2 tasses) de riz cuit
5 ml	(1 c. à thé) de ciboulette hachée
	sel et poivre

Faire chauffer l'huile dans une grande poêle à frire. Ajouter les échalotes et l'ail; saler, poivrer.

Ajouter les légumes et bien mêler. Faire cuire 3 minutes à feu vif.

Incorporer le riz et continuer la cuisson de 3 à 4 minutes. Bien mélanger.

Parsemer de ciboulette et rectifier l'assaisonnement.

Servir avec des viandes cuites au barbecue.

1 PORTION	132 CALORIES	22 g GLUCIDES
2 g PROTÉINES	4 g LIPIDES	0,7 g FIBRES

Lanières de poulet épicées *(pour 4 personnes)*

2	gousses d'ail, écrasées et hachées
30 ml	(2 c. à soupe) de gingembre frais haché
30 ml	(2 c. à soupe) de sauce soya
50 ml	(¼ tasse) de jus de citron
5 ml	(1 c. à thé) de sauce Tabasco
15 ml	(1 c. à soupe) de vinaigre de vin
50 ml	(¼ tasse) d'huile d'olive
1 ml	(¼ c. à thé) de poivre
2	poitrines de poulet entières, sans peau et coupées en lanières

Préchauffer le barbecue à feu moyen.

Mélanger l'ail, le gingembre, le soya, le jus de citron, la sauce Tabasco, le vinaigre, l'huile et le poivre dans un bol.

Mettre les lanières de poulet dans la marinade; réfrigérer 15 minutes.

Poser le poulet sur la grille du barbecue; laisser griller 6 à 8 minutes ou selon la grosseur. Assaisonner et badigeonner fréquemment. Retourner les lanières au moins 3 fois durant la cuisson.

Servir avec des pommes de terre.

1 PORTION	212 CALORIES	0 g GLUCIDES
26 g PROTÉINES	12 g LIPIDES	0 g FIBRES

Steaks d'agneau   *(pour 4 personnes)*

50 ml	(¼ tasse) d'huile d'olive
30 ml	(2 c. à soupe) de vinaigre de vin
4	feuilles de menthe fraîche
125 ml	(½ tasse) de vin blanc sec
2	gousses d'ail, écrasées et hachées
4	steaks d'agneau avec l'os, de 2 cm (¾ po) d'épaisseur
	sel et poivre

Mélanger l'huile et le vinaigre dans un bol. Ajouter la menthe et saler, poivrer.

Incorporer le vin et l'ail.

Placer l'agneau dans une assiette profonde et ajouter la marinade. Réfrigérer 4 heures.

Préchauffer le barbecue à feu moyen-élevé.

Poser l'agneau sur la grille. Faire cuire 5 à 6 minutes de chaque côté. Saler, poivrer pendant la cuisson.

Servir avec des pommes de terre.

Voir technique page suivante.

1 PORTION	238 CALORIES	0 g GLUCIDES
28 g PROTÉINES	14 g LIPIDES	0 g FIBRES

TECHNIQUE: STEAKS D'AGNEAU

1 Choisir des steaks d'agneau avec l'os.

2 Mélanger l'huile et le vinaigre dans un bol. Ajouter la menthe et assaisonner. Incorporer le vin.

3 Ajouter l'ail et mélanger. Placer l'agneau dans une assiette profonde et ajouter la marinade. Réfrigérer 4 heures.

4 Poser les steaks d'agneau sur la grille du barbecue; faire cuire 5 à 6 minutes de chaque côté. Saler, poivrer pendant la cuisson.

Amuse-gueule au barbecue *(pour 4 personnes)*

250 g	(½ livre) de bœuf maigre haché
1	œuf
15 ml	(1 c. à soupe) de persil frais haché
2 ml	(½ c. à thé) de piments rouges broyés
1 ml	(¼ c. à thé) de thym
1 ml	(¼ c. à thé) de basilic
1 ml	(¼ c. à thé) de gingembre
30 ml	(2 c. à soupe) d'oignons hachés cuits
1	gros saucisson polonais, coupé en tranches de 2 cm (¾ po)
4	ailerons de poulet
2	côtelettes de porc, en cubes
4	tranches de bacon cuit
1	poitrine de poulet entière, cuite, sans peau et taillée en grosses lanières
	sel et poivre

Mettre la viande hachée dans un bol et ajouter l'œuf; bien malaxer. Saler, poivrer; mélanger de nouveau.

Ajouter le persil, les piments broyés, le thym, le basilic, le gingembre et les oignons; bien mélanger. Former des boulettes.

Mettre les boulettes dans la marinade. Ajouter le saucisson, les ailerons et le porc; réfrigérer 1 heure.

Préchauffer le barbecue à feu moyen-vif.

Retirer la viande et le poulet de la marinade et les transférer dans une assiette.

Enrouler le bacon autour du poulet cuit. Fixer avec un cure-dents. Badigeonner de marinade.

Faire cuire tous les aliments sur la grille du barbecue, selon la cuisson désirée. Retourner souvent pour éviter de les brûler. Assaisonner généreusement.

Badigeonner au besoin et servir avec une sauce à trempette.

Voir technique page suivante.

1 PORTION	713 CALORIES	4 g GLUCIDES
64 g PROTÉINES	49 g LIPIDES	0 g FIBRES

TECHNIQUE

1 Préparer les ingrédients à l'avance.

2 Mettre la viande hachée dans un bol et ajouter l'œuf; bien malaxer. Saler, poivrer; mélanger de nouveau.

3 Ajouter les épices et les oignons; bien mélanger.

4 Former des boulettes.

5 Verser l'huile et le soya dans un grand bol. Ajouter l'ail et le ketchup; bien incorporer. Verser du jus de citron et de la sauce Worcestershire au goût.

6 Mettre les boulettes dans la marinade. Ajouter le saucisson, les ailerons et le porc. Réfrigérer 1 heure.

Marinade pour amuse-gueule

50 ml	(¼ tasse) d'huile d'olive
45 ml	(3 c. à soupe) de sauce soya
2	gousses d'ail, écrasées et hachées
50 ml	(¼ tasse) de ketchup
	quelques gouttes de jus de citron ou de limette
	sauce Worcestershire au goût

Verser l'huile et le soya dans un grand bol. Ajouter l'ail et le ketchup; bien mélanger.

Ajouter le jus de citron et la sauce Worcestershire; incorporer et rectifier l'assaisonnement.

Steak de Salisbury *(pour 4 personnes)*

40 ml	(2 c. à soupe) d'huile végétale
1	oignon moyen, finement haché
900 g	(2 livres) de bœuf maigre haché
1	œuf
2	oignons, finement émincés
15 ml	(1 c. à soupe) de beurre
375 ml	(1½ tasse) de sauce brune chaude
	une pincée de basilic
	une pincée de clou moulu
	quelques piments rouges broyés
	sel et poivre

Préchauffer le four à 70°C (150°F).

Faire chauffer 15 ml (1 c. à soupe) d'huile dans une poêle à frire. Ajouter les oignons hachés et les épices; couvrir et faire cuire 4 minutes à feu doux. Mettre la viande dans un grand bol et former un creux dans la viande. Casser l'œuf dans la cavité et malaxer avec les mains.

Ajouter les oignons cuits; bien mélanger. Rectifier l'assaisonnement.

Façonner en 4 galettes d'environ 2 cm (¾ po) d'épaisseur. Entailler légèrement le dessus des galettes avec un couteau.

Chauffer le reste de l'huile dans une grande poêle à frire. Ajouter les galettes; faire cuire 10 à 12 minutes à feu moyen. Retourner 3 à 4 fois pendant la cuisson. Saler, poivrer.

Transférer la viande dans un plat allant au four. Garder chaud au four.

Mettre les oignons émincés et le beurre dans la poêle; cuire 6 à 7 minutes à feu moyen. Remuer de temps à autre pour ne pas brûler les oignons. Incorporer la sauce brune. Assaisonner généreusement. Bien mélanger et continuer la cuisson 3 minutes.

Verser la sauce sur la viande. Servir.

Voir technique page suivante.

1 PORTION	517 CALORIES	11 g GLUCIDES
62 g PROTÉINES	25 g LIPIDES	0,5 g FIBRES

TECHNIQUE: STEAK DE SALISBURY

1 Mettre la viande dans un grand bol et creuser un puits. Casser un œuf dans la cavité.

2 Bien malaxer avec les mains.

3 Ajouter les oignons cuits et bien mélanger de nouveau. Rectifier l'assaisonnement.

4 Façonner 4 galettes d'environ 2 cm (¾ po). Entailler légèrement avec un couteau.

5 Ajouter les oignons émincés et le beurre à la poêle. Faire cuire 6 à 7 minutes à feu moyen. Remuer de temps à autre pour éviter de brûler les oignons.

6 Incorporer la sauce brune. Assaisonner généreusement. Remuer et continuer la cuisson pendant 3 minutes.

Bœuf bouilli de la Nouvelle-Angleterre

(pour 4 personnes)

1,8 kg	(4 livres) de pointe de poitrine de bœuf salée
3	branches de persil
1	feuille de laurier
2	branches de menthe fraîche
1 ml	(¼ c. à thé) de thym
5	grosses carottes, pelées et coupées en deux
5	grosses pommes de terre, pelées et coupées en deux
4	petits oignons, pelés
1	courge, coupée en tranches épaisses
	sel et poivre

Mettre la viande dans une grande casserole et la recouvrir d'eau froide. Amener à ébullition et écumer.

Saler, poivrer et ajouter les épices. Couvrir partiellement et laisser mijoter à feu moyen-doux pendant 2 heures.

Ajouter les carottes et les pommes de terre et continuer la cuisson pendant 1 heure.

40 minutes avant la fin de la cuisson, ajouter le reste des légumes.

Dès que le bœuf est cuit, le retirer de la casserole et le dresser sur un plat de service. Verser du jus sur la viande et servir avec les légumes, de la moutarde et des cornichons.

Casserole de bœuf   *(pour 6 à 8 personnes)*

15 ml	(1 c. à soupe) d'huile végétale
2	oignons, finement hachés
2	gousses d'ail, écrasées et hachées
15 ml	(1 c. à soupe) de persil frais haché
625 g	(1 ¼ livre) de bœuf maigre haché
375 ml	(1 ½ tasse) de tomates hachées
45 ml	(3 c. à soupe) de pâte de tomates
1 L	(4 tasses) de purée de pommes de terre, chaude
	une pincée de thym
	beurre fondu
	sel et poivre

Préchauffer le four à 190°C (375°F).

Faire chauffer l'huile dans une sauteuse. Ajouter les oignons, l'ail et le persil; mélanger et faire cuire 3 minutes à feu moyen.

Ajouter le bœuf et le thym; bien remuer. Continuer la cuisson de 5 à 6 minutes. Remuer de temps à autre. Saler, poivrer.

Ajouter les tomates et la pâte de tomates; faire cuire 4 à 5 minutes à feu doux.

Étendre la moitié de pommes de terre dans un grand plat à gratin. Recouvrir du mélange de viande. Étaler le reste des pommes de terre sur la viande. Arroser le tout de beurre fondu.

Faire cuire de 25 à 30 minutes au four. Servir chaud.

1 PORTION	290 CALORIES	29 g GLUCIDES
21 g PROTÉINES	10 g LIPIDES	0,7 g FIBRES

Hamburger au fromage *(pour 4 personnes)*

30 ml	(2 c. à soupe) d'huile végétale
1	petit oignon, finement haché
900 g	(2 livres) de bœuf maigre haché
1	œuf
15 ml	(1 c. à soupe) de persil frais haché
4	tranches de fromage Roquefort
	quelques gouttes de sauce Worcestershire
	quelques gouttes de sauce Tabasco
	sel et poivre

Faire chauffer 15 ml (1 c. à soupe) d'huile dans une poêle à frire. Ajouter les oignons; couvrir et faire cuire 4 minutes à feu doux.

Mettre le bœuf haché dans un grand bol et former un creux dans la viande. Casser l'œuf dans la cavité et bien malaxer avec les mains.

Ajouter les oignons cuits, le persil, la sauce Worcestershire et la sauce Tabasco. Mélanger.

Façonner en 4 galettes épaisses et entailler légèrement avec un couteau.

Chauffer le reste de l'huile dans une grande poêle à frire. Faire rissoler les galettes de 10 à 12 minutes à feu moyen. Retourner 4 fois pendant la cuisson. Saler, poivrer.

Dès que les hamburgers sont cuits, placer dans un plat allant au four. Poser une tranche de fromage sur chaque hamburger. Passer sous le gril (broil), de 2 à 3 minutes.

Servir avec des pommes de terre aux oignons verts, page 264.

1 PORTION	380 CALORIES	2 g GLUCIDES
57 g PROTÉINES	16 g LIPIDES	0,2 g FIBRES

London Broil aux pommes *(pour 4 personnes)*

2	pommes, pelées et tranchées épais
30 ml	(2 c. à soupe) d'huile végétale
4	London Broil steaks, de 170 g (6 oz)
15 ml	(1 c. à soupe) de beurre
250 ml	(1 tasse) de concombre anglais, tranché
1	branche de céleri, émincée
1 ml	(¼ c. à thé) de graines de céleri
1 ml	(¼ c. à soupe) de thym
250 ml	(1 tasse) de bouillon de poulet chaud
15 ml	(1 c. à soupe) de fécule de maïs
30 ml	(2 c. à soupe) d'eau froide
15 ml	(1 c. à soupe) de sauce soya
	jus de citron
	sel et poivre

Préchauffer le four à 70°C (150°F).

Mettre les pommes tranchées dans un bol et les arroser de jus de citron pour les empêcher de noircir.

Faire chauffer l'huile dans une grande poêle à frire. Ajouter la viande; faire cuire 8 à 10 minutes à feu moyen. Retourner de 3 à 4 fois durant la cuisson. Saler, poivrer.

Placer les steaks dans un plat allant au four. Garder chaud au four.

Faire chauffer le beurre dans la poêle. Ajouter les pommes, les concombres et le céleri. Ajouter les épices et bien assaisonner. Faire cuire 4 à 5 minutes à feu moyen.

Incorporer le bouillon de poulet; faire cuire 2 minutes.

Délayer la fécule de maïs dans l'eau froide. Verser dans la sauce. Ajouter la sauce soya; faire mijoter 2 minutes.

Napper la viande de sauce. Servir.

1 PORTION	428 CALORIES	16 g GLUCIDES
46 g PROTÉINES	20 g LIPIDES	0,9 g FIBRES

London Broil, sauce tomate et champignons *(pour 4 personnes)*

30 ml	(2 c. à soupe) d'huile végétale
4	London Broil steaks, de 170 g (6 oz) chacun
15 ml	(1 c. à soupe) de beurre
2	oignons verts, émincés
250 g	(½ livre) de champignons frais, nettoyés et émincés
500 ml	(2 tasses) de tomates en conserve, égouttées et hachées
1	gousse d'ail, écrasée et hachée
375 ml	(1½ tasse) de sauce brune, chaude
	sel et poivre

Préchauffer le four à 70°C (150°F).

Faire chauffer l'huile dans une grande poêle à frire. Ajouter les London Broil; faire cuire 8 à 10 minutes à feu moyen. Retourner la viande 3 à 4 fois pendant la cuisson. Saler, poivrer.

Transférer la viande dans un plat allant au four. Garder chaud au four.

Faire fondre le beurre dans la poêle à frire. Ajouter les oignons et les champignons. Saler, poivrer et faire cuire 3 minutes à feu moyen-vif.

Ajouter les tomates et l'ail; bien mêler. Continuer la cuisson 3 minutes à feu moyen.

Incorporer la sauce brune; faire cuire 3 à 4 minutes. Rectifier l'assaisonnement.

Verser la sauce sur la viande. Servir.

Voir technique page suivante.

1 PORTION	437 CALORIES	13 g GLUCIDES
49 g PROTÉINES	21 g LIPIDES	1,0 g FIBRES

TECHNIQUE: LONDON BROIL

1 Pour les familles nombreuses, les steaks London Broil comptent parmi les plats économiques. On en trouve régulièrement chez le boucher.

2 Faire cuire la viande tel qu'indiqué dans la recette. Faire fondre le beurre dans la poêle; ajouter les oignons et les champignons. Saler, poivrer; faire cuire 3 minutes.

3 Ajouter les tomates et l'ail; bien remuer. Continuer la cuisson pendant 3 minutes.

4 Incorporer la sauce brune faire cuire 3 à 4 minutes. Rectifier l'assaisonnement.

London Broil de mon voisin   *(pour 4 personnes)*

30 ml	(2 c. à soupe) d'huile végétale
4	London Broil steaks, de 170 g (6 oz)
15 ml	(1 c. à soupe) de beurre
1	oignon, finement haché
2	gousses d'ail, écrasées et hachées
15 ml	(1 c. à soupe) de persil frais haché
125 ml	(½ tasse) de vin blanc sec
1	boîte de tomates en conserve, de 796 ml (28 oz), égouttées et hachées
2 ml	(½ c. à thé) d'origan
1 ml	(¼ c. à thé) de gingembre
	quelques piments rouges broyés
	sel et poivre

Préchauffer le four à 70°C (150°F).

Faire chauffer l'huile dans une grande poêle à frire. Ajouter la viande; faire cuire 8 à 10 minutes à feu moyen. Retourner 3 à 4 fois pendant la cuisson. Saler, poivrer.

Transférer la viande dans un plat allant au four. Garder chaud au four.

Faire chauffer le beurre dans une autre poêle. Ajouter les oignons, l'ail et le persil; mélanger et faire cuire 3 minutes à feu moyen.

Incorporer le vin; cuire 3 minutes à feu moyen-vif ou jusqu'à ce que le vin s'évapore presque complètement.

Ajouter les tomates et les épices; faire cuire 8 à 10 minutes à feu doux. Remuer de temps à autre.

Napper la viande de sauce. Accompagner de légumes verts.

Voir technique page suivante.

1 PORTION	412 CALORIES	11 g GLUCIDES
47 g PROTÉINES	20 g LIPIDES	1,0 g FIBRES

TECHNIQUE

1 Préparer la viande tel qu'indiqué dans la recette. Chauffer le beurre dans une poêle. Ajouter les oignons, l'ail et le persil; mélanger et faire cuire 3 minutes à feu moyen.

2 Incorporer le vin; faire cuire 3 à 4 minutes à feu moyen-vif.

3 Laisser mijoter la sauce jusqu'à ce que le vin soit presque complètement évaporé.

4 Ajouter les tomates et les épices; faire cuire 8 à 10 minutes à feu doux. Brasser de temps à autre.

Hamburger au cari *(pour 4 personnes)*

900 g	(2 livres) de bœuf maigre haché
1	œuf
1	oignon, finement haché et cuit
25 ml	(1½ c. à soupe) d'huile végétale
15 ml	(1 c. à soupe) de beurre
45 ml	(3 c. à soupe) d'oignons hachés
30 ml	(2 c. à soupe) de poudre de cari
2	pommes, pelées, émincées et arrosées de jus de citron
375 ml	(1½ tasse) de bouillon de poulet chaud
25 ml	(1½ c. à soupe) de fécule de maïs
30 ml	(2 c. à soupe) d'eau froide
50 ml	(¼ tasse) de raisins de Smyrne (sultana)
	sel et poivre

Préchauffer le four à 70°C (150°F).

Mettre la viande dans un grand bol et former un creux. Casser l'œuf dans la cavité et bien malaxer avec les mains.

Ajouter les oignons cuits. Saler, poivrer et mélanger.

Façonner 4 galettes et entailler légèrement le dessus avec un couteau.

Faire chauffer l'huile dans une grande poêle à frire. Ajouter la viande; faire cuire 10 à 12 minutes à feu moyen. Retourner 4 fois durant la cuisson. Saler, poivrer.

Transférer la viande dans un plat allant au four. Garder chaud au four.

Ajouter le beurre et le reste des oignons hachés. Saupoudrer de cari; faire cuire 2 minutes.

Ajouter les pommes; mêler et faire cuire 2 minutes à feu moyen.

Incorporer le bouillon de poulet; faire cuire 5 à 6 minutes.

Délayer la fécule de maïs dans l'eau froide. Incorporer à la sauce; laisser mijoter 1 à 2 minutes.

Ajouter les raisins; faire mijoter 1 à 2 minutes.

Servir avec les hamburgers.

1 PORTION	504 CALORIES	22 g GLUCIDES
59 g PROTÉINES	20 g LIPIDES	0,7 g FIBRES

Boulettes à la crème sure   *(pour 4 personnes)*

900 g	(2 livres) de bœuf maigre haché
1	œuf
1	oignon, finement haché et cuit
30 ml	(2 c. à soupe) d'huile végétale
30 ml	(2 c. à soupe) d'oignons hachés
250 g	(½ livre) de champignons frais, nettoyés et tranchés épais
15 ml	(1 c. à soupe) de persil frais haché
375 ml	(1½ tasse) de sauce brune chaude
30 ml	(2 c. à soupe) de crème sure
	quelques graines de céleri
	sel et poivre

Préchauffer le four à 70°C (150°F).

Mettre la viande dans un grand bol et former un creux. Casser l'œuf dans la cavité et bien malaxer avec les mains.

Ajouter les oignons cuits. Saler, poivrer et bien mélanger.

Façonner en grosses boulettes.

Faire chauffer l'huile dans une grande poêle à frire. Ajouter les boulettes; faire cuire 6 à 7 minutes à feu moyen. Remuer souvent pour saisir tous les côtés. Saler, poivrer.

Ajouter les oignons et bien mêler; couvrir et continuer la cuisson 3 à 4 minutes à feu moyen.

Retirer les boulettes. Garder au chaud dans le four.

Mettre les champignons et le persil dans une poêle à frire. Remuer et faire cuire 3 à 4 minutes sans couvrir.

Incorporer la sauce brune; continuer la cuisson de 5 à 6 minutes. Rectifier l'assaisonnement.

Remettre les boulettes dans la sauce et retirer la poêle du feu. Incorporer la crème sure et verser sur des pâtes chaudes.

Parsemer de graines de céleri avant de servir.

254

1 PORTION	508 CALORIES	10 g GLUCIDES
63 g PROTÉINES	24 g LIPIDES	0,7 g FIBRES

Hamburger farci *(pour 4 personnes)*

45 ml	(3 c. à soupe) de beurre
30 ml	(2 c. à soupe) d'oignons finement hachés
1	gousse d'ail, écrasée et hachée
15 ml	(1 c. à soupe) de persil frais haché
250 g	(½ livre) de champignons frais, nettoyés et hachés
125 ml	(½ tasse) de purée de pommes de terre
750 g	(1½ livre) de bœuf maigre haché, en galettes*
25 ml	(1½ c. à soupe) d'huile végétale
4	tranches de fromage cheddar
	sel et poivre

Faire chauffer la moitié du beurre dans une casserole. Ajouter les oignons, l'ail et le persil; faire cuire 2 minutes à feu moyen.

Faire fondre le reste du beurre et ajouter les champignons. Saler, poivrer. Continuer la cuisson de 6 à 7 minutes; remuer de temps à autre.

Incorporer les pommes de terre; faire cuire 2 à 3 minutes à feu vif. Retirer la casserole du feu et farcir les galettes selon la technique indiquée.

Faire chauffer l'huile dans une grande poêle à frire. Ajouter la viande; faire cuire 12 à 15 minutes à feu moyen. Retourner 4 fois pendant la cuisson. Saler, poivrer.

Dès que les hamburgers sont cuits, placer dans un plat allant au four. Poser une tranche de fromage sur chaque hamburger. Passer sous le gril (broil) pour faire fondre le fromage.

Servir avec des pommes de terre au four.

* Voir technique du Steak de Salisbury, photos 1 à 4, page 244, pour la préparation des galettes.

Voir technique page suivante.

1 PORTION	509 CALORIES	8 g GLUCIDES
54 g PROTÉINES	29 g LIPIDES	0,8 g FIBRES

TECHNIQUE: HAMBURGER FARCI

1 Faire cuire les oignons, l'ail et le persil dans le beurre chaud pendant 2 minutes.

2 Ajouter le reste du beurre et les champignons. Saler, poivrer; continuer la cuisson de 6 à 7 minutes à feu moyen.

3 Incorporer les pommes de terre; faire cuire 2 à 3 minutes à feu moyen.

4 Pour farcir les galettes: creuser le centre de la galette et remplir de plusieurs cuillèrées de farce. Coiffer de viande pour recouvrir la farce complètement.

Hachis de bœuf
aux pommes de terre *(pour 4 personnes)*

25 ml	(1½ c. à soupe) d'huile végétale
750 g	(1½ livre) de restes de bœuf cuit (rôti de bœuf, steak, etc.), hachés
3	pommes de terre bouillies, hachées
1	petit oignon, haché
2 ml	(½ c. à thé) d'origan
	une pincée de clou moulu
	une pincée de gingembre
	sel et poivre
	œufs frits (facultatif)

Faire chauffer l'huile dans une poêle à frire. Ajouter les restes de bœuf, les pommes de terre et les oignons; bien mélanger.

Ajouter les épices et rectifier l'assaisonnement. Faire cuire 15 minutes à feu moyen-vif tout en remuant de temps à autre.

Si désiré, servir avec des œufs frits.

Hachis de bœuf aux oignons *(pour 4 personnes)*

30 ml	(2 c. à soupe) d'huile végétale
2	oignons rouges, émincés
1	gousse d'ail, écrasée et hachée
750 g	(1½ livre) de restes de bœuf cuit (rôti de bœuf, steak, etc.), hachés
30 ml	(2 c. à soupe) de persil frais haché
	sel et poivre

Faire chauffer l'huile dans une poêle à frire. Ajouter les oignons; faire cuire 5 à 6 minutes à feu vif. Remuer de temps à autre.

Ajouter l'ail; faire cuire 3 à 4 minutes à feu moyen-vif.

Ajouter le bœuf et bien mélanger. Saler, poivrer et cuire 8 à 10 minutes.

Parsemer de persil. Servir avec des légumes frais.

1 PORTION   456 CALORIES   4 g GLUCIDES
65 g PROTÉINES   20 g LIPIDES   0,3 g FIBRES

Côtes braisées à la sauce épicée *(pour 4 personnes)*

250 ml	(1½ c. à soupe) d'huile végétale
1,8 kg	(4 livres) de bout de côtes, dégraissées
2	oignons rouges, coupés en gros dés
2	gousses d'ail, écrasées et hachées
1½	boîte de tomates en conserve, de 796 ml (28 oz), avec le jus
125 ml	(½ tasse) de sauce brune chaude
1	feuille de laurier
2 ml	(½ c. à thé) de basilic
2 ml	(½ c. à thé) d'origan
1 ml	(¼ c. à thé) de graines de céleri
3	carottes, pelées et coupées en gros morceaux
1	navet, pelé et coupé en gros morceaux
4	pommes de terre, pelées et coupées en gros morceaux
	sel et poivre

Préchauffer le four à 180°C (350°F).

Faire chauffer l'huile dans une grande casserole allant au four. Ajouter la viande; saisir 6 à 7 minutes à feu moyen-vif.

Retourner les morceaux de viande et bien assaisonner; continuer la cuisson de 6 à 7 minutes.

Ajouter les oignons et l'ail; bien mélanger. Continuer la cuisson 5 à 6 minutes.

Incorporer les tomates et le jus, la sauce brune et les épices; saler, poivrer. Amener à ébullition. Couvrir et cuire 2 heures au four.

Ajouter les légumes et continuer la cuisson au four pendant 1 heure.

Voir technique page suivante.

1 PORTION	590 CALORIES	23 g GLUCIDES
66 g PROTÉINES	26 g LIPIDES	1,8 g FIBRES

TECHNIQUE: CÔTES BRAISÉES

1 Dégraisser les côtes.

2 Saisir la viande 6 à 7 minutes de chaque côté. Saler, poivrer.

3 Ajouter les oignons et l'ail; bien mélanger. Faire cuire 5 à 6 minutes.

4 Incorporer les tomates, le jus, la sauce brune et les épices. Saler, poivrer et amener à ébullition. Finir la cuisson au four.

Côtes marinées braisées *(pour 4 à 6 personnes)*

1,6 kg	(3 ½ livres) de plat de côtes de bœuf marinées*
30 ml	(2 c. à soupe) d'huile végétale
1	oignon, grossièrement haché
45 ml	(3 c. à soupe) de farine
1 L	(4 tasses) de bouillon de bœuf chaud
60 ml	(4 c. à soupe) de pâte de tomates
3	pommes de terre, pelées et coupées en gros morceaux
3	carottes pelées et coupées en gros morceaux
4	petits oignons, pelés
	quelques gouttes de sauce Tabasco
	quelques gouttes de sauce Worcestershire
	sel et poivre

Préchauffer le four à 180°C (350°F).

Retirer la viande de la marinade. Passer la marinade au tamis. Mettre de côté.

Faire chauffer l'huile dans une grande casserole allant au four. Ajouter la viande; faire saisir 8 à 9 minutes à feu moyen-vif. Retourner la viande pour brunir tous les côtés.

Ajouter les oignons et bien mélanger. Continuer la cuisson de 5 à 6 minutes. Remuer de temps à autre.

Ajouter la farine; faire cuire 3 à 4 minutes. Remuer si nécessaire. La farine et les oignons doivent brunir et adhérer au fond de la casserole.

Verser la marinade et le bouillon de bœuf; remuer et amener à ébullition.

Ajouter la pâte de tomates, la sauce Tabasco et la sauce Worcestershire. Saler, poivrer. Amener à ébullition. Couvrir et laisser cuire 1 heure au four.

Ajouter les légumes. Finir la cuisson au four pendant 1 h ½.

* Voir marinade, page 264.

Voir technique page suivante.

1 PORTION	472 CALORIES	16 g GLUCIDES
39 g PROTÉINES	28 g LIPIDES	0,7 g FIBRES

TECHNIQUE: CÔTES MARINÉES BRAISÉES

1 Faire mariner les côtes de 12 à 24 heures au réfrigérateur.

2 Retirer la viande et passer la marinade au tamis. Mettre de côté. Faire saisir la viande dans l'huile chaude, de 8 à 9 minutes à feu moyen-vif.

3 Ajouter les oignons; bien mélanger. Continuer la cuisson.

4 Incorporer la farine; faire cuire 3 à 4 minutes. Remuer occasionnellement.

5 La farine et les oignons doivent adhérer au fond de la casserole.

6 Incorporer la marinade.

7 Ajouter le bouillon de bœuf, remuer et amener à ébullition.

8 Après 1 heure de cuisson, ajouter les légumes et finir la cuisson au four pendant 1 h ½.

Marinade

1,6 kg	(3 ½ livres) de bout de côtes désossées, coupées en cubes de 2,5 cm (1 po)
500 ml	(2 tasses) de vin rouge sec
1	feuille de laurier
1	gousse d'ail, écrasée et hachée
4	tranches d'oignon
3	branches de persil frais
30 ml	(2 c. à soupe) d'huile
1 ml	(¼ c. à thé) de thym
	poivre du moulin

Mettre la viande et tous les autres ingrédients dans un bol. Couvrir avec une pellicule de plastique. Réfrigérer 12 à 24 heures.

Pommes de terre aux oignons verts *(pour 4 personnes)*

15 ml	(1 c. à soupe) d'huile végétale
3	pommes de terre, pelées, coupées en deux et émincées
5 ml	(1 c. à thé) de beurre
1	gousse d'ail, écrasée et hachée
2	oignons verts, émincés
15 ml	(1 c. à soupe) de persil frais haché
	une pincée de paprika
	sel et poivre

Faire chauffer l'huile dans une grande poêle à frire. Ajouter les pommes de terre; faire cuire 6 à 7 minutes. Remuer deux fois pendant la cuisson.

Saler, poivrer et ajouter le beurre. Dès que le beurre est fondu, ajouter l'ail, les oignons verts et le reste des ingrédients. Saler, poivrer et cuire, sans couvrir, 3 à 4 minutes à feu moyen.

Servir immédiatement.

1 PORTION	105 CALORIES	13 g GLUCIDES
2 g PROTÉINES	5 g LIPIDES	0,5 g FIBRES

Rosbif de côte avec sauce *(pour 4 à 6 personnes)*

1,8 kg	(4 livres) de côte de bœuf
1	oignon coupé en morceaux
1	branche de céleri, coupée en gros morceaux
1	carotte, pelée et coupée en gros morceaux
2 ml	(½ c. à thé) de thym
2 ml	(½ c. à thé) de basilic
2 ml	(½ c. à thé) de cerfeuil
15 ml	(1 c. à soupe) de persil frais haché
1	feuille de laurier
375 ml	(1 ½ tasse) de bouillon de bœuf léger, chaud
	huile végétale
	sel et poivre

Préchauffer le four à 200°C (400°F).

Placer la viande dans un plat à rôtir et badigeonner d'huile. Poivrer généreusement et faire cuire 30 minutes au four.

Retirer le plat du four. Assaisonner la viande et disposer les légumes autour du rosbif. Parsemer les épices sur les légumes.

Remettre au four et continuer la cuisson pendant 30 minutes.

Réduire la chaleur à 190°C (375°F) et continuer la cuisson pendant 20 minutes.

Retirer le rosbif du plat et le mettre de côté.

Placer le plat sur l'élément de la cuisinière à feu vif; faire cuire 2 minutes.

Ajouter le bouillon de bœuf. Saler, poivrer; continuer la cuisson de 5 à 6 minutes.

Passer la sauce au tamis et servir avec le rosbif.*

* Si vous désirez une sauce plus épaisse, incorporer un mélange de fécule de maïs et d'eau froide après avoir ajouté le bouillon de bœuf.

Voir technique page suivante.

1 PORTION	319 CALORIES	3 g GLUCIDES
43 g PROTÉINES	15 g LIPIDES	0,3 g FIBRES

TECHNIQUE: ROSBIF DE CÔTE AVEC SAUCE

1 Placer la viande dans le plat à rôtir.

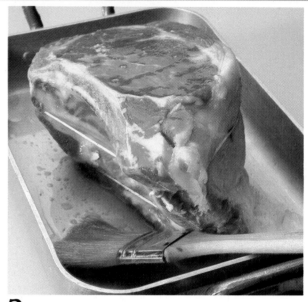

2 Badigeonner d'huile. Poivrer généreusement et faire cuire 30 minutes au four.

3 Retirer le plat du four. Assaisonner la viande.

4 Disposer les légumes autour du rosbif.

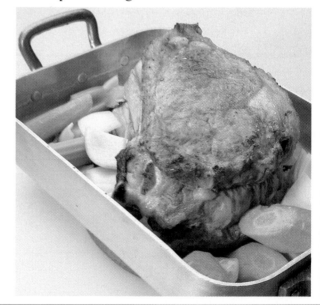

5 Parsemer les épices sur les légumes.

6 Dès que le rosbif est cuit, le retirer du plat et le mettre de côté.

7 Placer le plat sur l'élément de la cuisinière à feu vif; faire cuire 2 minutes.

8 Incorporer le bouillon de bœuf. Saler, poivrer et continuer la cuisson de 5 à 6 minutes.

Rôti de ronde *(pour 4 à 6 personnes)*

15 ml	(1 c. à soupe) d'huile végétale
1,6 kg	(3 ½ livres) de rôti de noix de ronde
30 ml	(2 c. à soupe) de beurre fondu
1	gousse d'ail, pelée et coupée en petits morceaux
1	oignon, haché
½	branche de céleri, hachée
1	feuille de laurier
1 ml	(¼ c. à thé) de thym
300 ml	(1 ¼ tasse) de bouillon de bœuf chaud
5 ml	(1 c. à thé) de fécule de maïs
5 ml	(1 c. à thé) d'eau froide
	sel et poivre

Préchauffer le four à 220°C (425°F).

Temps de cuisson: 10 minutes par 500 g (1 livre).

Faire chauffer l'huile dans un plat à rôtir sur l'élément de la cuisinière. Ajouter la viande et saisir de 4 à 6 minutes à feu vif. Retourner la viande pour brunir tous les côtés. Saler, poivrer.

Badigeonner la viande de beurre fondu. Faire quelques incisions dans la chair et y insérer des morceaux d'ail. Faire cuire 30 minutes au four ou selon la cuisson désirée.

Retirer le plat à rôtir du four et mettre la viande de côté.

Placer les légumes et les épices dans le plat à rôtir; faire cuire 4 à 5 minutes à feu moyen-élevé.

Incorporer le bouillon de bœuf; continuer la cuisson de 4 à 5 minutes.

Délayer la fécule de maïs dans l'eau froide. Incorporer à la sauce. Laisser mijoter 1 minute.

Passer la sauce au tamis. Servir avec le rôti.

1 PORTION	444 CALORIES	3 g GLUCIDES
72 g PROTÉINES	16 g LIPIDES	0,2 g FIBRES

Ragoût familial   *(pour 4 à 6 personnes)*

15 ml	(1 c. à soupe) d'huile végétale
1,4 kg	(3 livres) de bifteck de faux-filet, en cubes
1	oignon d'Espagne, coupé en gros dés
1	gousse d'ail, écrasée et hachée
15 ml	(1 c. à soupe) de persil frais haché
2	branches de céleri, coupées en gros dés
375 ml	(1 ½ tasse) de sauce brune chaude
375 ml	(1 ½ tasse) de bouillon de bœuf chaud
2	carottes, coupées en gros dés
3	pommes de terre, coupées en gros dés
2	petits navets, pelés et coupés en gros dés
2 ml	(½ c. à thé) de thym
2 ml	(½ c. à thé) de basilic
	sel et poivre

Préchauffer le four à 180°C (350°F).

Faire chauffer l'huile dans une grande casserole allant au four. Ajouter la viande; faire saisir de 6 à 8 minutes à feu moyen-vif. Retourner la viande pour la faire brunir sur tous les côtés. Saler, poivrer.

Ajouter les oignons, l'ail et le persil. Saler, poivrer; faire cuire 6 à 7 minutes à feu moyen-vif.

Ajouter le céleri et continuer la cuisson de 5 à 6 minutes.

Incorporer la sauce brune et le bouillon de bœuf; remuer et amener à ébullition. Couvrir et cuire 1 heure au four.

Ajouter les carottes, les pommes de terre, les navets et les épices; couvrir et continuer la cuisson au four pendant 1 heure.

Voir technique page suivante.

1 PORTION	541 CALORIES	18 g GLUCIDES
43 g PROTÉINES	33 g LIPIDES	1,2 g FIBRES

TECHNIQUE: RAGOÛT FAMILIAL

1 Faire saisir la viande dans une casserole allant au four. Retourner la viande pour la brunir sur tous les côtés. Saler, poivrer.

2 Ajouter les oignons, l'ail et le persil. Saler, poivrer. Faire cuire 6 à 7 minutes à feu moyen-vif.

3 Ajouter le céleri et continuer la cuisson de 5 à 6 minutes.

4 Incorporer la sauce brune et le bouillon de bœuf; remuer et amener à ébullition.

Rôti de faux-filet aux légumes *(pour 4 à 6 personnes)*

15 ml	(1 c. à soupe) d'huile végétale
1,8 kg	(4 livres) de rôti de faux-filet
1	oignon d'Espagne, coupé en dés
2	gousses d'ail, pelées
1 ml	(¼ c. à thé) de thym
2 ml	(½ c. à thé) d'origan
2 ml	(½ c. à thé) de basilic
1	feuille de laurier
15 ml	(1 c. à soupe) de persil frais haché
250 ml	(1 tasse) de vin rouge sec
1	boîte de tomates en conserve, de 796 ml (28 oz), avec le jus
45 ml	(3 c. à soupe) de pâte de tomates
	quelques gouttes de sauce Tabasco
	sel et poivre

Préchauffer le four à 180°C (350°F).

Faire chauffer l'huile dans une grande casserole allant au four. Ajouter la viande; faire saisir 7 à 8 minutes à feu vif. Retourner la viande pour brunir sur tous les côtés. Saler, poivrer.

Ajouter les oignons, l'ail et les épices; bien mélanger. Faire cuire 7 à 8 minutes à feu moyen-vif.

Incorporer le vin; continuer la cuisson de 3 à 4 minutes.

Ajouter les tomates et le jus; mélanger de nouveau.

Saler, poivrer. Incorporer la pâte de tomates et la sauce Tabasco. Amener à ébullition. Couvrir et cuire 3 minutes au four.

Voir technique page suivante.

1 PORTION	333 CALORIES	9 g GLUCIDES
45 g PROTÉINES	13 g LIPIDES	0,8 g FIBRES

TECHNIQUE: RÔTI DE FAUX-FILET

1 Faire saisir la viande dans une casserole allant au four. Retourner la viande pour brunir sur tous les côtés. Saler, poivrer.

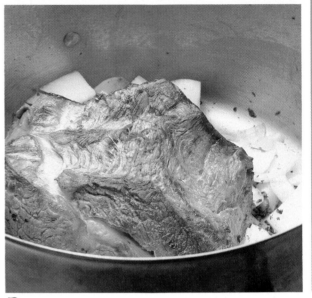

2 Ajouter les oignons, l'ail et les épices; bien mélanger. Faire cuire 7 à 8 minutes à feu moyen-vif.

3 Incorporer le vin et continuer la cuisson de 3 à 4 minutes.

4 Ajouter les tomates et le jus; mélanger de nouveau. Ajouter le reste des ingrédients et finir la cuisson au four.

Filet mignon aux deux poivres *(pour 4 personnes)*

15 ml	(1 c. à soupe) d'huile végétale
4	filets mignons, de 227 g (8 oz)
30 ml	(2 c. à soupe) de beurre
2	échalotes sèches hachées
250 g	(½ livre) de champignons frais, nettoyés et émincés
30 ml	(2 c. à soupe) de poivre vert en grains
50 ml	(¼ tasse) de crème à 35 %
15 ml	(1 c. à soupe) de grains de poivre noir, moulu
5 ml	(1 c. à thé) de ciboulette hachée
300 ml	(1 ¼ tasse) de sauce brune chaude
	sel et poivre

Préchauffer le four à 70°C (150°F).

Faire chauffer l'huile dans une grande poêle à frire. Ajouter les filets; griller 2 minutes à feu moyen-vif.

Retourner les filets et saler, poivrer; continuer la cuisson 6 minutes. Retourner les filets 3 fois durant la cuisson.

Placer les filets dans un plat allant au four. Garder chaud au four.

Faire chauffer le beurre dans la poêle. Ajouter les échalotes et les champignons: faire cuire 3 à 4 minutes à feu moyen. Remuer de temps à autre.

Écraser le poivre vert dans la crème. Ajouter le poivre noir et la ciboulette.

Verser le mélange de poivres et la sauce brune à la poêle; faire cuire 3 à 4 minutes à feu moyen-vif.

Assaisonner au goût et continuer la cuisson 2 minutes.

Napper les filets. Servir immédiatement.

1 PORTION	535 CALORIES	9 g GLUCIDES
46 g PROTÉINES	35 g LIPIDES	0,6 g FIBRES

Filet mignon à la parisienne *(pour 4 personnes)*

3	grosses pommes de terre, pelées
1	navet, pelé
2	grosses carottes, pelées
15 ml	(1 c. à soupe) d'huile végétale
4	filets mignons, de 227 g (8 oz)
30 ml	(2 c. à soupe) de beurre
1	gousse d'ail, écrasée et hachée
	sel et poivre
	beurre à l'ail (facultatif)

À l'aide d'une cuiller à pommes de terre, façonner tous les légumes en boules. Faire cuire les légumes pendant 8 minutes dans une casserole contenant 375 ml (1½ tasse) d'eau bouillante salée.

Faire chauffer l'huile dans une grande poêle à frire. Ajouter les filets; saisir 2 minutes à feu moyen-vif.

Retourner les filets et bien assaisonner; continuer la cuisson pendant 6 minutes. Retourner les filets 3 fois pendant la cuisson.

Égoutter les légumes et les assécher. Faire chauffer le beurre dans une autre poêle à frire. Ajouter les légumes et l'ail; faire sauter 2 à 3 minutes. Assaisonner au goût.

Servir les filets avec du beurre à l'ail et entourer de légumes.

1 PORTION	522 CALORIES	18 g GLUCIDES
45 g PROTÉINES	30 g LIPIDES	1,2 g FIBRES

T-Bone au cognac   *(pour 4 personnes)*

30 ml	(2 c. à soupe) d'huile végétale
4	steaks T-Bone d'aloyau, de 2,5 cm (1 po) d'épaisseur
15 ml	(1 c. à soupe) de beurre
500 g	(1 livre) de champignons frais, nettoyés et émincés
2	échalotes sèches, hachées
15 ml	(1 c. à soupe) de persil frais haché
50 ml	(¼ tasse) de cognac
150 ml	(⅔ tasse) de crème à 35 %
	quelques gouttes de sauce Tabasco
	quelques gouttes de jus de citron
	sel et poivre

Préchauffer le four à 70°C (150°F).

Faire cuire les steaks en deux étapes en procédant de la façon suivante: faire chauffer la moitié de l'huile dans une grande poêle à frire. Ajouter 2 steaks; saisir 4 à 5 minutes à feu vif.

Retourner les steaks. Saler, poivrer; continuer la cuisson de 4 à 5 minutes. Retirer la viande et conserver chaud au four.

Répéter la même opération pour le reste des steaks.

Mettre le beurre, les champignons, les échalotes et le persil dans la poêle. Saler, poivrer; faire cuire 4 à 5 minutes à feu vif.

Ajouter la crème et la sauce Tabasco; faire cuire 5 à 6 minutes à feu vif. Incorporer le jus de citron.

Servir la sauce avec les steaks.

Voir technique page suivante.

1 PORTION	798 CALORIES	9 g GLUCIDES
78 g PROTÉINES	50 g LIPIDES	1,1 g FIBRES

TECHNIQUE: T-BONE AU COGNAC

1 Demander au boucher de couper les steaks T-Bone à 2,5 cm (1 po) d'épaisseur. Retirer la plupart du gras.

2 Faire cuire les steaks en deux étapes. Ne pas oublier d'assaisonner la viande après l'avoir saisie.

3 Pour préparer la sauce: mettre le beurre, les champignons, les échalotes et le persil dans la poêle. Saler, poivrer; cuire 4 à 5 minutes à feu moyen.

4 Ajouter le cognac; faire cuire 3 minutes à feu vif. Ajouter la crème et la sauce Tabasco et faire cuire 5 à 6 minutes à feu vif.

Steak au poivre *(pour 4 personnes)*

4	biftecks de côte désossés, de 2 cm (¾ po) d'épaisseur
50 ml	(¼ tasse) de grains de poivre noir, écrasés
25 ml	(1 ½ c. à soupe) d'huile végétale
15 ml	(1 c. à soupe) de beurre
500 g	(1 livre) de champignons frais, nettoyés et émincés
1	échalote sèche hachée
15 ml	(1 c. à soupe) de persil frais haché
30 ml	(2 c. à soupe) de cognac
250 ml	(1 tasse) de crème à 35 %
	sel et poivre

Préchauffer le four à 70°C (150°F).

Parsemer les deux côtés de chaque bifteck de poivre noir. Presser le poivre dans la chair.

Faire chauffer la moitié de l'huile dans une grande poêle à frire. Ajouter 2 steaks; saisir 3 minutes à feu vif.

Retourner la viande. Saler, poivrer; continuer la cuisson 3 à 4 minutes. Retirer la viande de la poêle. Garder chaud au four.

Répéter le même procédé pour le reste des steaks.

Mettre le beurre, les champignons, les échalotes et le persil dans la poêle; faire cuire 3 minutes à feu moyen.

Assaisonner et ajouter le cognac; cuire 1 minute.

Incorporer la crème, assaisonner; faire cuire 3 minutes à feu moyen-vif.

Retirer les steaks du four, et verser les jus de viande dans la sauce. Remettre les steaks au four.

Remuer la sauce; faire cuire 2 minutes.

Napper les steaks de sauce. Servir avec des légumes.

1 PORTION	520 CALORIES	9 g GLUCIDES
49 g PROTÉINES	32 g LIPIDES	1,1 g FIBRES

Bifteck à la bière   *(pour 4 personnes)*

25 ml	(1 ½ c. à soupe) d'huile végétale
4	biftecks de côte, de 2 cm (¾ po) d'épaisseur
1	oignon haché
1 ml	(¼ c. à thé) de graines de céleri
1 ml	(¼ c. à thé) d'estragon
1 ml	(¼ c. à thé) de paprika
5 ml	(1 c. à thé) de persil frais haché
250 ml	(1 tasse) de bière
375 ml	(1 ½ tasse) de sauce brune chaude
	sel et poivre

Préchauffer le four à 70°C (150°F).

Faire chauffer la moitié de l'huile dans une poêle à frire. Ajouter 2 steaks; saisir 3 à 4 minutes à feu vif.

Retourner les steaks. Saler, poivrer et continuer la cuisson 3 à 4 minutes. Retirer la viande. Garder chaud au four.

Répéter le même procédé pour le reste des steaks.

Mettre les oignons dans la poêle à frire; faire cuire 4 à 5 minutes à feu moyen.

Parsemer d'épices et continuer la cuisson pendant 1 minute; bien mêler.

Incorporer la bière; cuire 5 à 6 minutes à feu vif, et réduire des deux tiers.

Incorporer la sauce brune. Rectifier l'assaisonnement; faire cuire 2 à 3 minutes à feu moyen.

Verser la sauce sur les steaks. Servir avec des tomates grillées.

1 PORTION	499 CALORIES	9 g GLUCIDES
46 g PROTÉINES	31 g LIPIDES	0,2 g FIBRES

Bœuf mariné sur brochettes *(pour 4 personnes)*

1	oignon, haché
45 ml	(3 c. à soupe) d'huile végétale
15 ml	(1 c. à soupe) de jus de citron
125 ml	(½ tasse) de vin de Madère
750 g	(1 ½ livre) de haut de ronde coupée en cubes de 2,5 cm (1 po)
1	oignon rouge, coupé en 6 morceaux
8	tomates naines
16	feuilles de menthe
	quelques gouttes de sauce Tabasco
	sel et poivre

Mélanger les oignons et l'huile dans un grand bol.

Ajouter le jus de citron et le vin; bien brasser. Saler, poivrer et ajouter la sauce Tabasco.

Mettre la viande dans la marinade et couvrir d'une pellicule de plastique. Réfrigérer 6 heures.

Retirer la viande de la marinade. Passer la marinade au tamis. Mettre de côté.

Sur des brochettes, enfiler en alternant: viande, oignon et feuille de menthe. Badigeonner de marinade. Saler, poivrer.

Placer sous le gril (broil) et faire cuire 4 minutes ou au goût. Badigeonner fréquemment.

Voir technique page suivante.

1 PORTION	410 CALORIES	6 g GLUCIDES
56 g PROTÉINES	18 g LIPIDES	0,5 g FIBRES

TECHNIQUE: BŒUF MARINÉ

1 Mélanger les oignons hachés et l'huile dans un grand bol.

2 Ajouter le jus de citron et le vin; bien brasser. Saler, poivrer et arroser de sauce Tabasco.

3 Mettre la viande dans la marinade et recouvrir d'une pellicule de plastique. Réfrigérer 6 heures.

4 Sur des brochettes, enfiler en alternant: viande, oignon rouge, tomate et menthe. Badigeonner de marinade et assaisonner. Griller au four.

Bœuf sauté de Long Island *(pour 4 personnes)*

30 ml	(2 c. à soupe) d'huile végétale
750 g	(1½ livre) d'entrecôte de bœuf, taillée en biseau
15 ml	(1 c. à soupe) de beurre
⅓	de concombre anglais, émincé
1	branche de céleri, émincée
1	piment vert, émincé
250 g	(½ livre) de champignons frais, nettoyés et émincés
125 ml	(½ tasse) de piment doux mariné, tranché
375 ml	(1½ tasse) de sauce brune chaude
30 ml	(2 c. à soupe) de crème sure
	une pincée de paprika
	sel et poivre

Faire chauffer l'huile dans une grande poêle à frire. Ajouter la viande et saisir 1 minute ½ de chaque côté. Saler, poivrer.

Retirer de la poêle et mettre de côté.

Mettre le beurre, les concombres, le céleri et les piments verts dans la poêle; faire cuire 2 à 3 minutes à feu moyen.

Ajouter les champignons, les piments et le paprika; bien mélanger et faire cuire 3 minutes.

Incorporer la sauce brune. Saler, poivrer; cuire 2 minutes.

Remettre la viande dans la poêle; laisser mijoter 2 minutes pour réchauffer.

Retirer du feu; incorporer la crème sure. Servir immédiatement.

Voir technique page suivante.

1 PORTION	465 CALORIES	10 g GLUCIDES
44 g PROTÉINES	24 g LIPIDES	1,1 g FIBRES

TECHNIQUE: BŒUF SAUTÉ

1 Saisir la viande 1 minute ½ de chaque côté. On pourra faire saisir la viande en deux étapes si la grandeur de la sauteuse ne permet pas une seule opération.

2 Quand la viande est cuite, retirer de la poêle et mettre de côté.

3 Mettre le beurre, les concombres, le céleri et les piments verts dans la sauteuse; faire cuire 2 à 3 minutes à feu moyen.

4 Ajouter les champignons, les piments et le paprika; bien mélanger et faire cuire 3 minutes.

Entrecôte au poivre vert *(pour 4 personnes)*

25 ml	(1½ c. à soupe) d'huile végétale
4	entrecôtes, de 2,5 cm (1 po) d'épaisseur
15 ml	(1 c. à soupe) de poivre vert
30 ml	(2 c. à soupe) de crème à 35 %
15 ml	(1 c. à soupe) de beurre
375 g	(¾ livre) de champignons frais, nettoyés et coupés en trois
2	échalotes sèches hachées
15 ml	(1 c. à soupe) de persil frais haché
50 ml	(¼ tasse) de cognac
250 ml	(1 tasse) de crème à 35 %
	sel et poivre

Préchauffer le four à 70°C (150°F).

Faire chauffer la moitié de l'huile dans une poêle à frire. Saisir 2 entrecôtes 3 à 4 minutes à feu vif.

Retourner les entrecôtes. Saler, poivrer et continuer la cuisson de 3 à 4 minutes. Retirer la viande de la poêle. Garder au four.

Répéter la même opération pour le reste des entrecôtes.

Mettre le poivre vert dans un petit bol ainsi que 30 ml (2 c. à soupe) de crème. Bien écraser. Mettre de côté.

Faire fondre le beurre dans la poêle. Ajouter les champignons, les échalotes et le persil; faire cuire 3 minutes à feu moyen. Assaisonner généreusement.

Verser le cognac dans la poêle; chauffer 3 minutes à feu vif.

Incorporer le reste de la crème et le mélange de poivre vert. Remuer et continuer la cuisson 4 à 5 minutes à feu vif.

Rectifier l'assaisonnement. Napper les entrecôtes de sauce. Servir.

Voir technique page suivante.

1 PORTION	669 CALORIES	8 g GLUCIDES
58 g PROTÉINES	45 g LIPIDES	0,9 g FIBRES

TECHNIQUE: ENTRECÔTE AU POIVRE VERT

1 Demander au boucher de tailler les entrecôtes à 2,5 cm (1 po) d'épaisseur.

2 Faire saisir les entrecôtes en deux étapes et bien assaisonner la viande.

3 Le poivre vert vendu en conserve dans la saumure doit être écrasé avant la cuisson.

4 Malaxer le poivre vert dans un peu de crème avec un pilon ou le dos d'une cuiller.

5 Faire cuire les champignons, les échalotes et le persil dans le beurre chaud pendant 3 minutes à feu moyen. Assaisonner généreusement. Verser le cognac et faire cuire 3 minutes à feu vif.

6 Incorporer le reste de la crème et le mélange de poivre vert; remuer et continuer la cuisson de 4 à 5 minutes à feu vif.

Boeuf Alfredo *(pour 4 personnes)*

30 ml	(2 c. à soupe) d'huile végétale
750 g	(1½ livre) de surlonge, coupée en fines lanières
60 ml	(4 c. à soupe) de beurre mou
375 ml	(1½ tasse) de crème à 35 %
50 ml	(¼ tasse) du liquide de cuisson des fettucini
300 ml	(1¼ tasse) de fromage parmesan râpé
500 g	(1 livre) de pâtes fettucini cuites
	ciboulette fraîche hachée
	persil frais haché
	sel et poivre

Préchauffer le four à 70°C (150°F).

Faire chauffer l'huile dans une grande poêle à frire. Ajouter la viande; faire cuire 1 minute ½ de chaque côté. Ajouter la ciboulette. Saler, poivrer. Note: il serait préférable de faire cuire la viande en deux étapes.

Retirer la viande et la garder chaud au four.

Faire chauffer le beurre dans une casserole. Ajouter la crème et bien remuer. Amener à ébullition et cuire 3 minutes à feu vif.

Ajouter le liquide des pâtes et la moitié du fromage; bien incorporer.

Ajouter les pâtes cuites et la viande et rectifier l'assaisonnement. Remuer de nouveau.

Parsemer de persil et saupoudrer de fromage.

1 PORTION	941 CALORIES	32 g GLUCIDES
57 g PROTÉINES	65 g LIPIDES	0,2 g FIBRES

Porterhouse et sauce aux olives *(pour 4 personnes)*

20 ml	(4 c. à thé) d'huile végétale
4	steaks porterhouse, de 4 cm (1½ po) d'épaisseur
15 ml	(1 c. à soupe) d'huile d'olive
3	gousses d'ail, écrasées et hachées
125 ml	(½ tasse) d'olives vertes farcies, hachées
125 ml	(½ tasse) d'olives noires dénoyautées, hachées
375 ml	(1 ½ tasse) de tomates hachées
30 ml	(2 c. à soupe) de pâte de tomates
5 ml	(1 c. à thé) de sauce Worcestershire
	quelques piments rouges broyés
	quelques gouttes de jus de citron
	sel et poivre

Préchauffer le four à 200°C (400°F).

Faire chauffer 5 ml (1 c. à thé) d'huile végétale dans une poêle à frire. Ajouter 1 steak; faire cuire 3 minutes de chaque côté. Saler, poivrer.

Répéter la même opération pour les autres steaks.

Transférer les steaks dans un plat allant au four. Faire cuire 8 à 10 minutes au four.

Entre-temps, préparer la sauce: faire chauffer l'huile d'olive. Ajouter l'ail et les olives; couvrir et cuire 3 minutes à feu moyen.

Ajouter les tomates et les épices; bien mélanger. Faire cuire 3 à 4 minutes, sans couvrir à feu moyen-vif.

Ajouter le reste des ingrédients. Mélanger et continuer la cuisson 3 à 4 minutes à feu moyen.

Servir avec les steaks.

1 PORTION	774 CALORIES	6 g GLUCIDES
75 g PROTÉINES	50 g LIPIDES	0,5 g FIBRES

Steak pour gourmand *(pour 4 personnes)*

2	échalotes hachées
15 ml	(1 c. à soupe) de persil frais haché
250 g	(½ livre) de beurre doux
1 ml	(¼ c. à thé) de paprika
1 ml	(¼ c. à thé) de sauce Tabasco
15 ml	(1 c. à soupe) de moutarde forte
5 ml	(1 c. à thé) de jus de citron
20 ml	(4 c. à thé) d'huile d'olive
4	steaks porterhouse, de 4 cm (1½ po) d'épaisseur
	sel et poivre

Préchauffer le four à 200°C (400°F).

Mettre les échalotes et le persil dans un bol. Ajouter le beurre et bien incorporer les ingrédients en les écrasant avec le dos d'une cuiller.

Ajouter le paprika et la sauce Tabasco. Incorporer la moutarde et rectifier l'assaisonnement.

Ajouter le jus de citron; bien mélanger. Mettre de côté.

Faire chauffer 5 ml (1c. à thé) d'huile dans une poêle à frire. Ajouter 1 steak; faire griller 3 minutes de chaque côté. Saler, poivrer.

Répéter le même procédé pour le reste des steaks.

Dès que tous les steaks sont saisis, les transférer dans un plat allant au four. Faire cuire 8 à 10 minutes au four.

Retirer les steaks du four. Étendre le beurre à l'échalote sur les steaks. Faire cuire au four à gril (broil) pendant 2 minutes.

Servir immédiatement.

Voir technique page suivante.

1 PORTION	1050 CALORIES	4 g GLUCIDES
74 g PROTÉINES	82 g LIPIDES	0,1 g FIBRES

TECHNIQUE: STEAK POUR GOURMAND

1 Généralement, les steaks porterhouse sont très gros et il est préférable de les saisir un à la fois.

2 Préparation du beurre à l'échalote: mettre les échalotes et le persil dans un bol.

3 Ajouter le beurre et incorporer les ingrédients en les écrasant avec une cuiller. Ajouter le paprika et la sauce Tabasco.

4 Incorporer la moutarde. Rectifier l'assaisonnement. Ajouter le jus de citron; bien incorporer.

288

T-Bone à la lyonnaise *(pour 4 personnes)*

45 ml	(3 c. à soupe) d'huile végétale
3	oignons, émincés
15 ml	(1 c. à soupe) de beurre
1	gousse d'ail, écrasée et hachée
15 ml	(1 c. à soupe) de persil frais haché
30 ml	(2 c. à soupe) de vinaigre de vin
50 ml	(¼ tasse) de vin rouge sec
375 ml	(1½ tasse) de sauce brune chaude
1 ml	(¼ c. à thé) de basilic
1 ml	(¼ c. à thé) de thym
4	steaks T-Bone ou d'aloyau, de 2,5 cm (1 po) d'épaisseur
	sel et poivre

Préchauffer le four à 70°C (150°F).

Faire chauffer 15 ml (1 c. à soupe) d'huile dans une grande poêle. Ajouter les oignons; faire cuire 6 à 7 minutes à feu moyen-vif. Remuer de temps à autre.

Ajouter le beurre, l'ail et le persil; mélanger et faire cuire 2 minutes à feu moyen.

Incorporer le vinaigre et le vin; remuer et cuire 3 à 4 minutes à feu vif.

Ajouter la sauce brune et les épices; continuer la cuisson de 2 à 3 minutes. Garder la sauce chaude à feu doux ou dans le four.

Faire chauffer 15 ml (1 c. à soupe) d'huile dans une poêle à frire. Ajouter 2 steaks; faire cuire 4 à 5 minutes à feu vif.

Retourner les steaks. Saler, poivrer; continuer la cuisson de 4 à 5 minutes. Garder au chaud dans le four jusqu'au moment de servir.

Répéter la même opération pour le reste des steaks.

Verser la sauce sur les steaks. Servir.

1 PORTION	668 CALORIES	11 g GLUCIDES
75 g PROTÉINES	36 g LIPIDES	0,5 g FIBRES

TECHNIQUE: T-BONE À LA LYONNAISE

1 Ajouter le beurre, l'ail et le persil aux oignons; faire cuire 2 minutes à feu moyen.

2 Incorporer le vinaigre et le vin; remuer et faire cuire 3 à 4 minutes à feu doux.

3 Ajouter la sauce brune et les épices; continuer la cuisson 2 à 3 minutes. Garder la sauce au chaud.

Bifteck de côte braisé   *(pour 4 personnes)*

15 ml	(1 c. à soupe) d'huile végétale
2	biftecks de côte, de 625 g (1¼ livre) chacun, dégraissés
1	oignon d'Espagne, coupé en gros dés
5 ml	(1 c. à thé) d'origan
1	gousse d'ail, écrasée et hachée
2	branches de céleri, coupées en gros dés
3	tomates, coupées en quartiers
15 ml	(1 c. à soupe) de persil frais haché
250 ml	(1 tasse) de jus de tomates aux palourdes
500 ml	(2 tasses) de bouillon de bœuf chaud
1	navet moyen, pelé et coupé en cubes
	sel et poivre

Préchauffer le four à 180°C (350°F).

Faire chauffer l'huile dans une sauteuse. Ajouter la viande; faire saisir 2 à 3 minutes de chaque côté. Saler, poivrer.

Ajouter les oignons et l'origan; faire cuire 5 à 6 minutes à feu moyen.

Incorporer l'ail, le céleri et les tomates. Retourner la viande et ajouter le persil. Saler, poivrer; continuer la cuisson 5 à 6 minutes.

Ajouter le jus de tomates et le bouillon de bœuf. Saler, poivrer; ajouter le navet et amener à ébullition. Couvrir et faire cuire 2 heures au four.

Dès que le tout est cuit, retirer la viande et la trancher. Servir avec les légumes.

Voir technique page suivante.

1 PORTION	563 CALORIES	13 g GLUCIDES
49 g PROTÉINES	35 g LIPIDES	1,3 g FIBRES

TECHNIQUE: BIFTECK DE CÔTE BRAISÉ

1 Faire saisir la viande dans l'huile chaude 2 à 3 minutes de chaque côté.

2 Ajouter les oignons et l'origan; faire cuire 5 à 6 minutes à feu moyen.

3 Incorporer l'ail, le céleri et les tomates. Retourner la viande. Ajouter le persil; saler, poivrer. Continuer la cuisson 5 à 6 minutes.

4 Ajouter le jus de tomates, le bouillon de bœuf, ainsi que le navet et finir la cuisson au four.

Bœuf et légumes sur pâtes   *(pour 4 personnes)*

15 ml	(1 c. à soupe) d'huile végétale
750 g	(1½ livre) bifteck de ronde, coupé en lanières
1	piment vert émincé
2	oignons verts, émincés
2	tomates tranchées
1	gousse d'ail, écrasée et hachée
500 ml	(2 tasses) de sauce brune légère, chaude
1 ml	(¼ c. à thé) d'origan
4	portions de spaghetti cuit
	sel et poivre

Faire chauffer l'huile dans une sauteuse. Ajouter le bœuf; faire cuire 2 minutes de chaque côté à feu vif. Saler, poivrer.

Retirer la viande de la sauteuse. Mettre de côté.

Mettre les légumes dans la sauteuse; faire cuire 3 à 4 minutes à feu vif.

Ajouter l'ail, la sauce brune et l'origan; remuer et cuire 2 à 3 minutes à feu doux.

Remettre la viande dans la sauteuse et brasser. Laisser mijoter 1 minute pour réchauffer.

Servir sur les spaghetti.

Rôti de croupe mariné *(pour 4 à 6 personnes)*

1,8 kg	(4 livres) de rôti de croupe mariné
15 ml	(1 c. à soupe) d'huile végétale
1	branche de céleri, coupée en dés
1	carotte, pelée et coupée en dés
1	petit oignon, coupé en dés
45 ml	(3 c. à soupe) de pâte de tomates
	sel et poivre

Préchauffer le four à 180°C (350°F).

Retirer la viande et passer la marinade au tamis. Mettre de côté.

Faire chauffer l'huile dans une grande casserole. Ajouter la viande; faire saisir de 5 à 6 minutes à feu moyen-vif. Retourner la viande pour saisir sur tous les côtés. Saler, poivrer.

Mettre les légumes dans la casserole; continuer la cuisson pendant 2 minutes.

Incorporer la marinade et la pâte de tomates. Amener à ébullition; couvrir et faire cuire au four pendant 2 h ½.

Trancher la viande et servir.

Voir technique page suivante.

1 PORTION	617 CALORIES	11 g GLUCIDES
78 g PROTÉINES	29 g LIPIDES	0,4 g FIBRES

Marinade

5 ml	(1 c. à thé) de moutarde en poudre
500 ml	(2 tasses) de vin rouge sec
50 ml	(¼ tasse) de vinaigre de vin
5 ml	(1 c. à thé) de ciboulette fraîche hachée
1,8 kg	(4 livres) de rôti de croupe désossé
2	carottes, pelées et émincées
1	gros oignon, émincé
250 ml	(1 tasse) d'eau
30 ml	(2 c. à soupe) de cassonade
1	feuille de laurier
1 ml	(¼ c. à thé) de graines de carvi
2 ml	(½ c. à thé) de basilic
1	clou de girofle
	poivre

Mettre la moutarde et le vin dans un bol; bien mélanger. Ajouter le vinaigre et la ciboulette; remuer de nouveau.

Déposer la viande dans une grande casserole. Verser le mélange de vin dans la casserole. Ajouter les carottes, les oignons et l'eau. Saupoudrer la viande de cassonade et d'épices; poivrer généreusement. Couvrir et réfrigérer 12 heures.

TECHNIQUE: RÔTI DE CROUPE MARINÉ

1 Mettre la moutarde et le vin dans un bol; bien mélanger. Ajouter le vinaigre et la ciboulette; remuer de nouveau.

2 Mettre la viande dans une grande casserole et ajouter le mélange de vin. Ajouter les carottes, les oignons et l'eau.

3 Saupoudrer la viande de cassonade et d'épices. Poivrer généreusement.

4 Faire saisir la viande marinée dans l'huile chaude.

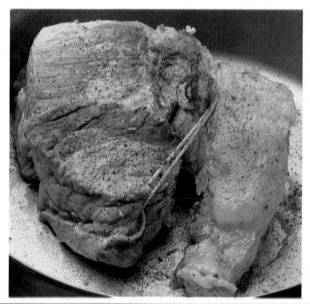

Steak Diane au cognac *(pour 4 personnes)*

30 ml	(2 c. à soupe) de beurre
800 g	(1 ¾ livre) de filet de bœuf, émincé
50 ml	(¼ tasse) de cognac Courvoisier
2	échalotes sèches hachées
15 ml	(1 c. à soupe) de persil frais haché
500 ml	(2 tasses) de sauce brune chaude
15 ml	(1 c. à soupe) de pâte de tomates
1 ml	(¼ c. à thé) de sauce Worcestershire
	sel et poivre

Faire chauffer le beurre dans une grande poêle à frire. Ajouter la viande; faire cuire 1 minute ½ de chaque côté à feu moyen-vif. Saler, poivrer. Ne pas laisser brûler le beurre!

Ajouter le cognac et flamber.

Retirer la viande et mettre de côté.

Ajouter les échalotes et le persil à la poêle; faire cuire 2 minutes.

Incorporer la sauce brune et la pâte de tomates; remuer et ajouter la sauce Worcestershire. Amener à ébullition et continuer la cuisson pendant 2 minutes.

Remettre la viande dans la poêle et laisser mijoter pendant quelques minutes.

Servir sur des pâtes.

1 PORTION	456 CALORIES	28 g GLUCIDES
23 g PROTÉINES	11 g LIPIDES	1,5 g FIBRES

Roulade de bœuf farcie au raifort *(pour 4 personnes)*

45 ml	(3 c. à soupe) de raifort
5 ml	(1 c. à thé) de persil frais haché
45 ml	(3 c. à soupe) de chapelure
1	œuf
4	tranches de bifteck de ronde, de 5 cm (2 po) de largeur
30 ml	(2 c. à soupe) d'huile végétale
1	grosse carotte, pelée et coupée en dés
1	oignon, coupé en dés
1	branche de céleri, coupée en dés
1 ml	(¼ c. à thé) de thym
1 ml	(¼ c. à thé) de basilic
375 ml	(1 ½ tasse) de bouillon de bœuf chaud
15 ml	(1 c. à soupe) de pâte de tomates
15 ml	(1 c. à soupe) de fécule de maïs
30 ml	(2 c. à soupe) d'eau froide
	sel et poivre

Préchauffer le four à 180°C (350°F).

Mettre le raifort et le persil dans un bol. Ajouter la chapelure, bien mélanger. Saler, poivrer. Ajouter l'œuf et bien incorporer le tout; mettre de côté.

Battre la viande avec un maillet. Placer la viande sur un comptoir de travail et étendre de la farce sur chaque morceau de viande.

Rouler et attacher la viande avec des cure-dents. Faire chauffer l'huile dans une casserole allant au four. Ajouter les roulades; faire saisir 4 à 5 minutes. Retourner la viande pour bien griller tous les côtés. Saler, poivrer.

Ajouter les légumes et les épices; faire brunir de 3 à 4 min. Incorporer le bouillon de bœuf et la pâte de tomates; rectifier l'assaisonnement. Amener à ébullition.

Couvrir et continuer la cuisson au four pendant 1 h ½. Retirer la casserole du four et transférer la viande dans un plat de service.

Placer la casserole à feu moyen. Délayer la fécule de maïs dans l'eau froide. Incorporer à la sauce; faire bouillir 1 minute.

Verser la sauce sur le bœuf. Servir.

Voir technique page suivante.

1 PORTION	456 CALORIES	28 g GLUCIDES
23 g PROTÉINES	11 g LIPIDES	1,5 g FIBRES

TECHNIQUE: ROULADE DE BŒUF

1 Mettre le raifort et le persil dans un bol. Ajouter la chapelure et bien mélanger. Saler, poivrer.
Ajouter l'œuf; mélanger de nouveau. Mettre de côté.

2 Aplatir les tranches de viande avec un maillet. Étendre la farce sur chaque morceau de viande.

3 Rouler et attacher la viande avec des cure-dents.

4 Faire saisir les roulades de bœuf dans l'huile chaude.

Carbonade de bœuf   *(pour 4 personnes)*

900 g	(2 livres) de bœuf dans la ronde, émincé et aplati
250 ml	(1 tasse) de farine assaisonnée
30 ml	(2 c. à soupe) d'huile végétale
1	oignon, finement haché
2	gousses d'ail, écrasées et hachées
30 ml	(2 c. à soupe) de vinaigre de vin
250 ml	(1 tasse) de bière
375 ml	(1 ½ tasse) de sauce brune chaude
1 ml	(¼ c. à thé) de muscade
	sel et poivre

Préchauffer le four à 180°C (350°F).

Enfariner les morceaux de bœuf.

Faire chauffer l'huile dans une poêle à frire. Ajouter la viande; faire saisir 2 à 3 minutes de chaque côté. Saler, poivrer.

Retirer la viande et la transférer dans une casserole allant au four. Mettre de côté.

Ajouter les oignons et l'ail dans la poêle à frire; faire cuire 3 minutes à feu moyen.

Incorporer le vinaigre et la bière; faire cuire 3 à 4 minutes à feu vif.

Incorporer la sauce brune et la muscade; faire cuire 1 minute. Rectifier l'assaisonnement.

Verser la sauce sur la viande. Couvrir et faire cuire au four pendant 1 h ½.

Voir technique page suivante.

1 PORTION	456 CALORIES	28 g GLUCIDES
23 g PROTÉINES	11 g LIPIDES	1,5 g FIBRES

TECHNIQUE: CARBONADE DE BŒUF

1 Faire chauffer l'huile dans une grande poêle à frire. Ajouter la viande; faire saisir 2 à 3 minutes de chaque côté. Saler, poivrer.

2 Retirer la viande et la transférer dans une casserole allant au four. Ajouter les oignons et l'ail à la poêle; faire cuire 3 minutes.

3 Incorporer le vinaigre et la bière; faire cuire 3 à 4 minutes à feu vif.

4 Incorporer la sauce brune et la muscade; faire cuire 1 minute. Rectifier l'assaisonnement. Verser la sauce sur la viande. Finir la cuisson au four.

Galettes de pommes de terre au bœuf *(pour 4 personnes)*

4	grosses pommes de terre, pelées et coupées en fine julienne
45 ml	(3 c. à soupe) d'huile végétale
750 g	(1 ½ livre) de bifteck de ronde, émincé
30 ml	(2 c. à soupe) d'oignons hachés
250 g	(½ livre) de champignons frais, nettoyés et émincés
375 ml	(1 ½ tasse) de sauce brune chaude
15 ml	(1 c. à soupe) de persil frais haché
	sel et poivre

Préchauffer le four à 190°C (375°F).
Mettre les pommes de terre dans un bol et recouvrir d'eau. Laisser reposer 1 heure.
Égoutter et essorer les pommes de terre dans une essoreuse à laitue.

Faire chauffer 30 ml (2 c. à soupe) d'huile dans une poêle à frire. Ajouter les pommes de terre. Saler, poivrer. Aplatir les pommes de terre avec une spatule; faire cuire 3 à 4 minutes à feu moyen. Couvrir et continuer la cuisson 8 minutes à feu moyen-doux.
Retirer le couvercle. Finir la cuisson au four 10 à 15 minutes.
Entre-temps, faire chauffer le reste de l'huile dans une grande poêle à frire. Ajouter la viande; faire cuire 1 à 2 minutes de chaque côté. Saler, poivrer. Retirer la viande. Mettre de côté.
Ajouter les oignons et les champignons dans la poêle. Saler, poivrer. Faire cuire 3 minutes à feu moyen. Remuer une fois.
Incorporer la sauce brune et le persil; continuer la cuisson pendant 2 minutes.
Remettre la viande dans la sauce; laisser mijoter quelques minutes pour réchauffer.
Servir la viande avec la sauce sur les galettes de pommes de terre.

Voir technique page suivante.

1 PORTION	571 CALORIES	39 g GLUCIDES
61 g PROTÉINES	19 g LIPIDES	1,2 g FIBRES

TECHNIQUE

1 Mettre les pommes de terre dans un bol et les recouvrir d'eau. Laisser reposer 1 heure. Égoutter et essorer les pommes de terre.

2 Mettre les pommes de terre dans l'huile chaude et les aplatir avec une spatule; faire cuire 3 à 4 minutes à feu moyen.

3 Couvrir et faire cuire 8 minutes à feu moyen-doux.

4 Retirer le couvercle et finir la cuisson au four 10 à 15 minutes.

Steak à la suisse *(pour 4 personnes)*

1,6 kg	(3 ½ livres) de flanc de bœuf ou de ronde
250 ml	(1 tasse) de farine assaisonnée
45 ml	(3 c. à soupe) de gras de bacon ou d'huile
1	oignon, émincé
1	gousse d'ail, écrasée et hachée
1	boîte de tomates en conserve, de 796 ml (28 oz), égouttées et hachées
250 ml	(1 tasse) de sauce brune chaude
1 ml	(¼ c. à thé) de thym
2 ml	(½ c. à thé) de basilic
1	feuille de laurier
	menthe fraîche hachée
	persil frais haché
	sel et poivre

Préchauffer le four à 180°C (350°F).

Trancher la viande selon la technique et aplatir avec un maillet. Enfariner la viande.

Faire chauffer 30 ml (2 c. à soupe) de gras de bacon dans une grande poêle à frire. Ajouter la viande et saisir 2 à 3 minutes de chaque côté. Saler, poivrer.

Transférer la viande dans une casserole allant au four. Mettre de côté.

Si nécessaire, ajouter du gras de bacon dans la poêle à frire. Ajouter les oignons et l'ail; faire cuire 8 à 10 minutes à feu moyen. Remuer de temps à autre.

Retirer le mélange d'oignons et étendre sur la viande.

Remettre la poêle sur la cuisinière. Ajouter les tomates. Saler, poivrer. Faire cuire 3 à 4 minutes à feu moyen.

Incorporer la sauce brune et les épices; bien remuer et faire cuire 1 minute. Verser la sauce sur la viande.

Couvrir et faire cuire au four 1 h ¼.

Servir avec des pommes de terre au four ou un autre légume.

Voir technique page suivante.

1 PORTION	835 CALORIES	34 g GLUCIDES
114 g PROTÉINES	27 g LIPIDES	1,0 g FIBRES

TECHNIQUE: STEAK À LA SUISSE

1 Couper la viande en biseau.

2 Aplatir la viande des deux côtés avec un maillet. On peut le faire directement sur un comptoir ou entre deux feuilles de papier ciré.

3 Enfariner légèrement la viande.

4 Saisir la viande et la transférer dans une casserole allant au four. Mettre de côté.

5 Faire rissoler les oignons et l'ail. Étendre le mélange sur la viande.

6 Faire cuire les tomates, la sauce brune et les épices; verser la sauce sur la viande.

Rôti de surlonge aux courges *(pour 4 à 6 personnes)*

30 ml	(2 c. à soupe) d'huile végétale
1,8 kg	(4 livres) de surlonge désossée, roulée et ficelée
60 ml	(4 c. à soupe) de beurre
750 g	(1 ½ livre) de courge jaune, nettoyée et coupée en tranches de 1,2 cm (½ po) d'épaisseur
250 ml	(1 tasse) de bouillon de bœuf chaud
5 ml	(1 c. à thé) de fécule de maïs
30 ml	(2 c. à soupe) d'eau froide
	sel et poivre

Préchauffer le four à 200°C (400°F).
Temps de cuisson: 12 à 14 minutes par 500 g (1 livre).
Faire chauffer l'huile dans un grand plat à rôtir à feu vif. Ajouter le rôti et faire saisir de 6 à 7 minutes. Retourner le rôti pour bien le saisir sur tous les côtés. Saler, poivrer.
Mettre au four et continuer la cuisson pendant 50 minutes ou selon la cuisson désirée. Badigeonner de temps en temps.
30 minutes avant la fin de la cuisson: faire chauffer le beurre dans une poêle à frire. Ajouter les courges, saler et poivrer. Couvrir et faire cuire de 25 à 30 minutes à feu moyen. Remuer de temps à autre.
Dès que le rôti est cuit, retirer du plat et dresser dans un plat de service.
Placer le plat sur l'élément de la cuisinière à feu moyen-vif et verser le bouillon de bœuf; faire cuire 2 à 3 minutes.
Délayer la fécule de maïs dans l'eau froide.
Incorporer le mélange à la sauce; laisser mijoter 2 minutes.
Trancher le rôti et servir avec la sauce et les courges.

1 PORTION	735 CALORIES	17 g GLUCIDES
79 g PROTÉINES	39 g LIPIDES	1,9 g FIBRES

Bœuf bouilli à la française   *(pour 4 à 6 personnes)*

1,8 kg	(4 livres) de bout de côtes
500 g	(1 livre) d'os de veau
10 ml	(2 c. à thé) de sel de mer
3	branches de persil
2	feuilles de laurier
2	branches de menthe
4	grosses carottes, pelées
4	oignons
4	grosses pommes de terre, pelées
4	poireaux, partiellement coupés en quatre sur la longueur
1 ml	(¼ c. à thé) de clou moulu
2	clous entiers
	quelques grains de poivre
	poivre du moulin

Mettre la viande et les os dans une grande casserole. Couvrir d'eau froide et laisser reposer 1 heure.

Égoutter le tout, remettre dans la casserole et recouvrir à nouveau d'eau froide. Amener doucement à ébullition à feu moyen. Faire cuire 1 heure en écumant fréquemment.

Note: Il est important que pendant la cuisson, la viande soit toujours recouverte d'eau.

Ajouter de l'eau fréquemment.

Après 1 heure de cuisson, le bouillon doit être clair et bien écumé. Ajouter le reste des ingrédients. Poivrer généreusement.

Couvrir et laisser mijoter 3 heures à feu doux.

Servir la viande avec les légumes et le bouillon. Si désiré, arroser la viande d'un peu d'huile et de vinaigre.

1 PORTION	509 CALORIES	8 g GLUCIDES
45 g PROTÉINES	33 g LIPIDES	1,0 g FIBRES

Bifteck à la new-yorkaise   *(pour 4 personnes)*

25 ml	(1 ½ c. à soupe) d'huile végétale
4	biftecks de côte, de 2 cm (¾ po) d'épaisseur
15 ml	(1 c. à soupe) de beurre
45 ml	(3 c. à soupe) d'oignons hachés
500 g	(1 livre) de champignons frais, nettoyés et émincés
5 ml	(1 c. à thé) de ciboulette hachée
45 ml	(3 c. à soupe) de sauce pour steak, commerciale
5 ml	(1 c. à thé) de persil frais haché
	sel et poivre

Préchauffer le four à 70°C (150°F).

Faire chauffer la moitié de l'huile dans une poêle à frire. Ajouter 2 steaks; saisir 3 à 4 minutes à feu vif.

Retourner la viande. Saler, poivrer et continuer la cuisson de 3 à 4 minutes. Retirer la viande de la poêle et garder au chaud au four.

Répéter le même procédé pour le reste des steaks.

Mettre le beurre dans la poêle à frire. Ajouter les oignons; couvrir et faire cuire 2 minutes à feu moyen.

Ajouter les champignons et la ciboulette; assaisonner généreusement. Continuer la cuisson 3 à 4 minutes.

Incorporer la sauce; continuer la cuisson 1 minute.

Retirer les steaks du four. Verser le jus de cuisson dans le mélange de champignons et remuer.

Verser la sauce sur les steaks. Servir avec du persil frais.

1 PORTION	509 CALORIES	8 g GLUCIDES
45 g PROTÉINES	33 g LIPIDES	1,0 g FIBRES

Steak tartare   *(pour 4 personnes)*

750 g	(1 ½ livre) de filet de bœuf, dégraissé et haché
1 ml	(¼ c. à thé) de sauce Tabasco
5 ml	(1 c. à thé) de sauce Worcestershire
5 ml	(1 c. à thé) d'huile d'olive
4	jaunes d'œufs
60 ml	(4 c. à soupe) d'oignons hachés
60 ml	(4 c. à soupe) de câpres
60 ml	(4 c. à soupe) de persil frais haché
4	filets d'anchois, hachés
	feuilles de laitue romaine
	sel et poivre
	feuilles de radicchio
	pousses de luzerne

Mélanger le bœuf, la sauce Tabasco, la sauce Worcestershire et l'huile d'olive dans un bol. Saler, poivrer généreusement.

Servir dans des assiettes individuelles de la façon suivante:

Placer une grosse galette de viande au centre de l'assiette. Creuser le centre de la viande et casser 1 jaune d'œuf dans la cavité.

Disposer des feuilles de laitue sur le pourtour de l'assiette et remplir d'oignons hachés et de câpres.

Décorer élégamment du reste des ingrédients. Servir.

1 PORTION	392 CALORIES	1 g GLUCIDES
43 g PROTÉINES	24 g LIPIDES	0 g FIBRES

Bœuf bourguignon mariné *(pour 4 à 6 personnes)*

25 ml	(1 ½ c. à soupe) d'huile végétale
1,6 kg	(3 ½ livres) de bœuf mariné
2	gousses d'ail, écrasées et hachées
2	échalotes hachées
15 ml	(1 c. à soupe) de persil frais haché
60 ml	(4 c. à soupe) de farine
250 ml	(1 tasse) de vin rouge sec
30 ml	(2 c. à soupe) de pâte de tomates
15 ml	(1 c. à soupe) de beurre
250 g	(½ livre) de champignons frais, nettoyés et coupés en quartiers
250 ml	(1 tasse) de petits oignons cuits
	sel et poivre

Préchauffer le four à 180°C (350°F).

Retirer la viande, les carottes et les oignons de la marinade. Passer la marinade au tamis. Mettre de côté.

Chauffer la moitié de l'huile dans une sauteuse. Ajouter la moitié de la viande, des carottes et des oignons; faire saisir 8 min à feu moyen-vif. Retourner la viande pour brunir tous les côtés. Saler, poivrer.

Répéter la même opération pour le reste de la viande.

Remettre toute la viande dans la sauteuse. Ajouter l'ail, les échalotes et le persil; cuire 2 min et remuer. Ajouter la farine et mélanger. Cuire 2 à 3 min à feu vif. Gratter le fond de la sauteuse avec une cuiller en bois.

Verser la marinade dans une casserole et ajouter le vin; cuire 5 à 6 min à feu moyen.

Verser la marinade dans la sauteuse et ajouter la pâte de tomates. Amener à ébullition; couvrir et cuire 1 h ½ au four. 20 min avant la fin de la cuisson: chauffer le beurre dans une poêle à frire. Ajouter les champignons et les oignons; cuire 3 à 4 min. Saler, poivrer.

Verser les champignons et les oignons dans la sauteuse et finir la cuisson.

Servir avec des pommes de terre et du pain grillé.

1 PORTION	641 CALORIES	9 g GLUCIDES
68 g PROTÉINES	37 g LIPIDES	0,5 g FIBRES

TECHNIQUE

1 Mettre le bœuf dans un grand bol. Ajouter les oignons, les carottes, le poivre, le laurier, l'ail et le vin.
Arroser d'huile mais ne pas mélanger. Couvrir avec une pellicule de plastique et réfrigérer 8 heures.

2 Faire saisir la viande et les légumes dans l'huile chaude. Retourner la viande pour bien brunir. Saler, poivrer.
Ajouter l'ail, les échalotes et le persil; faire cuire 2 minutes et mêler.

3 Ajouter la farine et bien mélanger. Faire cuire 2 à 3 minutes à feu vif. Gratter le fond de la sauteuse avec une cuiller en bois.

4 Verser la marinade dans une casserole. Ajouter le vin; faire cuire 5 à 6 minutes à feu moyen.

Voir page suivante.

5 Verser la marinade dans la sauteuse contenant le bœuf. Incorporer la pâte de tomates et amener à ébullition.

6 Faire chauffer le beurre. Ajouter les oignons et les champignons; faire cuire 3 à 4 minutes. Incorporer au bœuf 15 minutes avant la fin de sa cuisson.

Marinade

1,6 kg	(3 ½ livres) de palette de bœuf désossée, coupée en cubes de 2,5 cm (1 po)
3 à 4	tranches d'oignon
½	carotte, pelée et émincée
5	grains de poivre noir
1	feuille de laurier
1	gousse d'ail, écrasée et hachée
250 ml	(1 tasse) de vin rouge sec
30 ml	(2 c. à soupe) d'huile végétale

Mettre le bœuf dans un grand bol. Ajouter les oignons, les carottes, le poivre, la feuille de laurier, l'ail et le vin.

Arroser d'huile mais ne pas mélanger. Couvrir avec une pellicule de plastique. Réfrigérer 8 heures.

Crème de navets au raifort

(pour 4 à 6 personnes)

900 g	(2 livres) de petits navets
45 ml	(3 c. à soupe) de beurre
125 ml	(½ tasse) de crème à 35 %, chaude
45 ml	(3 c. à soupe) de raifort
15 ml	(1 c. à soupe) de vinaigre de vin
5 ml	(1 c. à thé) de moutarde forte
125 ml	(½ tasse) de crème à 35 %, froide
	une pincée de sucre
	sel et poivre

Peler les navets et les faire cuire dans une casserole remplie d'eau bouillante salée.

Dès qu'ils sont cuits, égoutter et piler. Ajouter le beurre et la crème chaude; bien incorporer. Mettre de côté à feu doux pour garder chaud.

Dans un petit bol, mélanger le raifort, le vinaigre et la moutarde.

Fouetter la crème froide et incorporer au mélange de raifort. Ajouter aux navets.

Saupoudrer de sucre. Rectifier l'assaisonnement. Servir avec du bœuf.

1 PORTION	218 CALORIES	12 g GLUCIDES
2 g PROTÉINES	18 g LIPIDES	1,5 g FIBRES

Pudding Yorkshire

(pour 4 à 6 personnes)

300 ml	(¼ tasse) de farine
2 ml	(½ c. à thé) de sel
2	œufs extra-gros
175 ml	(¾ tasse) de lait
175 ml	(¾ tasse) d'eau tiède
40 ml	(2½ c. à soupe) graisse de rôti de bœuf

Préchauffer le four à 200°C (400°F).

Tamiser la farine et le sel dans un bol.

Former un creux dans la farine et y casser les œufs. Ajouter la moitié du lait et de l'eau; bien incorporer.

Ajouter le reste du lait et de l'eau; mélanger parfaitement. Couvrir avec une feuille de papier ciré et mettre de côté pendant 1 heure.

Faire chauffer la graisse de rôti dans une petite casserole. Verser la graisse chaude dans des moules à muffins. Remplir les moules à demi avec la pâte.

Faire cuire 20 minutes au four. Servir avec le rôti de bœuf.

1 PORTION	216 CALORIES	28 g GLUCIDES
8 g PROTÉINES	8 g LIPIDES	0,1 g FIBRES

Bœuf Wellington *(pour 4 à 6 personnes)*

30 ml	(2 c. à soupe) d'huile végétale
900 g	(2 livres) de filet de bœuf, dans la partie supérieure
	pâte feuilletée
	sauce Wellington*
	sel et poivre

Préchauffer le four à 220°C (425°F).
Temps de cuisson: 12 minutes par 500 g (1 livre).

Faire chauffer la moitié de l'huile dans une poêle et saisir la viande 4 à 5 minutes à feu moyen-vif. Retourner pour brunir sur tous les côtés. Saler, poivrer.

Retirer la viande et laisser refroidir.

Huiler un plat à rôtir. Mettre de côté.

Rouler la pâte sur une surface enfarinée pour obtenir une abaisse mince assez grande pour recouvrir la viande.

Disposer la viande sur l'abaisse. Humecter les bords avec de l'eau et rabattre la moitié de la pâte sur la viande. Sceller.

Replier l'autre moitié sur la première. Couper l'excès de pâte et rentrer les coins.

Placer le bœuf en pâte dans un plat à rôtir. Décorer de fleurons de pâte. Badigeonner d'œuf battu. Faire cuire 25 minutes au four.

* Servir avec la sauce Wellington, page 314.

1 PORTION	558 CALORIES	20 g GLUCIDES
34 g PROTÉINES	38 g LIPIDES	0,4 g FIBRES

TECHNIQUE: BŒUF WELLINGTON

1 Prendre le morceau de filet dans la partie supérieure qui est plus large.

2 Faire saisir le filet 4 à 5 minutes dans l'huile chaude à feu moyen-vif. Retourner le filet pour brunir sur tous les côtés. Saler, poivrer.

3 Placer le filet au centre de l'abaisse de pâte. Humecter les bords pour aider à sceller.

4 Rabattre la moitié de la pâte sur la viande. Sceller.

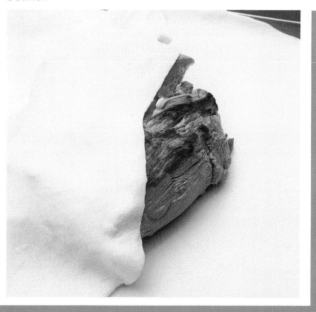

Voir page suivante.

313

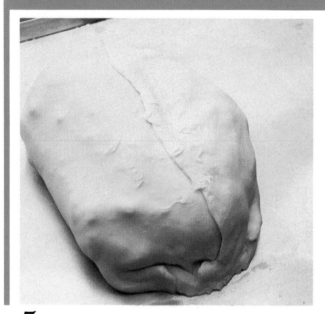

5 Replier la deuxième moitié sur la première. Rentrer les coins et couper l'excès de pâte.

6 Placer le bœuf en pâte dans le plat à rôtir en prenant soin de mettre la partie scellée dessous. Badigeonner d'œuf battu. On peut insérer une cheminée en papier d'aluminium pour permettre à la vapeur de s'échapper pendant la cuisson.

Sauce Wellington

15 ml	(1 c. à soupe) de beurre
250 g	(½ livre) de champignons frais, nettoyés et émincés
1	échalote sèche, hachée
50 ml	(¼ tasse) de vin de Madère
5 ml	(1 c. à thé) de ciboulette hachée
300 ml	(1¼ tasse) de sauce brune chaude
50 ml	(¼ tasse) de crème à 35 %
	quelques gouttes de jus de citron
	sel et poivre

Faire chauffer le beurre dans une sauteuse. Ajouter les champignons et les échalotes; faire cuire 3 minutes à feu moyen.

Incorporer le vin et parsemer de ciboulette; bien remuer. Continuer la cuisson 2 à 3 minutes à feu moyen.

Ajouter la sauce brune et bien remuer. Saler, poivrer et faire cuire 3 à 4 minutes.

Incorporer la crème et le jus de citron; faire cuire 2 à 3 minutes à feu moyen.

1 PORTION	488 CALORIES	29 g GLUCIDES
12 g PROTÉINES	36 g LIPIDES	2,1 g FIBRES

TECHNIQUE: SAUCE WELLINGTON

1 Faire cuire les champignons et les oignons pendant 3 minutes dans le beurre chaud.

2 Incorporer le vin et parsemer de ciboulette; bien remuer. Continuer la cuisson 2 à 3 minutes à feu moyen.

3 Ajouter la sauce brune et remuer; saler, poivrer et faire cuire 3 à 4 minutes.

4 Incorporer la crème et le jus de citron; faire cuire 2 à 3 minutes.

Rôti de bœuf avec crème de navets au raifort *(pour 4 à 6 personnes)*

1,8 kg	(4 livres) de rosbif de côtes
375 ml	(1½ tasse) de bouillon de bœuf chaud
5 ml	(1 c. à thé) d'herbes fraîches hachées
15 ml	(1 c. à soupe) de fécule de maïs
30 ml	(2 c. à soupe) d'eau froide
	huile végétale
	sel et poivre

Préchauffer le four à 200°C (400°F).

Placer le rôti dans un plat à rôtir et badigeonner d'huile végétale. Poivrer généreusement; faire cuire 30 minutes au four.

Retirer le plat du four. Assaisonner la viande de nouveau. Badigeonner du jus de cuisson. Remettre au four et faire cuire 30 minutes.

Réduire la chaleur à 190°C (375°F) et finir la cuisson pendant 20 minutes.

Retirer le rôti du plat et le mettre de côté.

Placer le plat sur l'élément de la cuisinière et ajouter le bouillon de bœuf; amener à ébullition et continuer la cuisson 4 à 5 minutes.

Ajouter les herbes. Délayer la fécule de maïs dans l'eau froide. Incorporer le mélange à la sauce. Laisser épaissir pendant 1 minute.

Servir le rôti avec la Crème de navets au raifort, page 311.

1 PORTION	284 CALORIES	1 g GLUCIDES
43 g PROTÉINES	12 g LIPIDES	0 g FIBRES

Sauce au piment

5 ml	(1 c. à thé) d'huile végétale
1	piment vert, émincé
½	piment rouge, émincé
375 ml	(1½ c. à soupe) de bouillon de bœuf chaud
15 ml	(1 c. à soupe) de pâte de tomates
15 ml	(1 c. à soupe) de fécule de maïs
30 ml	(2 c. à soupe) d'eau froide
5 ml	(1 c. à thé) de ciboulette hachée
	sel et poivre

Faire chauffer l'huile dans une poêle à frire. Ajouter les piments et assaisonner. Faire cuire 3 à 4 minutes à feu moyen.

Incorporer le bouillon de bœuf et amener à ébullition. Rectifier l'assaisonnement et faire cuire 2 minutes à feu moyen.

Ajouter la pâte de tomates; remuer et cuire 1 minute.

Délayer la fécule de maïs dans l'eau froide; incorporer le mélange à la sauce. Amener à ébullition; faire cuire 2 minutes à feu moyen.

Incorporer la ciboulette et servir.

Cette sauce est délicieuse servie avec un pain de viande ou des hamburgers.

1 PORTION	37 CALORIES	6 g GLUCIDES
1 g PROTÉINES	1 g LIPIDES	0,6 g FIBRES

Tostada rapide *(pour 4 personnes)*

5 ml	(1 c. à thé) d'huile végétale
1	oignon, finement haché
½	piment vert, finement haché
2	gousses d'ail, écrasées et hachées
15 ml	(1 c. à soupe) de persil frais haché
½	courgette, finement hachée
2 ml	(½ c. à thé) de cerfeuil
1 ml	(¼ c. à thé) de thym
1 ml	(¼ c. à thé) de gingembre
625 g	(1¼ livre) de bœuf maigre haché
5 ml	(1 c. à thé) de sauce soya
1 ml	(¼ c. à thé) de sauce Tabasco
250 ml	(1 tasse) de tomates en conserve
15 ml	(1 c. à soupe) de pâte de tomates
50 ml	(¼ tasse) de bouillon de poulet chaud
175 ml	(¾ tasse) de fromage suisse râpé
	coquilles tostada
	quelques gouttes de sauce épicée mexicaine, sel et poivre

Faire chauffer l'huile dans une grande poêle à frire. Ajouter les oignons, les piments verts, l'ail, le persil, les courgettes et les épices. Faire cuire 4 à 5 minutes à feu moyen.

Ajouter le bœuf; mélanger et continuer la cuisson de 3 à 4 minutes. Saler, poivrer.

Incorporer la sauce soya, le Tabasco et la sauce épicée; rectifier l'assaisonnement.

Ajouter les tomates hachées et la pâte de tomates; bien remuer. Incorporer le bouillon de poulet; faire cuire 3 à 4 minutes à feu moyen-vif.

Ajouter les ¾ du fromage et bien incorporer. Retirer du feu.

Étendre le mélange sur les coquilles tostada et recouvrir d'une autre coquille. Parsemer de fromage et placer dans un plat allant au four. Passer sous le gril (broil) pour faire fondre le fromage.

Servir immédiatement.

1 PORTION	547 CALORIES	26 g GLUCIDES
41 g PROTÉINES	31 g LIPIDES	0,7 g FIBRES

Sauce à la viande pour spaghetti *(pour 4 personnes)*

15 ml	(1 c. à soupe) d'huile végétale
2	petits oignons, hachés
1	branche de céleri, coupée en dés
2	gousses d'ail, écrasées et hachées
15 ml	(1 c. à soupe) de gingembre frais haché
5 ml	(1 c. à thé) d'origan
2 ml	(½ c. à thé) de basilic
1 ml	(¼ c. à thé) de thym
1	petite feuille de laurier
625 g	(1¼ livre) de bœuf maigre haché
1	boîte de tomates en conserve, de 796 ml (28 oz), égouttées et hachées
5 ml	(1 c. à thé) de cassonade
125 ml	(½ tasse) de bouillon de poulet chaud
1	boîte de pâte de tomates, de 156 ml (5½ oz)
	sel et poivre

Faire chauffer l'huile dans une grande casserole. Ajouter les oignons, le céleri, l'ail, les épices et la feuille de laurier. Remuer et faire cuire 4 à 6 minutes à feu doux.

Ajouter le bœuf haché; continuer la cuisson pendant 4 minutes.

Ajouter les tomates et bien assaisonner. Parsemer de cassonade.

Incorporer le bouillon de poulet et la pâte de tomates. Remuer et amener à ébullition; faire cuire 2 heures à feu doux sans couvrir.

Note: Si nécessaire, ajouter un peu de bouillon de poulet durant la cuisson.

1 PORTION	412 CALORIES	22 g GLUCIDES
36 g PROTÉINES	20 g LIPIDES	1,4 g FIBRES

Tomates farcies   *(pour 4 personnes)*

8	tomates moyennes
5 ml	(1 c. à thé) d'huile d'olive
15 ml	(1 c. à soupe) d'huile végétale
1	oignon, finement haché
½	branche de céleri, finement hachée
2	gousses d'ail, écrasées et hachées
250 g	(½ livre) de bœuf maigre haché
250 ml	(1 tasse) de tomates hachées
175 ml	(¾ tasse) de riz cuit
2 ml	(½ c. à thé) d'origan
125 ml	(½ tasse) de fromage gruyère râpé
	sel et poivre

Préchauffer le four à 180°C (350°C).

Retirer le pédicule de chaque tomate. Retourner la tomate à l'envers sur une planche à découper. À l'aide d'un petit couteau, découper la calotte de chaque tomate.

Évider les tomates mais laisser assez de chair pour qu'elles se tiennent bien. Arroser la cavité d'huile d'olive.

Faire chauffer l'huile végétale dans une casserole. Ajouter les oignons, le céleri et l'ail; faire cuire 3 à 4 min à feu moyen.

Ajouter la viande et bien assaisonner; continuer la cuisson de 3 à 4 min.

Mélanger les tomates hachées, le riz et les épices au reste. Bien remuer et cuire 6 à 7 min à feu moyen.

Ranger les tomates évidées dans un plat à rôtir huilé. Farcir les tomates avec le mélange de viande. Presser légèrement avec une cuiller.

Parsemer de fromage. Faire cuire 25 min au four.

1 PORTION	324 CALORIES	24 g GLUCIDES
21 g PROTÉINES	16 g LIPIDES	1,8 g FIBRES

Piments verts farcis *(pour 4 personnes)*

4	gros piments verts
15 ml	(1 c. à soupe) d'huile végétale
1	petit oignon rouge, finement haché
1	branche de céleri, finement hachée
10	champignons frais, nettoyés et finement hachés
1	gousse d'ail, écrasée et hachée
500 g	(1 livre) de bœuf maigre haché
1 ml	(¼ c. à thé) de basilic
375 ml	(1½ tasse) de tomates hachées
30 ml	(2 c. à soupe) de pâte de tomates
50 ml	(¼ tasse) de fromage parmesan râpé
250 ml	(1 tasse) de jus de tomate
125 ml	(½ tasse) de sauce brune
	une pincée de piments de Jamaïque
	une pincée de thym
	sel et poivre

Préchauffer le four à 180°C (350°F).

Placer les piments debout sur une planche à découper. Trancher une calotte sur chaque piment. Retirer les graines et la membrane blanche.

Blanchir les piments dans l'eau bouillante salée 5 à 6 min. Refroidir sous l'eau froide; égoutter et mettre de côté.

Faire chauffer l'huile dans une grande poêle à frire. Ajouter les oignons et le céleri; couvrir et cuire 2 à 3 min à feu moyen-vif. Ajouter les champignons et l'ail. Saler, poivrer et bien mélanger. Couvrir et continuer la cuisson 2 à 3 min. Ajouter la viande et les épices; cuire sans couvrir, 3 à 4 min.

Mêler les tomates aux autres ingrédients et cuire 3 à 4 min à feu moyen.

Ajouter la pâte de tomates et bien remuer; laisser mijoter 2 à 3 min. Ajouter le fromage. Rectifier l'assaisonnement. Retirer du feu.

Assaisonner la cavité des piments et remplir du mélange de viande. Placer le tout dans un plat à rôtir et y verser le jus de tomate et la sauce brune.

Faire cuire de 30 à 35 min au four.

Servir avec du fromage râpé.

1 PORTION	400 CALORIES	20 g GLUCIDES
35 g PROTÉINES	20 g LIPIDES	2,7 g FIBRES

Foie de bœuf aux oignons   *(pour 4 personnes)*

4	tranches de foie de bœuf
250 ml	(1 tasse) de farine assaisonnée
15 ml	(1 c. à soupe) d'huile végétale
30 ml	(2 c. à soupe) de beurre
1	oignon d'Espagne, émincé
15 ml	(1 c. à soupe) de cassonade
1 ml	(¼ c. à thé) de graines de céleri
15 ml	(1 c. à soupe) de vinaigre de vin
5 ml	(1 c. à thé) de sauce soya
300 ml	(1 ¼ tasse) de bouillon de bœuf chaud
15 ml	(1 c. à soupe) de fécule de maïs
30 ml	(2 c. à soupe) d'eau froide
	sel et poivre

Préchauffer le four à 70°C (150°F).

Enfariner le foie de bœuf.

Faire chauffer l'huile et 15 ml (1 c. à soupe) de beurre dans une poêle à frire. Ajouter le foie; faire sauter 3 minutes à feu moyen.

Retourner le foie et bien assaisonner.

Cuire 3 minutes. Retirer du feu et garder chaud au four.

Faire chauffer le reste du beurre dans la poêle à frire. Ajouter les oignons; faire cuire 6 à 7 minutes à feu moyen. Remuer de temps à autre.

Ajouter la cassonade et les graines de céleri. Saler, poivrer. Faire cuire 2 minutes.

Incorporer le vinaigre et continuer la cuisson pendant 2 minutes.

Incorporer la sauce soya et le bouillon de bœuf; amener à ébullition.

Délayer la fécule de maïs dans l'eau froide. Ajouter à la sauce. Faire cuire 2 minutes à feu moyen.

Rectifier l'assaisonnement. Verser la sauce sur le foie. Servir avec des haricots jaunes.

1 PORTION	348 CALORIES	14 g GLUCIDES
37 g PROTÉINES	16 g LIPIDES	0,2 g FIBRES

321

Foie de bœuf aux pommes *(pour 4 personnes)*

4	tranches de foie de bœuf
250 ml	(1 tasse) de farine assaisonnée
15 ml	(1 c. à soupe) d'huile végétale
15 ml	(1 c. à soupe) de beurre
30 ml	(2 c. à soupe) d'oignons rouges hachés
2	pommes à cuire, pelées et tranchées
5 ml	(1 c. à thé) de persil frais haché
250 ml	(1 tasse) de tomates hachées
375 ml	(1 ½ tasse) de bouillon de poulet chaud
1 ml	(¼ c. à thé) de cerfeuil
15 ml	(1 c. à soupe) de fécule de maïs
30 ml	(2 c. à soupe) d'eau froide
	une pincée de thym
	sel et poivre

Préchauffer le four à 70°C (150°F).

Enfariner le foie de bœuf.

Faire chauffer l'huile et le beurre dans une grande poêle à frire. Ajouter le foie de bœuf; faire cuire 3 minutes à feu moyen.

Retourner le foie et bien assaisonner. Continuer la cuisson pendant 3 minutes ou selon le goût. Retirer de la poêle et garder chaud au four.

Mettre les oignons et les pommes dans la poêle à frire. Parsemer de persil; mélanger et faire cuire 3 à 4 minutes à feu moyen.

Ajouter les tomates et bien assaisonner. Ajouter le bouillon de poulet et les épices; amener à ébullition et continuer la cuisson de 3 à 4 minutes.

Délayer la fécule de maïs dans l'eau froide. Incorporer à la sauce. Amener à ébullition et faire cuire 1 minute.

Verser la sauce sur le foie. Servir.

1 PORTION	389 CALORIES	22 g GLUCIDES
37 g PROTÉINES	17 g LIPIDES	0,8 g FIBRES

Bœuf au parmesan *(pour 4 personnes)*

15 ml	(1 c. à soupe) d'huile végétale
15 ml	(1 c. à soupe) de beurre
8	tranches de filet de bœuf, de 0,65 cm (¼ po) d'épaisseur
125 ml	(½ tasse) de champignons émincés
1	piment jaune ou rouge, émincé
2	cœurs de palmiers, émincés
50 ml	(¼ tasse) de vin blanc sec
375 ml	(1 ½ tasse) de bouillon de bœuf chaud
1 ml	(¼ c. à thé) d'origan
15 ml	(1 c. à soupe) de fécule de maïs
30 ml	(2 c. à soupe) d'eau froide
45 ml	(3 c. à soupe) de crème à 35 %
50 ml	(¼ tasse) de fromage parmesan râpé
	une pincée de paprika
	sel et poivre

Faire chauffer l'huile et le beurre dans une sauteuse. Faire saisir la viande 2 minutes à feu moyen-vif.

Retourner et bien assaisonner la viande; continuer la cuisson 2 minutes. Retirer et mettre de côté.

Mélanger les champignons, les piments et les cœurs de palmiers dans la sauteuse; cuire 3 minutes à feu vif.

Incorporer le vin; faire cuire 2 minutes.

Incorporer le bouillon de bœuf et les épices; amener à ébullition. Continuer la cuisson 2 minutes à feu moyen.

Délayer la fécule de maïs dans l'eau froide. Incorporer à la sauce; laisser mijoter 1 minute.

Incorporer la crème; cuire 2 minutes. Rectifier l'assaisonnement.

Parsemer de fromage et mélanger; faire cuire 1 minute.

Remettre la viande dans la sauce; laisser mijoter pour réchauffer. Servir immédiatement.

1 PORTION	473 CALORIES	8 g GLUCIDES
45 g PROTÉINES	29 g LIPIDES	1,2 g FIBRES

Lanières de surlonge avec pâtes *(pour 4 personnes)*

30 ml	(2 c. à soupe) d'huile végétale
900 g	(2 livres) de pointe de surlonge, coupée en languettes
1	oignon haché
2	gousses d'ail, écrasées et hachées
1 ml	(¼ c. à thé) d'origan
1	courgette, coupée en lanières
16	tomates naines, coupées en deux
250 ml	(1 tasse) de sauce brune chaude
375 ml	(1 ½ tasse) de sauce tomate chaude
125 ml	(½ tasse) de fromage parmesan râpé
4	portions de spaghetti cuits
	sel et poivre

Faire chauffer l'huile dans une grande poêle à frire. Ajouter la viande et faire cuire 1 minute ½ de chaque côté. Saler, poivrer. On peut faire cuire la viande en deux étapes.

Retirer la viande et garder de côté.

Mettre les oignons et l'ail dans la poêle; couvrir et cuire 2 minutes à feu moyen.

Ajouter l'origan, les courgettes et les tomates; faire cuire 3 à 4 minutes.

Incorporer la sauce brune et la sauce tomate; remuer et assaisonner au goût. Continuer la cuisson 3 à 4 minutes à feu moyen-doux.

Remettre la viande dans la sauce et réchauffer pendant quelques minutes.

Verser le mélange de bœuf dans un grand plat de service. Parsemer de la moité du fromage râpé. Garnir de spaghetti et bien mêler. Parsemer du reste de fromage. Servir immédiatement.

1 PORTION	687 CALORIES	46 g GLUCIDES
56 g PROTÉINES	31 g LIPIDES	1,0 g FIBRES

Rôti de bœuf et pommes de terre *(pour 4 à 6 personnes)*

30 ml	(2 c. à soupe) d'huile végétale
1,8 kg	(4 livres) de rôti de croupe désossé
8	petites pommes de terre, pelées
1	gousse d'ail, écrasée et hachée
375 ml	(1 ½ tasse) de bouillon de bœuf chaud
15 ml	(1 c. à soupe) de fécule de maïs
30 ml	(2 c. à soupe) d'eau froide
	sel et poivre

Préchauffer le four à 200°C (400°F).
Temps de cuisson: 12 à 15 minutes par 500 g (1 livre).

Faire chauffer l'huile dans un grand plat à rôtir à feu moyen-vif. Ajouter le rôti; saisir 6 à 7 minutes. Retourner le rôti pour bien le saisir de tous les côtés. Saler, poivrer.

Mettre au four et continuer la cuisson pendant 50 minutes ou selon la cuisson désirée. Arroser de temps à autre.

10 minutes avant la fin de la cuisson du rôti, mettre les pommes de terre et l'ail dans le plat à rôtir. Terminer la cuisson.

Dès que le rôti est cuit, dresser dans un plat de service et entourer de petites pommes de terre cuites. Tenir au chaud dans le four à 70°C (150°F).

Placer le plat à rôtir sur l'élément à feu vif. Verser le bouillon de bœuf et faire cuire 2 à 3 minutes.

Délayer la fécule de maïs dans l'eau froide. Incorporer à la sauce. Faire cuire 2 minutes à feu moyen.

Servir la sauce avec le rôti et les légumes.

1 PORTION	655 CALORIES	16 g GLUCIDES
78 g PROTÉINES	31 g LIPIDES	0,4 g FIBRES

Bœuf et légumes au saké *(pour 4 personnes)*

30 ml	(2 c. à soupe) d'huile végétale
750 g	(1 ½ livre) de filet de bœuf, en languettes
375 ml	(1 ½ tasse) de cosses de pois
125 g	(¼ livre) de champignons frais, nettoyés et émincés
1	petite courgette, coupée en deux et émincée
4	oignons verts, coupés en petits bâtonnets
1	gousse d'ail, écrasée et hachée
15 ml	(1 c. à soupe) de gingembre frais haché
50 ml	(¼ tasse) de saké
15 ml	(1 c. à soupe) de sauce soya
375 ml	(1 ½ tasse) de bouillon de bœuf chaud
15 ml	(1 c. à soupe) de fécule de maïs
30 ml	(2 c. à soupe) d'eau froide
12	tomates naines, coupées en deux sel et poivre

Faire chauffer l'huile dans un wok ou une poêle. Saisir la viande 1 minute ½ de chaque côté à feu vif. Assaisonner.

Retirer la viande. Mettre de côté.

Mettre les cosses de pois, les champignons, les courgettes, les oignons et l'ail dans le wok. Saler, poivrer; faire sauter 3 à 4 minutes à feu vif.

Ajouter le gingembre et le saké; cuire 2 minutes.

Incorporer le soya; continuer la cuisson 1 minute.

Incorporer le bouillon de bœuf; faire chauffer 1 minute.

Délayer la fécule de maïs dans l'eau froide. Incorporer à la sauce et laisser mijoter 1 minute.

Mettre la viande et les tomates dans la sauce; remuer et faire cuire 1 minute. Rectifier l'assaisonnement. Servir.

1 PORTION	419 CALORIES	11 g GLUCIDES
42 g PROTÉINES	23 g LIPIDES	0 g FIBRES

Bœuf au citron *(pour 4 personnes)*

30 ml	(2 c. à soupe) d'huile végétale
750 g	(1 ½ livre) de surlonge, en lanières
30 ml	(2 c. à soupe) d'échalotes hachées
50 ml	(¼ tasse) de jus de citron
15 ml	(1 c. à soupe) de menthe fraîche hachée
125 g	(¼ livre) de têtes de champignons, nettoyées
¼	de concombre, émincé
1	piment rouge, émincé
30 ml	(2 c. à soupe) de zeste de citron haché
300 ml	(1 ¼ tasse) de bouillon de bœuf chaud
45 ml	(3 c. à soupe) de yogourt nature
15 ml	(1 c. à soupe) de fécule de maïs
30 ml	(2 c. à soupe) d'eau froide
375 ml	(1 ½ tasse) de boules de melon
	sel et poivre

Faire chauffer l'huile dans une poêle. Ajouter la viande; faire saisir 2 minutes à feu vif.

Retourner et assaisonner la viande; continuer la cuisson 2 minutes. Retirer la viande. Mettre de côté.

Faire sauter les échalotes 1 minute dans la poêle.

Incorporer le jus de citron; chauffer 2 minutes à feu vif.

Ajouter la menthe, les champignons, les concombres, les piments et le zeste; bien mêler. Faire cuire 3 minutes. Assaisonner.

Incorporer le bouillon de bœuf et amener à ébullition; cuire 2 minutes.

Incorporer le yogourt et rectifier l'assaisonnement. Faire cuire 2 à 3 minutes à feu moyen.

Délayer la fécule de maïs dans l'eau froide. Incorporer à la sauce; laisser mijoter 1 minute.

Mettre le melon et la viande dans la sauce; faire cuire 1 minute pour réchauffer.

Bien remuer et servir.

1 PORTION	372 CALORIES	14 g GLUCIDES
43 g PROTÉINES	16 g LIPIDES	1,3 g FIBRES

Filet aux olives   *(pour 4 personnes)*

15 ml	(1 c. à soupe) d'huile végétale
4	filets mignons, de 227 g (8 oz)
125 ml	(½ tasse) d'olives vertes farcies, émincées
125 ml	(½ tasse) d'olives noires dénoyautées, émincées
50 ml	(¼ tasse) d'amandes effilées, blanchies
50 ml	(¼ tasse) de vin blanc sec
375 ml	(1 ½ tasse) de bouillon de bœuf chaud
15 ml	(1 c. à soupe) de fécule de maïs
30 ml	(2 c. à soupe) d'eau froide
	quelques gouttes de sauce Tabasco
	quelques gouttes de sauce Worcestershire
	une pincée de gingembre
	sel et poivre

Préchauffer le four à 70°C (150°F).

Faire chauffer l'huile dans une poêle. Ajouter les filets; faire saisir 2 minutes à feu moyen-vif.

Retourner et assaisonner les filets; continuer la cuisson 6 minutes. Retourner 3 fois durant la cuisson.

Retirer les filets. Tenir au chaud dans le four.

Faire cuire les olives et les amandes 2 minutes, dans la poêle, à feu moyen.

Incorporer le vin; faire cuire 2 minutes à feu moyen-vif.

Incorporer le bouillon de bœuf, le Tabasco, la sauce Worcestershire et les épices; amener à ébullition.

Délayer la fécule de maïs dans l'eau froide. Incorporer à la sauce; faire chauffer 2 minutes à feu moyen.

Rectifier l'assaisonnement. Verser sur les filets. Servir avec des pois mange-tout.

1 PORTION	563 CALORIES	8 g GLUCIDES
45 g PROTÉINES	39 g LIPIDES	0,3 g FIBRES

Filets mignons
au beurre d'anchois   *(pour 4 personnes)*

15 ml	(1 c. à soupe) d'huile végétale
4	filets mignons, de 227 g (8 oz)
1	recette de beurre d'anchois*
	sel et poivre

Faire chauffer l'huile dans une poêle. Ajouter les filets; faire saisir 2 minutes à feu moyen-vif.

Retourner et assaisonner les filets; continuer la cuisson 6 minutes. Retourner les filets 3 fois durant la cuisson.

Étendre le beurre d'anchois sur les filets; faire griller au four 1 minute.

Servir avec des légumes.

* Voir Beurre d'anchois, page 330.

1 PORTION	851 CALORIES	0 g GLUCIDES
44 g PROTÉINES	75 g LIPIDES	0 g FIBRES

TECHNIQUE: BEURRE D'ANCHOIS

1 Égoutter les anchois et les assécher avec du papier essuie-tout. Mettre les filets dans un mortier.

2 Écraser les filets avec un pilon.

3 Ajouter le beurre et bien malaxer avec une cuiller. Passer à travers une fine passoire à l'aide d'un pilon.

4 Ajouter la ciboulette et le jus de citron. Poivrer. Bien incorporer. Réfrigérer jusqu'au moment d'utiliser.

Beurre d'anchois

4	filets d'anchois
250 g	(½ livre) de beurre doux, mou
5 ml	(1 c. à thé) de ciboulette hachée
1 ml	(¼ c. à thé) de jus de citron
	poivre fraîchement moulu

Égoutter et assécher les anchois avec un papier essuie-tout. Mettre les filets dans un mortier et les écraser avec un pilon.

Ajouter le beurre et bien malaxer avec une cuiller.

Passer le mélange à travers une fine passoire à l'aide d'un pilon.

Ajouter la ciboulette et le jus de citron. Poivrer. Bien incorporer. Réfrigérer jusqu'au moment d'utiliser.

Ce beurre accompagne bien les viandes grillées.

1 PORTION	117 CALORIES	0 g GLUCIDES
0 g PROTÉINES	13 g LIPIDES	0 g FIBRES

Sauce aux pommes *(pour 4 personnes)*

900 g	(2 livres) de pommes à cuire, pelées et coupées en tranches épaisses
30 ml	(2 c. à soupe) de jus de citron
50 ml	(¼ tasse) de sucre
125 ml	(¼ tasse) d'eau
1 ml	(¼ c. à thé) de muscade
5 ml	(1 c. à thé) de cannelle
	une pincée de clou moulu
	une pincée de gingembre moulu
	une pincée de zeste de citron

Mettre les pommes, le jus de citron, le sucre et l'eau dans une casserole.

Ajouter les épices et le zeste de citron; bien mélanger. Couvrir et cuire 8 à 10 minutes à feu moyen. Remuer de temps à autre.

Verser la sauce aux pommes dans un robot culinaire; bien mélanger pour obtenir une sauce lisse.

Transférer dans un bol et laisser refroidir.

Couvrir et réfrigérer 2 à 3 heures avant de servir.

1 PORTION	189 CALORIES	45 g GLUCIDES
0 g PROTÉINES	1 g LIPIDES	1,0 g FIBRES

Rôti de croupe à la bière *(pour 4 à 6 personnes)*

30 ml	(2 c. à soupe) de gras de bacon
1,8 kg	(4 livres) de rôti de croupe
1	oignon, coupé en dés
1	branche de céleri, coupée en dés
1	carotte, coupée en dés
1 ml	(¼ c. à thé) de thym
2 ml	(½ c. à thé) de cerfeuil
2 ml	(½ c. à thé) de basilic
30 ml	(2 c. à soupe) de farine
300 ml	(1 ¼ tasse) de bière
250 ml	(1 tasse) de bouillon de bœuf chaud
	quelques piments rouges broyés
	une branche de menthe fraîche
	sel et poivre

Préchauffer le four à 180°C (350°F).

Faire chauffer 15 ml (1 c. à soupe) de gras de bacon dans une grande casserole à fond épais. Ajouter le rôti et saisir 6 à 7 minutes à feu moyen-vif.

Retourner le rôti pour bien brunir tous les côtés. Saler, poivrer.

Retirer le rôti et le mettre de côté.

Mettre le reste du gras dans la casserole et faire chauffer. Ajouter les oignons, le céleri, les carottes et les épices; faire cuire 6 à 7 minutes à feu moyen. Remuer de temps à autre.

Ajouter la farine; continuer la cuisson 2 à 3 minutes à feu moyen-vif.

Incorporer la bière; laisser cuire 3 à 4 minutes à feu vif.

Incorporer le bouillon de bœuf. Assaisonner au goût et amener à ébullition.

Remettre le rôti dans la casserole et ajouter la menthe. Couvrir et faire cuire 2 h ½ au four.

Trancher le rôti et servir.

Note: Si vous désirez une sauce très épaisse, délayer un peu de fécule de maïs dans l'eau froide. Retirer le rôti. Verser dans la sauce et laisser épaissir quelques minutes.

Tournedos aux concombres *(pour 4 personnes)*

15 ml	(1 c. à soupe) d'huile végétale
4	tournedos, de 3 cm (1 ¼ po) d'épaisseur
30 ml	(2 c. à soupe) de cognac Courvoisier
1	concombre, pelé, épépiné et coupé en tranches de 1,2 cm (½ po) d'épaisseur
½	piment rouge, en gros dés
1	piment jaune, en gros dés
2	oignons verts, émincés
125 ml	(½ tasse) de sauce brune légère, chaude
30 ml	(2 c. à soupe) de yogourt nature
	sel et poivre

Faire chauffer l'huile dans une poêle. Ajouter les tournedos; faire cuire 3 minutes à feu moyen-vif.

Retourner et saler, poivrer les tournedos; continuer la cuisson 3 minutes ou selon le goût.

Ajouter le cognac et flamber. Continuer la cuisson 1 minute.

Retirer la viande et mettre de côté.

Mettre les concombres, les piments et les oignons dans la poêle. Assaisonner et faire cuire 2 à 3 minutes à feu vif.

Incorporer la sauce brune; faire chauffer 1 minute.

Incorporer le yogourt et remettre le bœuf dans la sauce; laisser mijoter 1 à 2 minutes à feu doux. Servir.

1 PORTION	353 CALORIES	5 g GLUCIDES
45 g PROTÉINES	17 g LIPIDES	0,6 g FIBRES

Pain de viande *(pour 4 à 6 personnes)*

15 ml	(1 c. à soupe) d'huile végétale
250 ml	(1 tasse) d'oignons hachés
1	gousse d'ail, écrasée et hachée
750 g	(1 ½ livre) de bœuf maigre haché
15 ml	(1 c. à soupe) de persil frais haché
4	tranches de pain blanc, sans croûte, trempées dans 50 ml (¼ tasse) de lait
2 ml	(½ c. à thé) de basilic
1 ml	(¼ c. à thé) de thym
1 ml	(¼ c. à thé) de cerfeuil
2	œufs
	une pincée de clou
	sel et poivre

Préchauffer le four à 180°C (350°F).

Faire chauffer l'huile dans une poêle à frire. Ajouter les oignons et l'ail; faire cuire 3 à 4 minutes à feu moyen.

Retirer et mettre les oignons dans un grand bol. Ajouter la viande et le reste des ingrédients; bien malaxer avec les mains.

Verser le mélange dans un moule de 20 × 10 × 5 cm (8 × 4 × 2 po). Faire cuire 1 h ¼ au four.

15 minutes avant la fin de la cuisson, faire chauffer les ingrédients suivants dans une petite casserole:

45 ml	(3 c. à soupe) de ketchup
5 ml	(1 c. à thé) de cassonade
2 ml	(½ c. à thé) de moutarde sèche

Verser sur le pain de viande et terminer la cuisson.

Côtelettes de porc
à la sauce Roberto   *(pour 4 personnes)*

15 ml	(1 c. à soupe) d'huile végétale
4	côtelettes de porc, de 2 cm (¾ po) d'épaisseur, désossées et dégraissées
	sel et poivre
	sauce Roberto*
	carottes frites**

Préchauffer le four à 70°C (150°F).

Faire chauffer l'huile dans une poêle à frire. Ajouter les côtelettes de porc et faire cuire 3 minutes à feu moyen.

Saler, poivrer et retourner les côtelettes. Continuer la cuisson pendant 3 minutes à feu moyen.

Retourner les côtelettes de nouveau; laisser cuire 1 minute à feu doux ou selon la cuisson désirée. Garder chaud au four.

Préparer les carottes frites et les servir avec les côtelettes de porc. Si désiré, accompagner de brocoli. Napper de sauce Roberto.

* Voir Sauce Roberto, page 336.
** Voir Carottes frites, page 339.

1 PORTION	358 CALORIES	3 g GLUCIDES
19 g PROTÉINES	30 g LIPIDES	0 g FIBRES

Sauce Roberto

15 ml	(1 c. à soupe) de beurre
2	échalotes sèches, hachées
1	gousse d'ail, écrasée et hachée
15 ml	(1 c. à soupe) de persil frais haché
2 ml	(½ c. à thé) d'estragon
50 ml	(¼ tasse) de vinaigre de vin
125 ml	(½ tasse)de vin blanc sec
500 ml	(2 tasses) de sauce brune, chaude*
1	feuille de laurier
2	cornichons, émincés
15 ml	(1 c. à soupe) de moutarde de Dijon
	sel et poivre du moulin

Faire chauffer le beurre dans une casserole. Ajouter les échalotes et l'ail; faire cuire 2 minutes à feu moyen.

Ajouter le persil et l'estragon; remuer et faire cuire 1 minute.

Incorporer le vinaigre et le vin; remuer et cuire 6 minutes à feu vif.

Incorporer la sauce brune et assaisonner généreusement. Ajouter la feuille de laurier. Amener à ébullition. Laisser mijoter 10 à 12 minutes à feu doux.

Ajouter les cornichons et la moutarde**; remuer et servir.

* Voir Sauce brune, page 355.
** Ne pas ajouter de moutarde si on a l'intention de réchauffer la sauce.

1 PORTION	66 CALORIES	3 g GLUCIDES
0 g PROTÉINES	6 g LIPIDES	0 g FIBRES

Saucisses à la choucroute *(pour 4 personnes)*

1	tranche de bacon, coupée en dés
1	petit oignon, coupé en dés
2	paquets de 540 ml (19 oz) de choucroute, égouttée
1	clou de girofle
50 ml	(¼ tasse) de vin blanc sec
250 ml	(1 tasse) d'eau froide
1	feuille de laurier
8	saucisses knackwurst
	poivre du moulin

Préchauffer le four à 180°C (350°F).

Faire cuire le bacon, de 2 à 3 minutes, dans une casserole allant au four.

Ajouter les oignons; couvrir et continuer la cuisson à feu doux pendant 6 minutes.

Ajouter la choucroute et bien remuer. Poivrer généreusement et ajouter le clou de girofle.

Incorporer le vin, l'eau et la feuille de laurier. Assaisonner au goût et amener à ébullition. Couvrir et faire cuire 2 heures au four. À l'aide d'un petit couteau de cuisine, couper la peau des saucisses sur le biais. Cette technique empêchera les saucisses de fendre pendant la cuisson.

8 minutes avant que la choucroute soit prête, placer les saucisses dans la casserole.

Servir.

Côtelettes de porc charcutière *(pour 4 personnes)*

15 ml	(1 c. à soupe) d'huile végétale
4	côtelettes de porc, de 2 cm (¾ po) d'épaisseur, désossées et dégraissées
	sel et poivre
	sauce charcutière*

Faire chauffer l'huile dans une poêle à frire. Ajouter les côtelettes de porc et faire cuire 3 minutes à feu moyen.

Saler, poivrer et retourner les côtelettes. Continuer la cuisson pendant 3 minutes à feu moyen.

Retourner les côtelettes de nouveau; faire cuire 1 minute ou selon la cuisson désirée.

Servir les côtelettes avec la sauce charcutière et des légumes.

* Voir Sauce charcutière, page 339.

1 PORTION	463 CALORIES	3 g GLUCIDES
25 g PROTÉINES	39 g LIPIDES	0,2 g FIBRES

Sauce charcutière

15 ml	(1 c. à soupe) de beurre
2	échalotes sèches, finement hachées
15 ml	(1 c. à soupe) de persil frais haché
50 ml	(¼ tasse) de vinaigre de vin
50 ml	(¼ tasse) de vin blanc sec
5 ml	(1 c. à thé) d'estragon frais haché
375 ml	(1 ½ tasse) de sauce brune, chaude*
3	cornichons, émincés
	sel et poivre

Faire chauffer le beurre dans une casserole. Ajouter les échalotes; faire cuire 2 à 3 minutes à feu moyen.

Ajouter le persil; saler, poivrer. Incorporer le vinaigre et le vin; parsemer d'estragon. Remuer et faire cuire 6 à 7 minutes à feu vif.

Ajouter la sauce brune et bien remuer; laisser mijoter 8 à 9 minutes à feu très doux.

2 minutes avant la fin de la cuisson, incorporer les cornichons.

* Voir Sauce brune, page 355.

1 PORTION	61 CALORIES	3 g GLUCIDES
1 g PROTÉINES	5 g LIPIDES	0,2 g FIBRES

Carottes frites *(pour 4 personnes)*

4	grosses carottes, pelées et coupées en bâtonnets de 5 cm (2 po)
2	œufs battus
250 ml	(1 tasse) de chapelure
	une pincée de paprika
	sel et poivre

Huile d'arachide dans une friteuse préchauffée à 160°C (325°F).

Tremper les carottes dans les œufs battus. Saler, poivrer généreusement.

Retirer les carottes et les rouler dans la chapelure. Bien enrober les carottes de chapelure.

Plonger les carottes dans l'huile chaude pendant 4 minutes.

Égoutter sur du papier essuie-mains. Servir immédiatement.

1 PORTION	240 CALORIES	26 g GLUCIDES
7 g PROTÉINES	12 g LIPIDES	1,1 g FIBRES

Côtelettes de porc papillon *(pour 4 personnes)*

15 ml	(1 c. à soupe) d'huile végétale
4	côtelettes de porc papillon
30 ml	(2 c. à soupe) de beurre
2	oignons, émincés
15 ml	(1 c. à soupe) de piment rouge mariné, finement haché
250 ml	(1 tasse) de sauce aux prunes
	sel et poivre

Préchauffer le four à 70°C (150°F).

Huiler une poêle à frire ou une grille en téflon. Placer sur l'élément de la cuisinière et faire chauffer. Ajouter 2 côtelettes de porc; faire cuire 3 minutes à feu moyen.

Saler, poivrer et retourner la viande. Continuer la cuisson pendant 3 minutes.

Retourner la viande de nouveau. Continuer la cuisson 2 à 3 minutes à feu très doux ou selon la cuisson désirée. Garder chaud au four.

Répéter le même procédé pour le reste de la viande.

Faire chauffer le beurre dans une poêle à frire. Ajouter les oignons et faire cuire 7 à 9 minutes à feu moyen. Remuer de temps à autre.

Ajouter les piments rouges hachés; faire cuire 1 minute.

Saler, poivrer et ajouter la sauce aux prunes; continuer la cuisson pendant 2 minutes.

Servir les oignons avec le porc et des pommes de terre frites.

1 PORTION	564 CALORIES	26 g GLUCIDES
25 g PROTÉINES	40 g LIPIDES	0,3 g FIBRES

Porc et légumes sur brochettes *(pour 4 personnes)*

750 g	(1 ½ livre) de porc dans la longe, coupé en cubes de 2,5 cm (1 po)
1 ½	piment vert, coupé en gros morceaux
2	petits oignons, coupés en morceaux
8	pommes sauvages épicées (en conserve)
12	têtes de champignons
45 ml	(3 c. à soupe) de beurre à l'ail fondu
30 ml	(2 c. à soupe) de sauce soya
	sel et poivre

Sur 4 brochettes, enfiler en alternant: porc, légumes et pommes épicées.

Mélanger le beurre à l'ail et la sauce soya. Badigeonner les brochettes avec le mélange. Saler, poivrer généreusement.

Placer à 10 cm (4 po) sous le gril (broil) pendant 10 minutes. Badigeonner de temps à autre et tourner les brochettes toutes les 3 minutes.

Servir sur du riz.

Bâtonnets de porc frits   *(pour 4 personnes)*

900 g	(2 livres) de longe de porc, coupée en languettes épaisses
250 ml	(1 tasse) de farine assaisonnée
2	œufs battus
5 ml	(1 c. à thé) d'huile végétale
	sauce aux prunes

Huile d'arachide pour la friture, préchauffée à 180°C (350°F).

Enrober les morceaux de porc de farine.

Placer les œufs battus dans un grand bol. Ajouter l'huile et bien mélanger.

Tremper la moitié du porc dans les œufs battus, retirer et mettre de côté. Répéter la même opération pour le reste de la viande.

Plonger les languettes de porc dans l'huile chaude 4 à 5 minutes. La viande est cuite lorsqu'elle a perdu sa couleur rosée à la cuisson.

Si désiré, servir avec une sauce aux prunes et des pommes de terre.

1 PORTION	827 CALORIES	21 g GLUCIDES
44 g PROTÉINES	63 g LIPIDES	0 g FIBRES

Sauce blanche légère

60 ml	(4 c. à soupe) de beurre
70 ml	(4½ c. à soupe) de farine
750 ml	(3 tasses) de lait chaud
50 ml	(¼ tasse) de crème légère, chaude
1	petit oignon, piqué d'un clou de girofle
1 ml	(½ c. à thé) de muscade
	sel et poivre blanc

Faire chauffer le beurre dans une casserole. Ajouter la farine; mélanger et faire cuire 1 minute à feu doux. Ne pas laisser brûler la farine.

Incorporer la moitié du lait et remuer. Ajouter le reste du lait et bien incorporer au fouet.

Ajouter la crème et le reste des ingrédients. Saler, poivrer et amener à ébullition. Laisser mijoter 12 minutes à feu doux. Remuer de temps à autre.

Cette sauce, recouverte d'un papier ciré, se conservera jusqu'à 1 semaine au réfrigérateur.

1 PORTION	82 CALORIES	5 g GLUCIDES
2 g PROTÉINES	6 g LIPIDES	0 g FIBRES

Purée de patates sucrées   *(pour 4 personnes)*

3	patates sucrées
3	grosses carottes, pelées
125 ml	(½ tasse) de crème légère
15 ml	(1 c. à soupe) de beurre
	une pincée de muscade
	sel et poivre

Préchauffer le four à 190°C (375°F).

Faire cuire les patates sucrées au four.

Entre-temps, faire cuire les carottes dans l'eau bouillante salée.

Mettre la chair des patates sucrées et les carottes dans un robot culinaire. Mettre en purée.

Incorporer la crème et le beurre; bien mélanger pour incorporer les ingrédients.

Ajouter la muscade et assaisonner généreusement. Mélanger de nouveau pendant 5 secondes.

Servir comme légume ou comme garniture.

1 PORTION	216 CALORIES	33 g GLUCIDES
3 g PROTÉINES	8 g LIPIDES	1,3 g FIBRES

Côtelettes de porc aux pommes   *(pour 4 personnes)*

15 ml	(1 c. à soupe) d'huile végétale
4	côtelettes de porc, avec l'os, de 2,5 cm (1 po) d'épaisseur, dégraissées
2	pommes, évidées, pelées et émincées
15 ml	(1 c. à soupe) de beurre
5 ml	(1 c. à thé) de persil frais haché
50 ml	(¼ tasse) de vin blanc sec
250 ml	(1 tasse) de sauce brune chaude*
	quelques gouttes de jus de citron
	sel et poivre

Préchauffer le four à 70°C (150°F).

Faire chauffer l'huile dans une poêle à frire. Ajouter les côtelettes et faire cuire 3 minutes à feu moyen.

Saler, poivrer et retourner les côtelettes. Continuer la cuisson pendant 3 minutes à feu moyen.

Retourner les côtelettes de nouveau. Faire cuire 2 à 3 minutes à feu doux ou selon la cuisson désirée. Tenir chaud au four.

Mettre les pommes dans un bol et les arroser de jus de citron.

Faire chauffer le beurre dans une poêle à frire et ajouter le persil et les pommes. Faire sauter 2 minutes à feu moyen.

Incorporer le vin et continuer la cuisson 3 à 4 minutes à feu vif.

Ajouter la sauce brune; faire cuire 3 à 4 minutes à feu doux. Saler, poivrer.

Verser la sauce et les pommes sur les côtelettes. Servir avec des petits oignons et des têtes de violon.

* Voir Sauce brune, page 355.

1 PORTION	514 CALORIES	10 g GLUCIDES
24 g PROTÉINES	42 g LIPIDES	0,8 g FIBRES

TECHNIQUE: DÉSOSSER UNE LONGE

1 Placer la longe de porc la partie grasse contre la planche à découper.

2 Commencer par retirer le filet en découpant le long de l'os.

3 Continuer de découper jusqu'à ce que le filet se sépare de l'os.

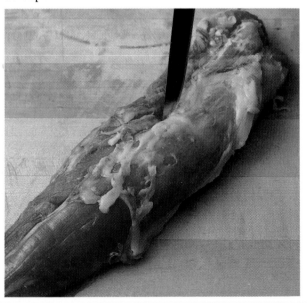

4 Dégraisser le filet. Utiliser cette coupe dans les recettes pour rôtissage.

Voir page suivante.

5 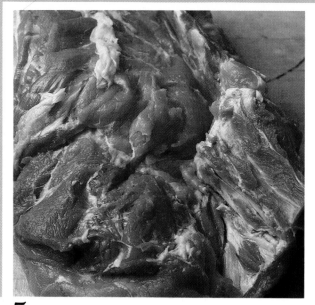 Couper la longe en deux. Utiliser la partie dégagée du filet, en rôti.

6 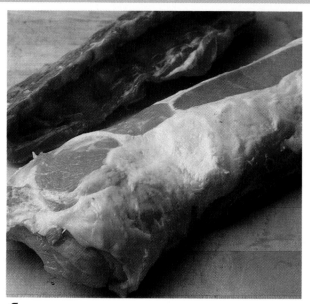 Désosser l'autre moitié et retirer la plupart du gras.

7  Attacher le rôti avec une ficelle de cuisine. Conserver l'os pour la cuisson.

8 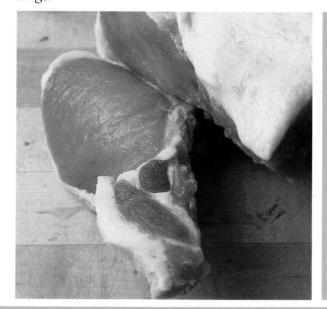 Commencer à séparer les côtelettes avec un couteau et finir en utilisant un couperet pour couper l'os.
La taille dépendra de la grosseur originale de la longe.

9 Couper une tranche de 3 cm (1¼ po) d'épaisseur de la longe désossée. Diviser la tranche de porc en deux en prenant soin de ne pas la couper complètement. Cette coupe donne une côtelette papillon.

10 Les côtelettes désossées ont normalement 2 cm (¾ po) d'épaisseur.

11 Les côtelettes minute ont environ 0,65 cm (¼ po) d'épaisseur. Elles doivent être complètement dégraissées.

12 Pour obtenir des escalopes: placer la côtelette minute entre 2 feuilles de papier ciré. Aplatir à l'aide d'un maillet.

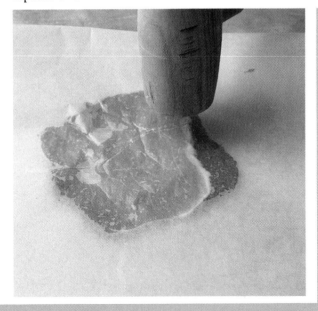

Voir page suivante.

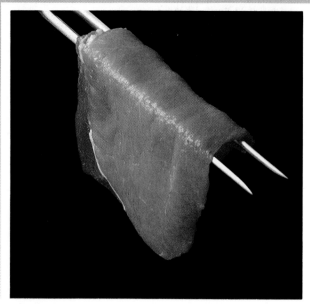

13 L'escalope de porc est très mince et demande peu de temps de cuisson.

14 N'importe quelle partie de la longe, coupée en cubes, peut être utilisée pour les brochettes.

15 Les côtelettes minute sont idéales pour les coupes en biais utilisées dans les plats sautés et les recettes rapides.

16 Toutes ces coupes proviennent de la longe de porc que vous pouvez apprendre à découper vous-même à la maison. Si vous préférez, votre boucher peut vous offrir des coupes désossées et prêtes à cuire.

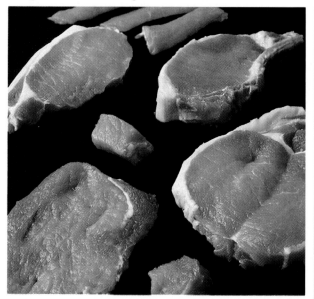

Porc Alfredo   *(pour 4 personnes)*

45 ml	(3 c. à soupe) de beurre
750 g	(1½ livre) de côtelettes de porc, coupées en biais
1	échalote sèche, finement hachée
250 g	(½ livre) de champignons frais, nettoyés et émincés
625 ml	(2½ tasses) de sauce blanche légère, chaude
1 ml	(¼ c. à thé) de muscade
4	petites portions de fettucini aux épinards, cuites
60 ml	(4 c. à soupe) de fromage parmesan râpé
	poivrons rouges marinés, finement hachés (facultatif)
	sel et poivre

Faire chauffer 30 ml (2 c. à soupe) de beurre dans une poêle à frire. Ajouter le porc et faire cuire 2 minutes à feu moyen.

Saler, poivrer et retourner la viande. Continuer la cuisson pendant 2 minutes. Retirer et mettre de côté.

Faire chauffer le reste du beurre dans la poêle à frire. Ajouter les échalotes et les champignons; faire cuire 4 à 5 minutes à feu moyen.

Incorporer la sauce blanche et saupoudrer de muscade. Bien remuer et faire cuire 2 à 3 minutes à feu moyen.

Ajouter les fettucini; remuer et faire cuire 2 à 3 minutes.

Remettre le porc dans la poêle et laisser mijoter quelques minutes pour réchauffer. Parsemer de fromage et de poivrons. Servir.

1 PORTION	840 CALORIES	32 g GLUCIDES
43 g PROTÉINES	60 g LIPIDES	0,6 g FIBRES

Émincé de porc Fiesta   *(pour 4 personnes)*

30 ml	(2 c. à soupe) d'huile végétale
750 g	(1 ½ livre) de longe de porc, coupée en lanières de 0,65 cm (¼ po) d'épaisseur
1	gousse d'ail, écrasée et hachée
15 ml	(1 c. à soupe) de beurre
250 g	(½ livre) de champignons frais, nettoyés et émincés
500 ml	(2 tasses) de sauce tomate chaude
½	piment vert, émincé
	sel et poivre

Faire chauffer l'huile dans une poêle à frire. Ajouter le porc et faire cuire 2 minutes à feu moyen-vif.

Saler, poivrer et retourner la viande; continuer la cuisson pendant 2 minutes.

Ajouter l'ail et faire cuire 1 minute. Retirer la viande et la mettre de côté.

Faire chauffer le beurre dans la poêle à frire. Ajouter les champignons; saler, poivrer et faire cuire 4 à 5 minutes. Remuer de temps à autre.

Ajouter la sauce tomate et les piments verts. Amener à ébullition et cuire 2 minutes.

Remettre la viande dans la poêle et laisser mijoter quelques minutes pour réchauffer.

Si désiré, servir sur des pâtes.

1 PORTION	579 CALORIES	13 g GLUCIDES
35 g PROTÉINES	43 g LIPIDES	1,1 g FIBRES

Porc et légumes sautés   *(pour 4 personnes)*

45 ml	(3 c. à soupe) d'huile végétale
900 g	(2 livres) de côtelettes de porc, coupées en biais
30 ml	(2 c. à soupe) de sauce soya
20	champignons frais, nettoyés et émincés
20	petits oignons blancs cuits
500 ml	(2 tasses) de fleurettes de brocoli, blanchies
125 ml	(½ tasse) de quartiers de mandarines
500 ml	(2 tasses) de sauce brune chaude*
45 ml	(3 c. à soupe) de sauce aux prunes
	sel et poivre

Faire chauffer 15 ml (1 c. à soupe) d'huile dans une poêle à frire. Ajouter la moitié de la viande et faire cuire 2 minutes à feu moyen-vif.

Saler, poivrer et retourner la viande. Arroser de la moitié de la sauce soya. Continuer la cuisson pendant 2 minutes. Retirer et mettre de côté.

Répéter le même procédé pour le reste de la viande.

Faire chauffer le reste de l'huile dans la poêle à frire. Ajouter les champignons, les oignons et le brocoli; faire cuire 3 minutes en remuant de temps à autre.

Ajouter les mandarines; faire cuire 1 minute.

Incorporer la sauce brune et la sauce aux prunes; bien remuer. Faire cuire 3 minutes à feu doux.

Remettre le porc dans la poêle à frire et laisser mijoter quelques minutes pour réchauffer.

Servir sur des spaghetti.

* Voir Sauce brune, page 355.

1 PORTION	604 CALORIES	19 g GLUCIDES
43 g PROTÉINES	64 g LIPIDES	2 g FIBRES

Tranches de longe de porc au cari *(pour 4 personnes)*

30 ml	(2 c. à soupe) d'huile végétale
750 g	(1½ livre) de longe de porc, coupée en lanières de 0,65 cm (¼ po) d'épaisseur
1	gros oignon, émincé
25 ml	(1½ c. à soupe) de poudre de cari
375 ml	(1½ tasse) de bouillon de poulet chaud
15 ml	(1 c. à soupe) de fécule de maïs
30 ml	(2 c. à soupe) d'eau froide
	sel et poivre

Faire chauffer l'huile dans une poêle à frire. Ajouter la viande et faire cuire 2 minutes à feu moyen-vif.

Saler, poivrer et retourner la viande. Continuer la cuisson pendant 2 minutes. Retirer la viande et mettre de côté.

Si nécessaire, ajouter un peu d'huile dans la poêle et faire chauffer. Ajouter les oignons et faire cuire 4 à 5 minutes à feu moyen. Remuer de temps à autre.

Incorporer la poudre de cari et continuer la cuisson 2 à 3 minutes. Assaisonner au goût.

Incorporer le bouillon de poulet et amener à ébullition. Saler, poivrer et faire cuire 8 à 10 minutes à feu doux.

Délayer la fécule de maïs dans l'eau froide. Incorporer à la sauce. Remettre le porc dans la sauce et laisser mijoter quelques minutes pour réchauffer.

Servir avec la Purée de patates sucrées, page 343.

1 PORTION	531 CALORIES	4 g GLUCIDES
32 g PROTÉINES	43 g LIPIDES	0,2 g FIBRES

Côtelettes de porc panées   *(pour 4 personnes)*

4	côtelettes de porc minute
250 ml	(1 tasse) de farine
2	œufs battus
250 ml	(1 tasse) de chapelure
45 ml	(3 c. à soupe) d'huile végétale
4	portions de spaghetti cuits
50 ml	(¼ tasse) de fromage parmesan râpé
	sel et poivre
	sauce à spaghetti, chaude

Saler, poivrer les côtelettes de porc et enfariner. Secouer le surplus de farine.

Tremper les côtelettes dans les œufs battus et les enrober de chapelure.

Faire chauffer la moitié de l'huile dans une poêle à frire. Ajouter la moitié de la viande; faire cuire 3 minutes à feu moyen.

Retourner la viande et continuer la cuisson pendant 3 minutes. Retirer de la poêle et mettre de côté.

Répéter le même procédé pour le reste de la viande.

Disposer les côtelettes cuites dans un plat de service garni de spaghetti. Saupoudrer de fromage. Servir avec une sauce à spaghetti.

Côtelettes de porc à la parisienne *(pour 4 personnes)*

5	grosses carottes, pelées
4	grosses pommes de terre, pelées
175 ml	(¾ tasse) de petits oignons
30 ml	(2 c. à soupe) de beurre
15 ml	(1 c. à soupe) d'huile végétale
8	côtelettes de porc minute, dégraissées
250 g	(½ livre) de champignons frais, nettoyés et coupés en quartiers
5 ml	(1 c. à thé) de ciboulette hachée
250 ml	(1 tasse) de sauce brune chaude*
1 ml	(¼ c. à thé) de basilic
	sel et poivre

Préchauffer le four à 70°C (150°F).

À l'aide d'une cuiller à pommes de terre, couper des boules dans les carottes et les pommes de terre.

Verser de l'eau dans une casserole. Saler et amener à ébullition. Ajouter les boules de carottes; cuire 3 min.

Ajouter les pommes de terre et continuer la cuisson pendant 6 min. Ajouter les oignons et prolonger la cuisson de 2 min.

Égoutter les légumes et mettre de côté.

Faire chauffer l'huile et la moitié du beurre dans une grande poêle à frire. Ajouter le porc; cuire 3 à 4 min à feu moyen-vif.

Saler, poivrer et retourner la viande. Continuer la cuisson de 3 à 4 min. Retirer le porc de la poêle et garder au chaud dans le four.

Faire chauffer le reste du beurre dans la poêle à frire. Ajouter les champignons, les carottes et les pommes de terre. Parsemer de ciboulette et assaisonner au goût. Cuire 3 min à feu moyen.

Incorporer la sauce brune et le basilic; laisser mijoter quelques minutes à feu doux.

Servir avec le porc.

* Voir Sauce brune, page 355.

1 PORTION	620 CALORIES	47 g GLUCIDES
36 g PROTÉINES	32 g LIPIDES	1,9 g FIBRES

Sauce brune (pour porc)

60 ml	(4 c. à soupe) de graisse de rôti de porc
1	petit oignon, coupé en dés
1	carotte, pelée et coupée en dés
1 ml	(¼ c. à thé) de thym
1 ml	(¼ c. à thé) de romarin
70 ml	(4½ c. à soupe) de farine
750 ml	(3 tasses) de bouillon de bœuf chaud
	sel et poivre

Faire chauffer la graisse de rôti de porc dans une casserole. Ajouter les oignons, les carottes et les épices. Faire cuire 5 à 6 minutes à feu doux.

Incorporer la farine; faire cuire 6 à 7 minutes à feu doux. Ne pas faire brûler la farine. Remuer de temps à autre.

Dès que la farine a bruni, retirer la casserole du feu et laisser refroidir quelques minutes.

Incorporer le bouillon de bœuf et bien remuer. Assaisonner généreusement. Remettre la casserole sur l'élément et amener à ébullition.

Continuer la cuisson de 40 à 45 minutes à feu doux.

Passer la sauce au tamis lorsqu'elle est refroidie.

1 PORTION	101 CALORIES	5 g GLUCIDES
0 g PROTÉINES	9 g LIPIDES	0 g FIBRES

Jambon braisé *(pour 8 à 10 personnes)*

3,6 à 5,4 kg	(8 à 12 livres) de jambon frais, préparé par le boucher pour la cuisson
750 ml	(3 tasses) de vin de Madère
45 ml	(3 c. à soupe) de sucre à glacer

Placer le jambon dans une grande casserole et la remplir d'eau froide. Faire tremper 12 heures.

Retirer le jambon de la casserole. Jeter l'eau. Remettre le jambon dans la casserole et recouvrir d'eau froide. Amener à ébullition et faire cuire 3 h ½ à 4 heures à feu doux, partiellement couvert.

Préchauffer le four à 180°C (350°F).

Retirer le jambon de la casserole et le laisser refroidir. Retirer l'excès de gras. Jeter l'eau. Remettre le jambon dans la casserole.

Ajouter le vin; couvrir et faire cuire 1 heure au four. Badigeonner fréquemment.

Retirer le jambon de la casserole et le placer dans un plat à rôtir. Saupoudrer de sucre à glacer et remettre au four.

Augmenter la chaleur du four à 220°C (425°F) et continuer la cuisson jusqu'à ce que le jambon soit glacé. Servir.

1 PORTION	403 CALORIES	3 g GLUCIDES
55 g PROTÉINES	19 g LIPIDES	0 g FIBRES

Escalopes de veau en sauce *(pour 4 personnes)*

45 ml	(3 c. à soupe) de beurre
4	escalopes de veau, aplaties et enfarinées
250 g	(½ livre) de champignons frais, nettoyés et émincés
2	cornichons, en julienne
300 ml	(1¼ tasse) de sauce blanche légère, chaude*
50 ml	(¼ tasse) de crème à 35 %
5 ml	(1 c. à thé) de persil frais haché
	une pincée de paprika
	sel et poivre

Faire chauffer la moitié du beurre dans une poêle téflon. Saisir le veau 3 minutes à feu vif.

Retourner le veau. Saler, poivrer et continuer la cuisson 2 minutes. Retirer et transférer la viande dans un plat de service chaud.

Faire chauffer le reste du beurre dans la poêle. Ajouter les champignons, assaisonner et faire cuire 4 minutes.

Ajouter les cornichons et la sauce; bien remuer.

Incorporer la crème et le persil. Assaisonner au goût. Faire cuire 3 minutes à feu très vif.

Remettre le veau dans la sauce et retirer la poêle du feu. Laisser reposer 3 minutes avant de servir.

Accompagner de légumes sautés.

* Voir Sauce blanche légère, page 14.

Escalopes de veau au citron (pour 4 personnes)

45 ml	(3 c. à soupe) de beurre
8	escalopes de veau, enfarinées et assaisonnées
375 ml	(1½ tasse) de crème à 35 %, chaude
	jus de 1 citron
	une pincée de paprika
	sel et poivre
	persil frais haché

Préchauffer le four à 120°C (250°F).

Faire chauffer la moitié du beurre dans une poêle téflon. Ajouter la moitié du veau; saisir 2 minutes de chaque côté à feu vif. Mettre de côté.

Répéter le même procédé pour le reste de la viande. Tenir chaud au four.

Verser le jus de citron dans la poêle; faire chauffer 1 minute à feu vif.

Incorporer la crème et le persil; continuer la cuisson de 3 à 4 minutes.

Remettre le veau dans la sauce et saupoudrer de paprika. Réchauffer 1 minute.

Servir avec un assortiment de légumes cuits.

1 PORTION	588 CALORIES	7 g GLUCIDES
32 g PROTÉINES	48 g LIPIDES	0 g FIBRES

Farce aux champignons et au cognac

30 ml	(2 c. à soupe) de beurre
1	oignon, finement haché
125 g	(¼ livre) de champignons frais, nettoyés et finement hachés
15 ml	(1 c. à soupe) de persil frais haché
15 ml	(1 c. à soupe) de cognac Courvoisier
50 ml	(¼ tasse) de chapelure
1	petit œuf, battu
	une pincée de thym
	sel et poivre

Faire chauffer le beurre dans une casserole. Ajouter les oignons; faire cuire 3 minutes à feu doux.

Ajouter les champignons, le persil et le thym. Saler, poivrer et bien mêler. Faire cuire 3 minutes à feu vif.

Ajouter le cognac et continuer la cuisson 1 minute.

Retirer la casserole du feu. Incorporer la chapelure et l'œuf battu.

Rectifier l'assaisonnement. Mettre de côté à refroidir avant de l'utiliser.

1 RECETTE	481 CALORIES	32 g GLUCIDES
14 g PROTÉINES	33 g LIPIDES	1,7 g FIBRES

Escalopes de veau, sauce à l'estragon *(pour 4 personnes)*

4	grandes escalopes de veau minces
125 ml	(½ tasse) de farine assaisonnée
30 ml	(2 c. à soupe) d'huile végétale
125 ml	(½ tasse) de vin blanc sec
30 ml	(2 c. à soupe) d'estragon frais haché
250 ml	(1 tasse) de bouillon de poulet chaud
30 ml	(2 c. à soupe) de crème à 35 %
5 ml	(1 c. à thé) de fécule de maïs
15 ml	(1 c. à soupe) d'eau froide
1 ml	(¼ c. à thé) de jus de citron
	sel et poivre

Préchauffer le four à 70°C (150°F).

Enfariner les escalopes et secouer pour retirer l'excédent de farine.

Faire chauffer l'huile dans une poêle à frire. Ajouter le veau; saisir 2 à 3 minutes de chaque côté à feu moyen. Saler, poivrer.

Retirer le veau et tenir chaud au four.

Verser le vin dans la poêle; faire chauffer 2 à 3 minutes à feu vif.

Incorporer l'estragon et le bouillon de poulet. Saler, poivrer. Faire cuire 3 minutes à feu moyen.

Incorporer la crème; continuer la cuisson 1 minute.

Délayer la fécule de maïs dans l'eau froide. Incorporer à la sauce. Arroser de jus de citron et amener à une ébullition lente. Continuer la cuisson 2 minutes à feu moyen-doux.

Verser la sauce sur le veau. Servir.

1 PORTION	346 CALORIES	7 g GLUCIDES
30 g PROTÉINES	22 g LIPIDES	0 g FIBRES

Veau au parmesan *(pour 4 personnes)*

4	grandes escalopes de veau
125 ml	(½ tasse) de farine
2	œufs battus
250 ml	(1 tasse) de chapelure fine
30 ml	(2 c. à soupe) d'huile végétale
25 ml	(1½ c. à soupe) de beurre
125 g	(¼ livre) de champignons frais, nettoyés et émincés
2	échalotes sèches, hachées
125 ml	(½ tasse) de fromage parmesan râpé
	jus de citron au goût
	sel et poivre

Assaisonner et enfariner le veau. Secouer pour retirer l'excédent de farine.

Tremper le veau dans les œufs battus et enrober de chapelure.

Faire chauffer l'huile dans une poêle à frire. Ajouter le veau; faire cuire 4 minutes de chaque côté à feu moyen. Retourner 3 fois pendant la cuisson.

Faire chauffer le beurre dans une autre poêle à frire. Ajouter les champignons et les échalotes; faire cuire 3 à 4 minutes à feu moyen-vif. Saler, poivrer.

Entre-temps: placer le veau dans un plat à gratin. Parsemer de fromage râpé. Faire griller 3 à 4 minutes au four.

Arroser de jus de citron. Servir.

1 PORTION	535 CALORIES	23 g GLUCIDES
41 g PROTÉINES	31 g LIPIDES	0,3 g FIBRES

Côtes de veau aux légumes *(pour 4 personnes)*

4	côtes de veau, de 1,2 cm (½ po) d'épaisseur
125 ml	(½ tasse) de farine assaisonnée
15 ml	(1 c. à soupe) de beurre
15 ml	(1 c. à soupe) d'huile végétale
125 g	(¼ livre) de champignons frais, nettoyés et coupés en dés
1	oignon, coupé en dés
½	courgette, coupée en dés
125 ml	(½ tasse) d'olives noires dénoyautées
4	cœurs d'artichauts, coupés en 4
2	filets d'anchois, hachés
375 ml	(1½ tasse) de sauce brune légère, chaude
30 ml	(2 c. à soupe) de crème à 35 %
	sel et poivre

Préchauffer le four à 70°C (150°F).

Enfariner le veau et secouer pour retirer l'excédent de farine.

Faire chauffer le beurre et l'huile dans une poêle à frire. Ajouter le veau; faire cuire 6 à 7 minutes à feu moyen.

Retourner et assaisonner le veau. Continuer la cuisson 6 à 7 minutes.

Retirer le veau et tenir chaud au four.

Si nécessaire, ajouter un peu de beurre dans la poêle. Ajouter les champignons, les oignons, les courgettes, les olives, les cœurs d'artichauts et les anchois; faire cuire 5 minutes à feu moyen. Saler, poivrer.

Incorporer la sauce brune et la crème; rectifier l'assaisonnement. Faire cuire 3 à 4 minutes à feu doux.

Verser la sauce sur le veau. Servir.

1 PORTION	465 CALORIES	16 g GLUCIDES
35 g PROTÉINES	29 g LIPIDES	1,0 g FIBRES

Côtes de veau au Tia Maria *(pour 4 personnes)*

4	côtes de veau, de 1,2 cm (½ po) d'épaisseur
125 ml	(½ tasse) de farine assaisonnée
15 ml	(1 c. à soupe) de beurre
15 ml	(1 c. à soupe) d'huile végétale
250 g	(½ livre) de têtes de champignons, nettoyées
125 ml	(½ tasse) de petits oignons cuits
250 ml	(1 tasse) de pommes de terre à la parisienne, blanchies
45 ml	(3 c. à soupe) de liqueur Tia Maria
300 ml	(1¼ tasse) de sauce brune légère, chaude
	sel et poivre

Préchauffer le four à 70°C (150°F).

Enfariner le veau et secouer pour retirer l'excédent de farine.

Faire chauffer le beurre et l'huile dans une poêle à frire. Ajouter le veau; faire cuire 6 à 7 minutes à feu moyen.

Retourner et assaisonner le veau; continuer la cuisson 6 à 7 minutes.

Retirer le veau et garder chaud au four.

Mettre les champignons, les oignons et les pommes de terre dans la poêle; mélanger et faire cuire 3 à 4 minutes à feu moyen. Saler, poivrer.

Incorporer le Tia Maria; faire cuire 2 à 3 minutes à feu vif.

Incorporer la sauce brune. Rectifier l'assaisonnement; laisser mijoter 2 minutes.

Verser la sauce sur le veau. Servir.

1 PORTION	415 CALORIES	18 g GLUCIDES
34 g PROTÉINES	23 g LIPIDES	0,8 g FIBRES

Côtelettes de veau au prosciutto *(pour 4 personnes)*

8	côtelettes de veau
125 ml	(½ tasse) de farine assaisonnée
45 ml	(3 c. à soupe) de beurre
50 ml	(¼ tasse) de Marsala ou de vin blanc
8	tranches de prosciutto
8	tranches de fromage gruyère
	sel et poivre

Enfariner le veau et secouer pour retirer l'excédent de farine.

Faire chauffer le beurre dans une poêle à frire. Ajouter le veau; faire cuire 2 à 3 minutes de chaque côté à feu moyen. Saler, poivrer et retourner pendant la cuisson.

Poser chaque côtelette à plat dans un plat de service. Mettre de côté.

Verser le vin dans la poêle; faire chauffer 2 minutes à feu vif.

Verser le vin sur la viande. Placer une tranche de prosciutto et de fromage sur chaque côtelette. Saler, poivrer.

Faire griller au four 2 à 3 minutes pour que le fromage fonde.

Servir immédiatement.

1 PORTION	499 CALORIES	5 g GLUCIDES
41 g PROTÉINES	35 g LIPIDES	0 g FIBRES

Roulade de veau farcie *(pour 4 personnes)*

8	escalopes de veau très minces
1	recette de farce aux champignons et au cognac*
45 ml	(3 c. à soupe) de beurre
2	échalotes sèches, finement hachées
30 ml	(2 c. à soupe) de Marsala
375 ml	(1½ tasse) de bouillon de poulet chaud
15 ml	(1 c. à soupe) de fécule de maïs
30 ml	(2 c. à soupe) d'eau froide
	ciboulette hachée au goût
	sel et poivre

Préchauffer le four à 190°C (375°F).

Poser le veau à plat sur une planche à dépecer. Étendre la farce sur chaque escalope, rouler et ficeler.

Faire chauffer la moitié du beurre dans une poêle à frire. Ajouter la moitié du veau; faire saisir 3 minutes. Retourner pour bien brunir tous les côtés. Saler, poivrer. Retirer et mettre de côté. Répéter le même procédé pour le reste du veau. Placer les roulades de veau dans un grand plat allant au four.

Mettre les échalotes dans la poêle; faire cuire 2 minutes à feu moyen.

Verser le vin; faire chauffer 2 minutes à feu vif.

Incorporer le bouillon de poulet; rectifier l'assaisonnement et amener à ébullition.

Délayer la fécule de maïs dans l'eau froide. Incorporer à la sauce. Laisser mijoter 1 minute.

Verser la sauce sur les roulades de veau. Parsemer de ciboulette; faire cuire 6 à 8 minutes au four.

* Voir Farce aux champignons et au cognac, page 359.

1 PORTION	433 CALORIES	10 g GLUCIDES
33 g PROTÉINES	29 g LIPIDES	0,6 g FIBRES

Veau à la crème et au fromage *(pour 4 personnes)*

4	côtes de veau, de 1,2 cm (½ po) d'épaisseur
125 ml	(½ tasse) de farine assaisonnée
15 ml	(1 c. à soupe) de beurre
15 ml	(1 c. à soupe) d'huile végétale
30 ml	(2 c. à soupe) de crème à 35 %
125 ml	(½ tasse) de fromage gruyère râpé
	sel et poivre
	une pincée de paprika
	une pincée de poivre de Cayenne

Préchauffer le four à 200°C (400°F).

Enfariner le veau et secouer pour retirer l'excédent de farine.

Faire chauffer le beurre et l'huile dans une poêle à frire. Ajouter le veau; faire cuire 6 à 7 minutes à feu moyen.

Retourner et saler, poivrer le veau; continuer la cuisson de 6 à 7 minutes.

Transférer le veau dans un grand plat de service. Mettre de côté.

Mélanger la crème, le fromage, le paprika et le poivre de Cayenne. Verser le mélange sur le veau.

Faire cuire 4 à 5 minutes au four.

Servir avec des haricots frais.

1 PORTION	421 CALORIES	5 g GLUCIDES
35 g PROTÉINES	29 g LIPIDES	0 g FIBRES

Veau sur petit pain *(pour 4 personnes)*

30 ml	(2 c. à soupe) de beurre
500 g	(1 livre) de côtelettes de veau, émincées et aplaties
4	pains à hamburger frais
250 ml	(1 tasse) de sauce chili épicée ou de sauce à spaghetti
	sel et poivre
	tomates tranchées
	feuilles de laitue

Faire chauffer le beurre dans une poêle à frire. Ajouter le veau; faire cuire 2 minutes de chaque côté à feu moyen. Saler, poivrer.

Disposer le veau sur le pain et recouvrir de sauce. Garnir de tomate et de laitue. Servir immédiatement.

Rognons de veau au cognac *(pour 4 personnes)*

30 ml	(2 c. à soupe) de beurre
2	petits rognons de veau, dégraissés et émincés
1	échalote sèche hachée
125 g	(¼ livre) de champignons frais, nettoyés et émincés
5 ml	(1 c. à thé) de ciboulette hachée
30 ml	(2 c. à soupe) de cognac Courvoisier VSOP
125 ml	(½ tasse) de vin blanc sec
375 ml	(1½ tasse) de sauce brune chaude
30 ml	(2 c. à soupe) de crème à 35 %
	sel et poivre

Faire chauffer le beurre dans une sauteuse. Ajouter les rognons; faire cuire 2 minutes à feu vif.

Saler, poivrer et ajouter les échalotes. Retourner les rognons et continuer la cuisson 2 minutes.

Retirer les rognons. Mettre de côté.

Mettre les champignons et la ciboulette dans la poêle; faire cuire 3 minutes à feu vif.

Incorporer le cognac; faire chauffer 2 minutes.

Ajouter le vin; continuer la cuisson 3 minutes. Rectifier l'assaisonnement.

Incorporer la sauce brune; faire cuire 2 à 3 minutes.

Ajouter la crème et remettre les rognons dans la sauce; laisser mijoter 2 minutes pour réchauffer.

Servir avec des pois et des carottes.

1 PORTION	456 CALORIES	28 g GLUCIDES
23 g PROTÉINES	11 g LIPIDES	1,5 g FIBRES

Brochettes de veau à la menthe *(pour 4 personnes)*

750 ml	(1½ livre) de longe de veau, en cubes
15 ml	(1 c. à soupe) de jus de citron
30 ml	(2 c. à soupe) de sauce soya
30 ml	(2 c. à soupe) d'huile végétale
30 ml	(2 c. à soupe) de gingembre frais haché
32	feuilles de menthe
	sel et poivre

Mettre le veau dans un grand bol. Ajouter le reste des ingrédients, à l'exception de la menthe, et saler, poivrer,

Bien mélanger et réfrigérer 30 minutes.

Enfiler un cube de veau sur une brochette, ajouter 2 feuilles de menthe. Répéter la même opération pour garnir toutes les brochettes.

Badigeonner les brochettes de marinade. Passer sous le gril (broil) 12 à 14 minutes. Retourner et badigeonner les brochettes de temps à autre pendant la cuisson.

Servir les brochettes avec une salade, des pommes de terre ou du riz.

1 PORTION	465 CALORIES	0 g GLUCIDES
35 g PROTÉINES	25 g LIPIDES	0 g FIBRES

367

Bâtonnets de veau minute *(pour 4 personnes)*

750 g	(1½ livre) de côtelettes de veau, en bâtonnets
30 ml	(2 c. à soupe) de jus de citron
1 ml	(¼ c. à thé) de paprika
1 ml	(¼ c. à thé) de sauce Tabasco
15 ml	(1 c. à soupe) d'huile végétale
1 ml	(¼ c. à thé) de sauce Worcestershire
250 ml	(1 tasse) de farine assaisonnée
45 ml	(3 c. à soupe) d'huile d'arachide
	quelques gouttes de sauce mexicaine épicée
	sel et poivre
	bâtonnets de carottes, de courgettes, et oignons verts

Mettre le veau dans un grand bol. Arroser de jus de citron, de sauce Tabasco et saupoudrer de paprika.

Ajouter l'huile végétale, la sauce Worcestershire et la sauce épicée. Saler, poivrer. Laisser mariner 15 minutes.

Bien égoutter le veau et le rouler dans la farine. Secouer pour retirer l'excédent de farine.

Faire chauffer l'huile d'arachide dans une poêle à frire. Ajouter le veau; faire cuire 3 à 4 minutes de chaque côté à feu moyen.

Égoutter sur du papier essuie-mains. Servir avec des bâtonnets de légumes.

1 PORTION	472 CALORIES	10 g GLUCIDES
36 g PROTÉINES	32 g LIPIDES	0 g FIBRES

Lanières de veau au sésame *(pour 4 personnes)*

250 ml	(1 tasse) de biscuits soda, écrasés
125 ml	(½ tasse) de chapelure assaisonnée
15 ml	(1 c. à soupe) de graines de sésame
750 g	(1½ livre) de côtelettes de veau, taillées en grosses lanières
250 ml	(1 tasse) de farine assaisonnée
2	œufs battus
45 ml	(3 c. à soupe) d'huile d'arachide
	sel et poivre

Préchauffer le four à 200°C (400°F).

Mélanger les biscuits, la chapelure et les graines de sésame dans un bol. Mettre de côté.

Enfariner légèrement les lanières de veau; secouer pour retirer l'excédent de farine.

Tremper le veau dans les œufs battus et enrober du mélange de biscuits soda.

Faire chauffer l'huile dans une grande poêle à frire. Ajouter le veau; faire cuire 2 à 3 minutes de chaque côté.

Égoutter les lanières de veau sur du papier essuie-tout et transférer dans un plat à gratin. Finir la cuisson au four pendant 6 à 8 minutes.

Servir avec une salade verte.

1 PORTION   645 CALORIES   35 g GLUCIDES
43 g PROTÉINES   37 g LIPIDES   0,2 g FIBRES

Ragoût de veau aux champignons *(pour 4 personnes)*

625 g	(1 ¼ livre) de veau dans la cuisse ou dans l'épaule, coupé en cubes
250 ml	(1 tasse) de farine
30 ml	(2 c. à soupe) d'huile végétale
3	échalotes sèches, hachées
125 ml	(½ tasse) de vin blanc sec
1 ml	(¼ c. à thé) de thym
125 g	(¼ livre) de champignons frais, nettoyés et tranchés
1 ml	(¼ c. à thé) de jus de citron
500 ml	(2 tasses) de bouillon de poulet chaud
15 ml	(1 c. à soupe) de fécule de maïs
30 ml	(2 c. à soupe) d'eau froide
45 ml	(3 c. à soupe) de crème à 35 %
	une pincée de paprika
	sel et poivre

Préchauffer le four à 180°C (350°F).

Enfariner le veau.

Faire chauffer l'huile dans une sauteuse. Ajouter le veau; faire saisir 6 à 8 minutes à feu moyen. Retourner le veau pour brunir sur tous les côtés. Saler, poivrer.

Ajouter les échalotes; continuer la cuisson 2 minutes.

Incorporer le vin et le thym; faire cuire 3 minutes à feu vif.

Ajouter les champignons et le jus de citron; bien mélanger. Faire cuire 2 minutes à feu moyen.

Incorporer le bouillon de poulet et rectifier l'assaisonnement. Amener à ébullition.

Délayer la fécule de maïs dans l'eau froide. Incorporer à la sauce. Laisser mijoter 1 minute à feu moyen.

Incorporer la crème et le paprika. Rectifier l'assaisonnement. Couvrir et faire cuire 1 h ½ au four.

Servir avec des légumes.

1 PORTION	396 CALORIES	14 g GLUCIDES
31 g PROTÉINES	24 g LIPIDES	0,3 g FIBRES

Ragoût de veau aux tomates *(pour 4 personnes)*

625 g	(1¼ livre) de veau dans la cuisse ou dans l'épaule, coupé en cubes
250 ml	(1 tasse) de farine
30 ml	(2 c. à soupe) d'huile végétale
2	gousses d'ail, écrasées et hachées
1	petit oignon, haché
2 ml	(½ c. à thé) d'origan
250 ml	(1 tasse) de vin blanc sec
3	tomates, coupées en gros dés
30 ml	(2 c. à soupe) de pâte de tomates
250 ml	(1 tasse) de sauce brune chaude
	sel et poivre

Préchauffer le four à 180°C (350°F).

Enfariner le veau.

Faire chauffer l'huile dans une sauteuse. Ajouter le veau; faire saisir 6 à 8 minutes à feu moyen. Retourner le veau pour brunir sur tous les côtés. Saler, poivrer.

Ajouter l'ail, les oignons et l'origan; mélanger et continuer la cuisson pendant 5 minutes.

Incorporer le vin; faire chauffer 3 à 4 minutes à feu vif.

Ajouter les tomates; mélanger, saler et poivrer. Faire cuire 5 à 6 minutes.

Incorporer la pâte de tomates et la sauce brune. Rectifier l'assaisonnement et amener à une ébullition lente.

Couvrir et faire cuire 1 h ½ au four.

Voir technique page suivante.

1 PORTION	414 CALORIES	21 g GLUCIDES
33 g PROTÉINES	22 g LIPIDES	0,7 g FIBRES

1 Faire saisir le veau de 6 à 8 minutes dans l'huile chaude. Retourner pour brunir sur tous les côtés. Saler, poivrer.

2 Ajouter l'ail, les oignons et l'origan; mélanger et continuer la cuisson pendant 5 minutes. Incorporer le vin; faire chauffer 3 à 4 minutes à feu vif.

3 Ajouter les tomates; mélanger et assaisonner. Faire cuire 5 à 6 minutes.

4 Incorporer la pâte de tomates et la sauce brune. Rectifier l'assaisonnement et amener à une ébullition lente. Couvrir et finir la cuisson au four.

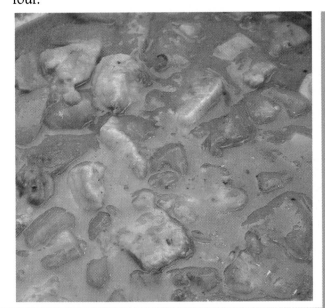

Goulache de veau *(pour 4 à 6 personnes)*

30 ml	(2 c. à soupe) d'huile végétale
900 g	(2 livres) d'épaule de veau, coupée en cubes
1	gros oignon, finement haché
2	gousses d'ail, écrasées et hachées
15 ml	(1 c. à soupe) de paprika
2 ml	(½ c. à thé) d'origan
45 ml	(3 c. à soupe) de farine
750 ml	(3 tasses) de bouillon de poulet léger, chaud
45 ml	(3 c. à soupe) de pâte de tomates
45 ml	(3 c. à soupe) de crème sure
	sel et poivre

Préchauffer le four à 180°C (350°F).

Faire chauffer la moitié de l'huile dans une sauteuse. Ajouter la moitié du veau; faire saisir 3 à 4 minutes à feu moyen. Retourner pour brunir sur tous les côtés. Saler, poivrer. Retirer de la sauteuse et mettre de côté. Répéter le même procédé pour le reste de la viande.

Remettre tout le veau dans la sauteuse. Ajouter les oignons, l'ail, le paprika et l'origan; bien mélanger. Faire cuire 4 à 5 minutes à feu moyen-vif.

Saler, poivrer et ajouter la farine; mélanger et laisser cuire 2 minutes à feu moyen.

Incorporer le bouillon de poulet et la pâte de tomates; remuer et assaisonner. Amener à ébullition. Couvrir et faire cuire 1 h ½ au four.

Incorporer la crème sure au moment de servir. Servir avec des nouilles.

1 PORTION	311 CALORIES	6 g GLUCIDES
29 g PROTÉINES	19 g LIPIDES	0,2 g FIBRES

Blanquette de veau *(pour 4 personnes)*

1,4 kg	(3 livres) d'épaule de veau, coupée en cubes
15 ml	(1 c. à soupe) de jus de citron
2	grosses carottes, pelées et coupées en deux
2	petits oignons, piqués d'un clou de girofle
1 ml	(¼ c. à thé) de thym
5 ml	(1 c. à thé) d'estragon
1	feuille de laurier
45 ml	(3 c. à soupe) de beurre
45 ml	(3 c. à soupe) de farine
60 ml	(4 c. à soupe) de crème à 35 %
1	jaune d'œuf
	sel et poivre

Mettre le veau dans une grande casserole; recouvrir d'eau froide et ajouter le jus de citron. Amener à ébullition.
Écumer le liquide. Égoutter la viande et rincer sous l'eau froide.
Remettre la viande dans la casserole. Ajouter les carottes, les oignons et les épices. Saler, poivrer. Ajouter assez d'eau pour couvrir. Faire cuire 1 h ½ à feu doux ou jusqu'à ce que la viande soit cuite.
Dès que le veau est cuit, l'égoutter et le mettre de côté. Réserver 875 ml (3½ tasses) du liquide de cuisson.
Faire chauffer le beurre dans une casserole. Ajouter la farine; faire cuire 1 minute à feu doux. Remuer de temps en temps.
Incorporer le liquide de cuisson et bien remuer. Rectifier l'assaisonnement.
Ajouter 45 ml (3 c. à soupe) de crème; remuer. Faire cuire la sauce 8 à 10 minutes à feu doux.
Remettre le veau dans la sauce; laisser mijoter 5 à 6 minutes à feu doux. Mélanger le reste de la crème avec l'œuf battu. Retirer la casserole du feu. Bien incorporer le mélange d'œuf à la sauce.
Servir avec des pommes de terre bouillies.

1 PORTION	672 CALORIES	5 g GLUCIDES
64 g PROTÉINES	44 g LIPIDES	0 g FIBRES

Osso buco *(pour 4 personnes)*

8	jarrets de veau, coupés en morceaux de 4 cm (1½ po) d'épaisseur
250 ml	(1 tasse) de farine assaisonnée
25 ml	(1½ c. à soupe) d'huile végétale
1	oignon haché
3	gousses d'ail, écrasées et hachées
250 ml	(1 tasse) de vin blanc sec
1	boîte de tomates en conserve, de 796 ml (28 oz), égouttées et hachées
30 ml	(2 c. à soupe) de pâte de tomates
125 ml	(½ tasse) de sauce brune chaude
2 ml	(½ c. à thé) d'origan
1	feuille de laurier, émiettée
1 ml	(¼ c. à thé) de thym
5 ml	(1 c. à thé) de sauce Worcestershire
1 ml	(¼ c. à thé) de sauce Tabasco
	une pincée de sucre
	sel et poivre

Préchauffer le four à 180°C (350°F).

Enfariner le veau.

Faire chauffer l'huile dans une sauteuse. Ajouter la moitié du veau; faire cuire 3 à 4 minutes de chaque côté. Saler, poivrer.

Répéter le même procédé pour le reste du veau. Mettre la viande de côté.

Mettre les oignons et l'ail dans la sauteuse; remuer et faire cuire 3 à 4 minutes à feu moyen.

Incorporer le vin; faire chauffer 4 minutes à feu vif.

Incorporer les tomates, la pâte de tomates et la sauce brune. Parsemer d'épices et rectifier l'assaisonnement. Amener à ébullition.

Remettre le veau dans la sauteuse; couvrir et faire cuire 2 heures au four.

Dès que le veau est cuit, le retirer de la sauteuse. Faire cuire la sauce 3 à 4 minutes à feu vif.

Rectifier l'assaisonnement et verser la sauce sur la viande.

Servir avec des nouilles ou des légumes.

1 PORTION	429 CALORIES	22 g GLUCIDES
38 g PROTÉINES	21 g LIPIDES	0,9 g FIBRES

TECHNIQUE: OSSO BUCO

1 Enfariner le veau. Faire saisir dans l'huile chaude.

2 Retirer le veau. Mettre les oignons et l'ail dans la sauteuse; remuer et faire cuire 3 à 4 minutes à feu moyen.

3 Incorporer le vin; faire chauffer 4 minutes à feu vif.

4 Ajouter le reste des ingrédients et amener à ébullition. Remettre le veau dans la sauteuse; couvrir et faire cuire 2 heures au four.

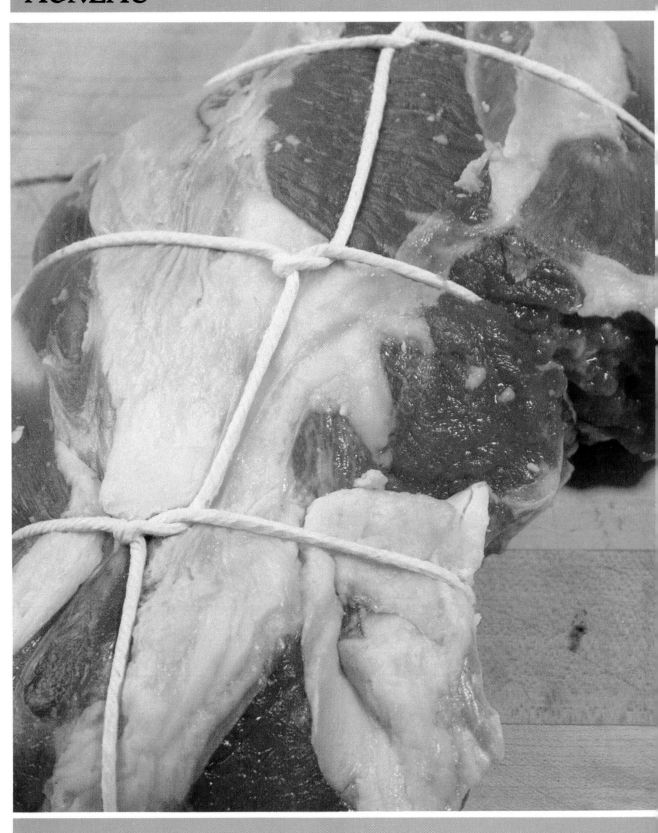

TECHNIQUE: POUR DÉSOSSER UN GIGOT

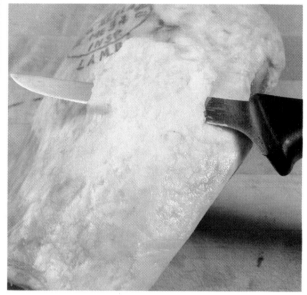

1 Placer le gigot d'agneau sur une planche à découper. Retirer la plupart du gras.

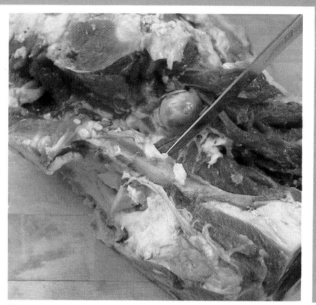

2 Repérer l'os pelvien et glisser le couteau entre l'os et la chair pour le retirer.

3 Retirer la partie inférieure de l'os de la cuisse. Glisser le couteau autour des jointures pour dégager l'os.

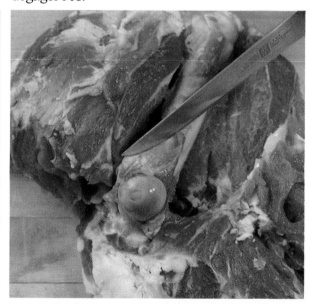

4 Les deux os ont été retirés de la cuisse.

Voir page suivante.

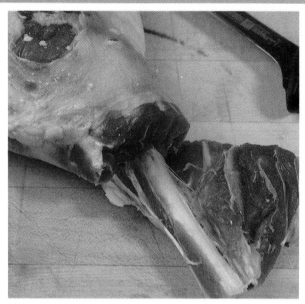

5 Enlever assez de chair de la partie supérieure de l'os pour former une poignée afin de faciliter le découpage du gigot. Jeter la chair.

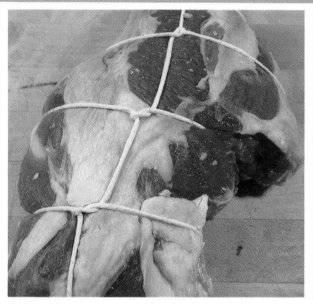

6 Si désiré: farcir le gigot avant de le ficeler.

Gigot d'agneau farci   *(pour 6 à 8 personnes)*

45 ml	(3 c. à soupe) de beurre doux
1	gros oignon, haché
1	gousse d'ail, écrasée et hachée
15 ml	(1 c. à soupe) de persil frais haché
5 ml	(1 c. à thé) de ciboulette hachée
60 ml	(4 c. à soupe) de chapelure
½	œuf battu
2,3 à 2,7 kg	(5 à 6 livres) de gigot d'agneau, préparé*
45 ml	(3 c. à soupe) de beurre doux, fondu
	sel et poivre

Préchauffer le four à 220°C (425°F).
Temps de cuisson: 15 à 18 minutes par 500 g (1 livre).

Faire chauffer le beurre doux dans une petite casserole. Ajouter les oignons, l'ail, le persil et la ciboulette; faire cuire 3 minutes.

Incorporer la chapelure et assaisonner. Retirer la casserole du feu et incorporer la moitié d'un œuf; bien mélanger.

Assaisonner le gigot, le farcir, le rouler et le ficeler. Placer le gigot dans un plat à rôtir et badigeonner de beurre fondu. Faire cuire 20 minutes au four.

Réduire le four à 190°C (375°F) et finir la cuisson de l'agneau. Badigeonner 2 à 3 fois pendant la cuisson.

* Demander au boucher de préparer le gigot ou voir Technique pour désosser un gigot d'agneau, page 377.

1 PORTION	655 CALORIES	2 g GLUCIDES
47 g PROTÉINES	51 g LIPIDES	0 g FIBRES

Farce épicée

15 ml	(1 c. à soupe) de gras de bacon ou d'huile
3	oignons verts, hachés
1	carotte, pelée et finement hachée
½	piment vert, finement haché
1	branche de céleri, finement hachée
5	gros champignons, nettoyés et coupés en dés
1	gousse d'ail, écrasée et hachée
1 ml	(¼ c. à thé) de thym
1 ml	(¼ c. à thé) de basilic
1 ml	(¼ c. à thé) de piment de Jamaïque
50 ml	(¼ tasse) de crème à 35 %
30 ml	(2 c. à soupe) de chapelure

Faire chauffer le gras de bacon dans une poêle. Ajouter les oignons, les carottes, les piments verts et le céleri; faire cuire 6 à 7 minutes à feu moyen.

Ajouter les champignons, l'ail et les épices; continuer la cuisson de 3 à 4 minutes.

Incorporer la crème et bien remuer; faire cuire 3 à 4 minutes.

Ajouter la chapelure et bien mêler. Faire cuire 2 minutes à feu moyen; remuer de temps à autre.

Dès que le mélange a épaissi, retirer la poêle du feu. Farcir la viande.

1 RECETTE	467 CALORIES	31 g GLUCIDES
7 g PROTÉINES	35 g LIPIDES	3,3 g FIBRES

Haricots blancs braisés   *(pour 4 à 6 personnes)*

227 g	(8 oz) de haricots blancs secs
85 g	(3 oz) de bacon en dés, blanchi
2	carottes de grosseur moyenne, pelées et coupées en dés
1	oignon, coupé en dés
2	gousses d'ail, écrasées et hachées
1	feuille de laurier
3	branches de persil
1 ml	(¼ c. à thé) de thym
1 L	(4 tasses) de bouillon de poulet chaud
30 ml	(2 c. à soupe) de pâte de tomates
	sel et poivre

Mettre les haricots dans un grand bol et les recouvrir d'eau froide. Laisser tremper 8 heures.

Égoutter les haricots et les transférer dans une grande casserole. Couvrir d'eau et amener à ébullition. Écumer et faire cuire 1 heure à feu doux.

Préchauffer le four à 180°C (350°F).

Mettre le bacon dans une casserole allant au four; faire cuire 4 minutes sur l'élément de la cuisinière.

Ajouter les légumes, l'ail et les épices; faire cuire 2 minutes.

Égoutter les haricots et les mettre dans la casserole. Bien mélanger.

Ajouter le bouillon de poulet, remuer et assaisonner. Incorporer la pâte de tomates et amener à ébullition.

Couvrir et faire cuire 1 h ½ au four.

Servir les haricots avec des restes d'agneau rôti.

1 PORTION	174 CALORIES	27 g GLUCIDES
12 g PROTÉINES	3 g LIPIDES	2,0 g FIBRES

Ragoût d'agneau à l'ancienne *(pour 4 personnes)*

2	pommes de terres pelées et coupées en quatre
2	carottes pelées et coupées en bâtonnets de 2,5 cm (1 po)
2	navets, pelés et coupés en quatre
45 ml	(3 c. à soupe) de beurre fondu
1,6 kg	(3½ livres) d'épaule d'agneau, coupée en gros cubes
2	petits oignons, coupés en dés
1	gousse d'ail, écrasée et hachée
45 ml	(3 c. à soupe) de farine
750 ml	(3 tasses) de bouillon de poulet chaud
250 ml	(1 tasse) de tomates hachées
30 ml	(2 c. à soupe) de pâte de tomates
1 ml	(¼ c. à thé) de thym
1 ml	(¼ c. à thé) de marjolaine
1	feuille de laurier
	persil frais haché
	sel et poivre

Préchauffer le four à 180°C (350°F).

Mettre les pommes de terre, les carottes et les navets dans un bol. Recouvrir d'eau froide et mettre de côté.

Faire chauffer le beurre dans une sauteuse. Ajouter l'agneau; faire saisir 3 minutes de chaque côté à feu vif.

Ajouter les oignons et l'ail; bien mélanger. Saler, poivrer; faire cuire 3 à 4 minutes.

Ajouter la farine; continuer la cuisson pendant 2 minutes.

Incorporer le bouillon de poulet et bien remuer. Ajouter les tomates, les épices et les légumes égouttés. Saler, poivrer; couvrir et faire cuire 1 h ½ au four.

Parsemer de persil frais avant de servir.

1 PORTION	540 CALORIES	26 g GLUCIDES
46 g PROTÉINES	28 g LIPIDES	1,4 g FIBRES

Sauce à l'oignon pour rôti d'agneau

2	oignons, coupés en gros dés
1	gousse d'ail, écrasée et hachée
15 ml	(1 c. à soupe) de persil frais haché
375 ml	(1 ½ tasse) de bouillon de poulet chaud
15 ml	(1 c. à soupe) de fécule de maïs
30 ml	(2 c. à soupe) d'eau froide
	sel et poivre

Préparer la sauce durant la cuisson de l'agneau.

30 minutes avant que l'agneau soit cuit à point: mettre les oignons, l'ail et le persil dans le plat à rôtir.

Dès que l'agneau est cuit, le retirer du plat à rôtir et le mettre de côté.

Placer le plat à rôtir sur l'élément de la cuisinière, à feu moyen. Retirer les ¾ du gras.

Verser le bouillon de poulet dans le plat et amener à ébullition. Faire cuire 5 à 6 minutes à feu vif.

Délayer la fécule de maïs dans l'eau froide. Incorporer à la sauce. Faire cuire 1 minute.

Passer la sauce au tamis. Assaisonner au goût. Servir avec l'agneau.

1 PORTION	65 CALORIES	4 g GLUCIDES
1 g PROTÉINES	5 g LIPIDES	0 g FIBRES

Gigot d'agneau au persil *(pour 6 à 8 personnes)*

1	gigot d'agneau de 2,3 à 2,7 kg (5 à 6 livres), préparé*
1	gousse d'ail, pelée et émincée
45 ml	(3 c. à soupe) de beurre fondu
125 g	(¼ livre) de beurre
3	échalotes sèches, finement hachées
50 ml	(¼ tasse) de chapelure
30 ml	(2 c. à soupe) de persil frais haché
	sel et poivre

Préchauffer le four à 220°C (425°F).
Temps de cuisson: 15 à 18 minutes par 500 g (1 livre).
Placer l'agneau préparé dans un plat à rôtir et piquer de petits morceaux d'ail. Saler, poivrer généreusement.
Badigeonner de beurre fondu et faire cuire 20 minutes au four.
Réduire le four à 190°C (375°F) et finir la cuisson de l'agneau. Badigeonner 2 à 3 fois pendant la cuisson.
Faire fondre 125 g (¼ livre) de beurre dans une petite sauteuse. Ajouter les échalotes; faire cuire 2 à 3 minutes à feu doux.
Ajouter la chapelure et le persil; faire cuire 2 à 3 minutes à feu doux.
10 minutes avant la fin de la cuisson de l'agneau, étendre le mélange de chapelure sur le gigot.
Dès que le gigot est cuit, le retirer du four et le laisser reposer pendant quelques minutes avant de servir.

* Demandez au boucher de préparer le gigot ou voir technique, page 377.

1 PORTION	619 CALORIES	2 g GLUCIDES
47 g PROTÉINES	47 g LIPIDES	0 g FIBRES

Côtelettes d'agneau du week-end *(pour 4 personnes)*

30 ml	(2 c. à soupe) de beurre
8	petites côtelettes d'agneau
250 ml	(1 tasse) de sauce chasseur, chaude*
	sel et poivre
	légumes variés cuits

Préchauffer le four à 70°C (150°F).

Faire chauffer 15 ml (1 c. à soupe) de beurre dans une poêle. Ajouter la moitié de l'agneau; faire griller 3 à 4 minutes de chaque côté ou selon l'épaisseur. Bien assaisonner et garder chaud au four.

Répéter la même opération pour le reste de l'agneau.

Servir les côtelettes avec des légumes et une sauce chasseur.

* Voir Sauce chasseur, page 392.

1 PORTION	369 CALORIES	5 g GLUCIDES
31 g PROTÉINES	25 g LIPIDES	0,3 g FIBRES

Côtelettes d'agneau
à la béarnaise *(pour 4 personnes)*

30 ml	(2 c. à soupe) de beurre
1	aubergine chinoise, tranchée
1	piment vert, tranché
1	piment rouge, tranché
15 ml	(1 c. à soupe) d'huile végétale
8	côtelettes d'agneau, de 2,5 cm (1 po) d'épaisseur
	une pincée de paprika
	sel et poivre
	sauce béarnaise*

Préchauffer le four à 180°C (350°F).

Faire chauffer le beurre dans une poêle à frire. Ajouter les aubergines et bien assaisonner. Couvrir et faire cuire 5 minutes à feu moyen.

Ajouter les piments, mélanger et assaisonner au goût. Continuer la cuisson 5 minutes à feu moyen.

Transférer les légumes dans un plat à gratin. Couvrir de papier d'aluminium et mettre au four 5 à 6 minutes.

Faire chauffer l'huile dans la même poêle. Ajouter les côtelettes; faire cuire 3 minutes à feu vif.

Retourner les côtelettes et réduire l'élément à feu moyen-vif. Saler, poivrer et saupoudrer de paprika; continuer la cuisson 3 à 4 minutes.

Servir les côtelettes d'agneau avec le mélange d'aubergine et la sauce béarnaise.

* Voir Sauce béarnaise, page 479.

1 PORTION	755 CALORIES	9 g GLUCIDES
65 g PROTÉINES	51 g LIPIDES	1,6 g FIBRES

Noisettes d'agneau sautées et sauce à la crème *(pour 4 personnes)*

4	grosses noisettes d'agneau, aplaties*
250 ml	(1 tasse) de farine
45 ml	(3 c. à soupe) de beurre
125 ml	(½ tasse) de vin blanc sec
250 ml	(1 tasse) de crème à 35 %
5 ml	(1 c. à thé) de persil frais haché
	jus de ¼ de citron
	sel et poivre

Préchauffer le four à 70°C (150°F).

Enfariner les noisettes et bien les assaisonner.

Faire chauffer le beurre dans une poêle. Ajouter l'agneau; faire cuire 2 à 3 minutes de chaque côté.

Dès que l'agneau est cuit, le retirer et garder au chaud au four.

Verser le vin dans la poêle. Faire chauffer 2 minutes à feu vif.

Ajouter le jus de citron, bien mélanger et continuer la cuisson pendant 30 secondes.

Incorporer la crème et le persil; assaisonner au goût. Faire cuire 2 à 3 minutes à feu vif jusqu'à ce que la sauce épaississe.

Verser la sauce sur l'agneau. Servir avec des pâtes et des champignons sautés.

* Demander au boucher de préparer les noisettes ou voir Technique pour désosser une longe d'agneau, page 386.

384

1 PORTION	565 CALORIES	9 g GLUCIDES
31 g PROTÉINES	45 g LIPIDES	0 g FIBRES

TECHNIQUE

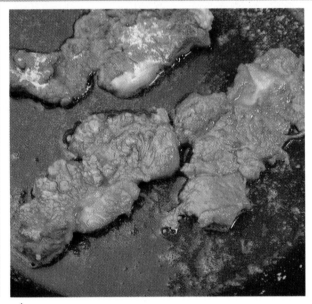

1 Mettre les noisettes d'agneau dans le beurre chaud; faire cuire 2 à 3 minutes de chaque côté. Dès que l'agneau est cuit, le retirer et le garder au chaud au four.

2 Verser le vin dans la poêle.

3 Faire chauffer le vin 2 minutes à feu vif. Ajouter le jus de citron; continuer la cuisson pendant 30 secondes.

4 Ajouter la crème, remuer et ajouter le persil. Saler, poivrer et continuer la cuisson 2 à 3 minutes à feu vif, jusqu'à ce que la sauce épaississe.

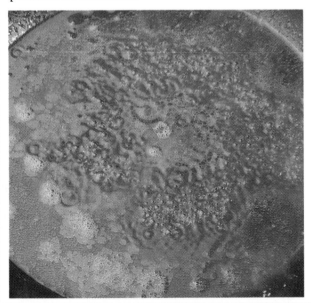

TECHNIQUE: POUR DÉSOSSER UNE LONGE

1 Voici une double longe d'agneau coupée en deux par le boucher. La longe d'agneau désossée peut être rôtie ou coupée en noisettes.

2 Placer la longe, le côté gras en bas, sur une planche à découper. Retirer le filet en coupant le long de l'os. Conserver cette coupe pour d'autres usages.

3 Retirer le flanc de la longe, en coupant à 8 ou 9 cm (3 à 3½ po) de l'os. Conserver cette coupe pour d'autres usages.

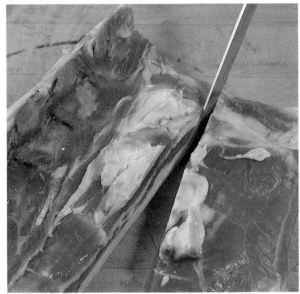

4 Retourner la longe et enlever le gras. Couper le long de l'os pour retirer la longe. On peut rôtir la longe farcie ou non. Dans les deux cas, on doit la rouler et la ficeler avant la cuisson.

5 Pour couper la longe en noisettes, la couper en biseau, en filets de 2,5 cm (1 po) d'épaisseur.

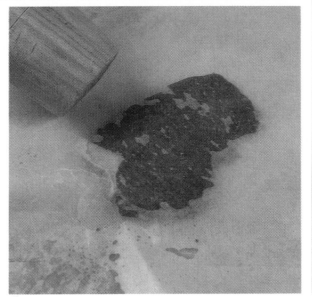

6 Si la recette le demande, on peut aplatir la noisette en la plaçant entre deux feuilles de papier ciré pour l'aplatir avec un maillet.

Longe d'agneau à la sauce béarnaise

(pour 4 personnes)

1,8 kg	(4 livres) de longe d'agneau, préparée*
30 ml	(2 c. à soupe) de beurre fondu
2 ml	(½ c. à thé) de feuille de menthe séchée, écrasée
250 ml	(1 tasse) de sauce béarnaise**
	jus de ¼ de citron
	sel et poivre

Préchauffer le four à 220°C (425°F).
Temps de cuisson: 15 minutes par 500 g (1 livre).

Placer la longe d'agneau préparée dans un plat à rôtir. Mélanger le beurre et le jus de citron; badigeonner l'agneau avec le mélange.

Assaisonner généreusement et faire cuire 20 minutes au four.

Réduire la chaleur à 180°C (350°F). Saupoudrer l'agneau de menthe et finir la cuisson. Badigeonner 2 à 3 fois pendant la cuisson.

Servir avec la sauce béarnaise.

* Demander au boucher de préparer la longe ou voir Technique pour désosser une longe d'agneau, page 386.
** Voir Sauce béarnaise, page 479.

1 PORTION	1104 CALORIES	0 g GLUCIDES
47 g PROTÉINES	102 g LIPIDES	0 g FIBRES

TECHNIQUE: SAUCE BÉARNAISE

1 Mettre les échalotes, l'estragon, le vinaigre et le persil dans un bol en acier inoxydable. Placer le bol sur l'élément de la cuisinière à feu doux pour faire évaporer le vinaigre. Retirer et laisser refroidir.

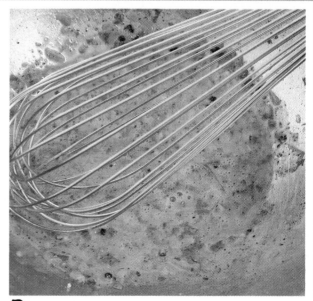

2 Incorporer les jaunes d'œufs et bien mélanger au fouet.

3 Placer le bol sur une casserole contenant de l'eau chaude. Ajouter le beurre clarifié, goutte à goutte, tout en mélangeant constamment au fouet.

4 La sauce doit être épaisse.

Longe d'agneau au cari   (pour 4 personnes)

1,8 kg	(4 livres) de longe d'agneau, préparée*
60 ml	(4 c. à soupe) de beurre fondu
2	gros oignons, finement hachés
30 ml	(2 c. à soupe) de poudre de cari
1	gousse d'ail, écrasée et hachée
4	pommes de terre, pelées et coupées en petits dés
500 ml	(2 tasses) de bouillon de poulet chaud
15 ml	(1 c. à soupe) de fécule de maïs
30 ml	(2 c. à soupe) d'eau froide
15 ml	(1 c. à soupe) de ketchup
	sel et poivre

Préchauffer le four à 220°C (425°F).

Temps de cuisson: 15 minutes par 500 g (1 livre).

Placer la longe d'agneau préparée dans un plat à rôtir. Badigeonner de beurre fondu et bien assaisonner. Faire cuire 20 minutes au four.

Réduire la chaleur à 180°C (350°F) et finir la cuisson de l'agneau.

20 minutes avant que l'agneau soit cuit à point, mettre les oignons dans le plat à rôtir. Faire cuire 5 minutes.

Ajouter la poudre de cari, l'ail et les pommes de terre. Bien mélanger.

Dès que l'agneau est cuit, retirer le plat du four, et mettre l'agneau de côté.

Placer le plat à rôtir sur l'élément de la cuisinière et y verser le bouillon de poulet. Bien remuer.

Délayer la fécule de maïs dans l'eau froide. Incorporer à la sauce. Faire cuire 5 minutes à feu moyen.

Incorporer le ketchup. Servir la sauce avec l'agneau.

1 PORTION	820 CALORIES	29 g GLUCIDES
50 g PROTÉINES	56 g LIPIDES	0,9 g FIBRES

* Demander au boucher de préparer la longe ou voir Technique pour désosser une longe d'agneau, page 386.

Longe d'agneau nouvelle vague   (pour 4 personnes)

1,8 kg	(4 livres) de longe d'agneau, préparée
1	gousse d'ail, pelée et coupée en trois
30 ml	(2 c. à soupe) de beurre fondu
1	oignon, coupé en dés
2	carottes pelées et émincées en biseau
½	branche de céleri, émincée en biseau
½	courgette, tranchée en biseau
15 ml	(1 c. à soupe) de beurre
300 ml	(1 ¼ tasse) de bouillon de poulet chaud
5 ml	(1 c. à thé) de fécule de maïs
30 ml	(2 c. à soupe) d'eau froide
	sel et poivre

Préchauffer le four à 220°C (425°F).

Temps de cuisson: 15 minutes par 500 g (1 livre).

Placer la longe d'agneau préparée dans un plat à rôtir. Piquer la chair de morceaux d'ail. Badigeonner de beurre fondu et assaisonner généreusement. Faire cuire 20 minutes au four.

Réduire la chaleur à 180°C (350°F) et continuer la cuisson de l'agneau. Badigeonner 2 à 3 fois pendant la cuisson.

10 minutes avant que l'agneau soit cuit à point, mettre les oignons dans le plat à rôtir.

Entre-temps, mettre les carottes et le céleri dans une casserole contenant 375 ml (1 ½ tasse) d'eau bouillante salée. Faire cuire 6 minutes.

Ajouter les courgettes et continuer la cuisson pendant 3 minutes. Assaisonner au goût.

Égoutter les légumes, ajouter le beurre et mélanger. Mettre de côté et garder au chaud.

Dès que l'agneau est cuit, le retirer et le mettre de côté.

Placer le plat à rôtir sur l'élément de la cuisinière et y verser le bouillon de poulet; bien remuer.

Délayer la fécule de maïs dans l'eau froide. Incorporer à la sauce. Faire cuire 1 minute à feu vif.

Passer la sauce au tamis et l'écumer si nécessaire. Servir la sauce avec l'agneau et les légumes.

1 PORTION	709 CALORIES	11 g GLUCIDES
47 g PROTÉINES	53 g LIPIDES	0,9 g FIBRES

Longe d'agneau farcie *(pour 4 personnes)*

1,8 kg	(4 livres) de longe d'agneau, préparée*
1	recette de farce au cumin**
45 ml	(3 c. à soupe) de beurre fondu
2	bananes
	sel et poivre

Préchauffer le four à 220°C (425°F).
Temps de cuisson: 15 minutes par 500 g (1 livre).

Placer l'agneau à plat sur une planche à découper et bien l'assaisonner. Étendre la farce sur l'agneau, rouler et ficeler.

Placer la longe farcie dans un plat à rôtir et badigeonner de 15 ml (1 c. à soupe) de beurre fondu. Faire cuire 20 minutes au four.

Réduire la chaleur à 180°C (350°F) et continuer la cuisson de l'agneau. Badigeonner 2 à 3 fois pendant la cuisson.

Quelques minutes avant que l'agneau soit cuit à point, peler les bananes et les trancher en deux. Faire chauffer le reste du beurre et faire sauter les bananes pendant quelques minutes.

Servir les bananes avec l'agneau.

* Demander au boucher de préparer la longe ou voir Technique pour désosser une longe d'agneau, page 386.
** Voir Farce au cumin, page 403.

1 PORTION	595 CALORIES	27 g GLUCIDES
52 g PROTÉINES	31 g LIPIDES	0,3 g FIBRES

Longe d'agneau aux légumes *(pour 4 personnes)*

1,8 kg	(4 livres) de longe d'agneau, préparée*
45 ml	(3 c. à soupe) de beurre à l'ail fondu
2	carottes pelées et coupées en julienne
375 ml	(1 ½ tasse) de pommes de terre à la parisienne
250 ml	(1 tasse) de navets à la parisienne
15 ml	(1 c. à soupe) de beurre
16	tomates miniatures
15 ml	(1 c. à soupe) de persil frais haché
	sel et poivre

Préchauffer le four à 220°C (425°F).
Temps de cuisson: 15 minutes par 500 g (1 livre).

Placer la longe d'agneau préparée dans un plat à rôtir. Badigeonner de beurre à l'ail et bien assaisonner. Faire cuire 20 minutes au four.

Réduire la chaleur à 180°C (350°F) et continuer la cuisson de l'agneau. Badigeonner de 2 à 3 fois pendant la cuisson.

15 minutes avant que l'agneau soit cuit à point: mettre tous les légumes (sauf les tomates) dans une casserole contenant 500 ml (2 tasses) d'eau bouillante salée. Faire cuire 8 à 10 minutes.

Égoutter et assaisonner au goût.

Ajouter le beurre, les tomates et le persil; mélanger et servir avec l'agneau.

* Demandez au boucher de préparer la longe ou voir Technique pour désosser une longe d'agneau, page 386.

1 PORTION	789 CALORIES	22 g GLUCIDES
49 g PROTÉINES	56 g LIPIDES	1,4 g FIBRES

Noisettes d'agneau minute *(pour 4 personnes)*

8	noisettes d'agneau, de 2,5 cm (1 po) d'épaisseur*
250 ml	(1 tasse) de farine
3	œufs battus
375 ml	(1 ½ tasse) de chapelure
50 ml	(¼ tasse) d'huile d'arachide
	fromage parmesan au goût
	sel et poivre

Assaisonner les noisettes d'agneau et les placer entre deux feuilles de papier ciré. Aplatir avec un maillet.

Enfariner les noisettes et les tremper dans les œufs battus. Enrober les noisettes de chapelure. Réfrigérer 15 minutes.

Faire chauffer l'huile dans une sauteuse. Ajouter la moitié des noisettes; faire griller 2 minutes de chaque côté. Égoutter sur un papier essuie-tout.

Répéter la même opération pour le reste des noisettes.

Placer l'agneau sur un plat de service. Parsemer de fromage. Si désiré: servir avec une sauce tomate.

* Demander au boucher de préparer les noisettes ou voir Technique pour désosser une longe d'agneau, page 386.

Voir technique page suivante.

1 PORTION	770 CALORIES	30 g GLUCIDES
41 g PROTÉINES	54 g LIPIDES	0 g FIBRES

TECHNIQUE: NOISETTES D'AGNEAU

1 Préparer les noisettes d'agneau et les assaisonner.

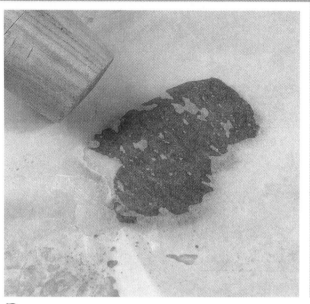

2 Placer les noisettes entre deux feuilles de papier ciré et aplatir.

Sauce chasseur

30 ml	(2 c. à soupe) de beurre
1	échalote sèche, finement hachée
20	champignons frais, nettoyés et coupés en dés
45 ml	(3 c. à soupe) de vin blanc sec
50 ml	(¼ tasse) de tomates hachées
500 ml	(2 tasses) de sauce brune chaude*
	persil frais haché
	sel et poivre

Faire chauffer le beurre dans une casserole. Ajouter les échalotes et faire cuire 1 minute.

Ajouter les champignons; saler, poivrer. Continuer la cuisson pendant 3 minutes à feu moyen.

Incorporer le vin et faire cuire 3 minutes.

Ajouter les tomates et mélanger. Incorporer la sauce brune et assaisonner au goût. Laisser mijoter 15 minutes à feu doux.

Parsemer de persil et servir.

Cette sauce, recouverte d'un papier ciré, se conservera 2 semaines au réfrigérateur.

* Voir Sauce brune, page 397.

1 PORTION	46 CALORIES	5 g GLUCIDES
2 g PROTÉINES	2 g LIPIDES	0,3 g FIBRES

Noisettes d'agneau à l'ail   *(pour 4 personnes)*

30 ml	(2 c. à soupe) de beurre
8	noisettes d'agneau, de 2,5 cm (1 po) d'épaisseur*
250 g	(½ livre) de champignons frais, nettoyés et émincés
30 ml	(2 c. à soupe) de beurre à l'ail
	quelques gouttes de jus de citron
	sel et poivre

Préchauffer le four à 70°C (150°F).

Faire chauffer le beurre dans une poêle à frire. Ajouter l'agneau et faire griller 3 à 4 minutes de chaque côté. Bien assaisonner.

Retirer l'agneau de la poêle et transférer dans un plat allant au four. Garder chaud au four.

Mettre les champignons dans la poêle. Saler, poivrer. Faire cuire 2 minutes à feu vif.

Ajouter le beurre à l'ail, mélanger et couvrir. Faire cuire 5 minutes à feu moyen.

Verser les champignons sur l'agneau et servir. Arroser de jus de citron.

* Demander au boucher de préparer les noisettes ou voir Technique pour désosser une longe d'agneau, page 386.

1 PORTION	509 CALORIES	3 g GLUCIDES
32 g PROTÉINES	41 g LIPIDES	0,5 g FIBRES

Noisettes d'agneau à la milanaise   *(pour 4 personnes)*

4	tranches de jambon cuit, coupées en julienne
125 g	(¼ livre) de champignons frais, nettoyés et émincés
60 ml	(4 c. à soupe) de beurre
30 ml	(2 c. à soupe) de vin de Madère
500 ml	(2 tasses) de sauce tomate chaude*
4	noisettes d'agneau, de 2,5 cm (1 po) d'épaisseur**
4	portions de spaghetti cuits
	sel et poivre

Mettre le jambon, les champignons et 30 ml (2 c. à soupe) de beurre dans une casserole. Couvrir et faire cuire 4 à 5 minutes à feu doux.

Ajouter le vin et faire cuire, sans couvrir, pendant 2 minutes.

Incorporer la sauce tomate, remuer et laisser mijoter à feu doux. Rectifier l'assaisonnement.

Entre-temps, faire chauffer le reste du beurre dans une poêle. Ajouter les noisettes d'agneau; faire griller 3 à 4 minutes de chaque côté. Saler, poivrer.

Transférer les noisettes d'agneau dans un plat de service et entourer de spaghetti. Napper de sauce et servir.

* Voir Sauce tomate, page 399.
** Demander au boucher de préparer les noisettes ou voir Technique pour désosser une longe d'agneau, page 386.

1 PORTION	501 CALORIES	43 g GLUCIDES
26 g PROTÉINES	25 g LIPIDES	0,9 g FIBRES

Rôti de gigot d'agneau jardinière
(pour 4 personnes)

2,3 à 2,7 kg	(5 à 6 livres) de gigot d'agneau désossé (réserver les os)
1	gousse d'ail, pelée et émincée
45 ml	(3 c. à soupe) de beurre fondu
2	oignons, coupés en gros dés
2	carottes, pelées et coupées en biseau
1	courgette, coupée en biseau
½	branche de céleri, émincée
15 ml	(1 c. à soupe) de beurre
1	gousse d'ail, écrasée et hachée
15 ml	(1 c. à soupe) de persil frais haché
375 ml	(1 ½ tasse) de bouillon de poulet chaud
15 ml	(1 c. à soupe) de fécule de maïs
30 ml	(2 c. à soupe) d'eau froide
	sel et poivre

Préchauffer le four à 220°C (425°F).
Temps de cuisson: 15 à 18 minutes par 500 g (1 livre).

Piquer l'agneau de morceaux d'ail et placer dans un plat à rôtir. Ajouter les os. Badigeonner de beurre fondu; saler, poivrer et faire rôtir 20 minutes.

Réduire la chaleur à 190°C (375°F) et finir la cuisson. Badigeonner 2 à 3 fois. 30 minutes avant que la viande soit prête, ajouter les oignons.

Entre-temps: faire cuire les légumes dans 500 ml (2 tasses) d'eau bouillante salée. Égoutter et ajouter le beurre et l'ail haché; laisser mijoter jusqu'au moment de servir.

Retirer l'agneau du plat. Jeter les os.

Mettre le persil dans le plat et laisser réduire 3 minutes à feu vif.

Retirer la plupart du gras. Incorporer le bouillon de poulet; faire chauffer 3 à 4 minutes.

Délayer la fécule de maïs dans l'eau froide. Incorporer à la sauce; saler, poivrer et amener à ébullition. Faire cuire 1 minute.

Passer la sauce au tamis. Servir avec l'agneau.

1 PORTION	707 CALORIES	6 g GLUCIDES
47 g PROTÉINES	55 g LIPIDES	0,5 g FIBRES

TECHNIQUE

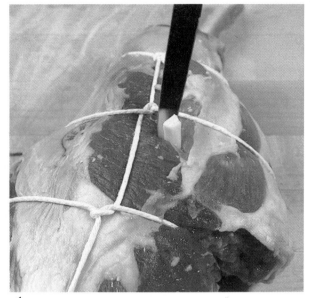

1 Placer le gigot d'agneau préparé sur une planche à découper. Piquer le gigot d'ail émincé.

2 Placer le gigot dans un plat à rôtir et ajouter les os. Badigeonner de beurre fondu.

3 Assaisonner généreusement. Placer l'agneau au four.

4 30 minutes avant que l'agneau soit cuit, mettre les oignons dans le plat à rôtir. Quelques minutes avant que la viande soit prête, préparer les légumes.

Voir page suivante.

5 Dès que l'agneau est cuit, le retirer et le mettre de côté. Placer le plat à rôtir sur l'élément de la cuisinière à feu vif. Ajouter le persil et laisser réduire le jus 3 minutes.

6 Retirer la plupart du gras et incorporer le bouillon de poulet; remuer et faire chauffer 3 à 4 minutes à feu doux.

7 Incorporer le mélange de fécule. Saler, poivrer et amener à ébullition. Faire cuire 1 minute.

8 Passer la sauce au tamis.

Sauce brune

60 ml	(4 c. à soupe) de graisse de rôti
30 ml	(2 c. à soupe) d'oignons hachés
½	carotte pelée et coupée en petits dés
30 ml	(2 c. à soupe) de céleri coupé en dés
75 ml	(5 c. à soupe) de farine
30 ml	(2 c. à soupe) de pâte de tomates
750 ml	(3 tasses) de bouillon de bœuf chaud
1	feuille de laurier
	une pincée de thym
	sel et poivre

Faire chauffer la graisse de rôti dans une casserole épaisse. Ajouter les légumes; faire cuire 2 minutes. Bien assaisonner.

Ajouter la farine et faire cuire à feu doux jusqu'à ce que la sauce devienne brun pâle. Remuer fréquemment pour ne pas faire brûler.

Retirer la casserole du feu. Laisser refroidir.

Ajouter la pâte de tomates et bien remuer. Incorporer le bouillon de bœuf et les épices. Assaisonner au goût. Remuer et amener à ébullition.

Réduire l'élément à feu doux et laisser mijoter la sauce pendant 1 heure. Pour plus de goût, on peut allonger le temps de 45 minutes. Écumer fréquemment.

Passer la sauce au tamis.

Cette sauce recouverte d'un papier ciré, se conservera 2 semaines au réfrigérateur.

1 PORTION	20 CALORIES	4 g GLUCIDES
1 g PROTÉINES	0 g LIPIDES	0,1 g FIBRES

Pommes de terre à la boulangère *(pour 4 à 6 personnes)*

30 ml	(2 c. à soupe) de beurre
1	gros oignon, émincé
15 ml	(1 c. à soupe) de persil frais haché
5	pommes de terre, pelées et émincées
500 ml	(2 tasses) de bouillon de poulet chaud
15 ml	(1 c. à soupe) de beurre fondu
	sel et poivre

Préchauffer le four à 200°C (400°F).

Faire chauffer 30 ml (2 c. à soupe) de beurre dans une poêle. Ajouter les oignons et le persil; bien assaisonner. Faire blondir 6 à 7 minutes à feu moyen-doux.

Ajouter les pommes de terre (réserver 20 tranches). Saler, poivrer et bien mélanger. Faire cuire 2 minutes.

Déposer les pommes de terre dans une casserole allant au four. Garnir des 20 tranches réservées. Recouvrir de bouillon de poulet. Saler, poivrer généreusement. Faire cuire 20 minutes au four.

Tasser les pommes de terre avec une spatule. Réduire la chaleur du four à 180°C (350°F) et continuer la cuisson jusqu'à ce que le liquide soit complètement absorbé et que les pommes de terre soient tendres.

5 minutes avant la fin de la cuisson, badigeonner de beurre fondu.

Garnir de persil haché et servir avec un gigot d'agneau.

1 PORTION	142 CALORIES	19 g GLUCIDES
3 g PROTÉINES	6 g LIPIDES	0,6 g FIBRES

Sauce aux tomates   *(pour 4 personnes)*

4	tranches de bacon, coupées en gros dés
30 ml	(2 c. à soupe) d'huile d'olive
1	oignon, haché
1	carotte, pelée et coupée en dés
½	branche de céleri, coupée en dés
5 ml	(1 c. à thé) de basilic
2 ml	(½ c. à thé) d'origan
2 ml	(½ c. à thé) de sucre
15 ml	(1 c. à soupe) de persil frais haché
12	grosses tomates, pelées, coupées en deux et épépinées
1	petit piment fort, épépiné et émincé
1	petite boîte de pâte de tomates
250 ml	(1 tasse) de bouillon de poulet
	sel et poivre

Faire blanchir le bacon dans une casserole contenant de l'eau mijotante. Égoutter et mettre de côté.

Faire chauffer l'huile dans une grande casserole. Ajouter le bacon et faire cuire 3 à 4 minutes.

Ajouter les oignons, les carottes, le céleri et les épices. Ajouter le sucre; mélanger et faire brunir les légumes 6 à 7 minutes.

Ajouter le reste des ingrédients et bien assaisonner. Faire cuire 2 heures à feu doux. Remuer fréquemment.

Passer la sauce dans une passoire en utilisant un pilon ou le dos d'une cuiller. Servir ou réfrigérer la sauce, recouverte d'un papier ciré, jusqu'au moment de l'emploi.

Voir technique page suivante.

1 PORTION	25 CALORIES	3 g GLUCIDES
1 g PROTÉINES	1 g LIPIDES	0 g FIBRES

1 Faire blanchir le bacon dans une casserole contenant de l'eau mijotante.

2 Égoutter et mettre de côté.

3 Faire chauffer l'huile dans une grande casserole. Ajouter le bacon; faire cuire 3 à 4 minutes. Ajouter les oignons, les carottes, le céleri et les épices. Mélanger et continuer la cuisson pour brunir les légumes.

4 Ajouter les tomates.

5 Ajouter le piment fort.

6 Ajouter la pâte de tomates.

7 Incorporer le bouillon de poulet. Faire cuire 2 heures à feu doux.

8 Passer la sauce dans une passoire en utilisant un pilon ou le dos d'une cuiller.

TECHNIQUE: FARCE AU CUMIN

1 Faire chauffer le beurre dans une casserole.

2 Ajouter les oignons et le persil; bien mélanger. Faire blondir 5 minutes à feu doux.

3 Saupoudrer de cumin, mélanger et continuer la cuisson pendant 1 minute.

4 Ajouter le riz. Assaisonner au goût et faire cuire 2 à 3 minutes à feu doux.

5 Retirer la casserole du feu et laisser refroidir 1 minute. Ajouter un œuf battu pour lier, mélanger.

6 Farcir l'agneau

Farce au cumin

30 ml	(2 c. à soupe) de beurre
1	gros oignon, finement haché
15 ml	(1 c. à soupe) de persil frais haché
30 ml	(2 c. à soupe) de cumin
375 ml	(1½ tasse) de riz cuit
½	œuf battu
	sel et poivre

Faire chauffer le beurre dans une casserole. Ajouter les oignons et le persil. Faire cuire 5 minutes à feu doux.

Saupoudrer de cumin, mélanger et continuer la cuisson pendant 1 minute.

Ajouter le riz. Assaisonner au goût et faire cuire 2 à 3 minutes à feu doux.

Retirer la casserole du feu et laisser refroidir 1 minute.

Ajouter un œuf battu pour lier. Remuer et farcir l'agneau.

TECHNIQUE: BRAISAGE DU POISSON

1 Couper différents légumes en julienne et mettre dans un plat allant au four. Saler, poivrer et ajouter du beurre.

2 Mouiller de vin ou de bouillon. Assaisonner d'herbes et d'épices variées.

3 Placer le poisson sur les légumes. Assaisonner au goût. Faire cuire dans un four préchauffé à 200°C (400°F), de 20 à 22 minutes ou selon la grosseur du poisson.

4 Retourner le poisson 1 fois pendant la cuisson. Saler, poivrer. Le poisson se défait facilement lorsqu'il est cuit.

TECHNIQUE: CUISSON À LA VAPEUR

1 Placer une marguerite ou un panier à vapeur dans le fond d'une casserole.

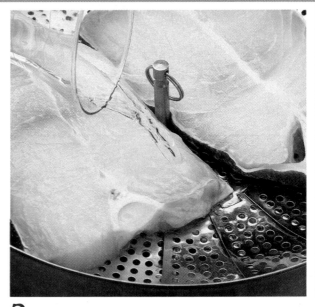

2 Disposer le poisson dans le panier. Verser le liquide (vin, eau etc.) dans la casserole à travers le panier.

3 Saler, poivrer le poisson et ajouter les épices et les herbes aromatiques. Couvrir et amener à ébullition.

4 Faire cuire le poisson à la vapeur, à feu moyen, de 12 à 14 minutes ou selon la grosseur du poisson. Le poisson se défait facilement lorsqu'il est cuit.

TECHNIQUE : POCHAGE DU POISSON

1 Faire chauffer du beurre dans une grande sauteuse ou dans une casserole. Ajouter un assortiment de légumes et d'épices; arroser de jus de citron.

2 Couvrir et faire cuire les légumes 3 à 4 minutes. Ajouter du liquide à la casserole; bien remuer.

3 Plonger le poisson dans le bouillon de légumes. Il doit y avoir assez de liquide pour baigner le poisson complètement.

4 Couvrir et amener à ébullition. Retourner le poisson et laisser mijoter à feu doux pour finir la cuisson. Le poisson se défait facilement lorsqu'il est cuit.

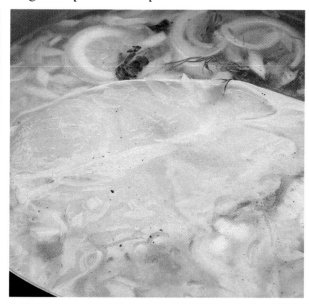

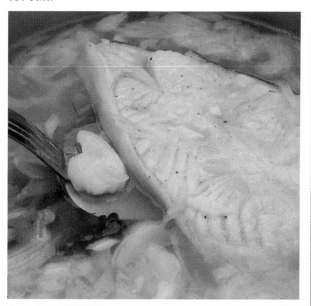

407

1 Demander au poissonnier de retirer les écailles, les nageoires et la queue du poisson. On doit aussi l'évider.

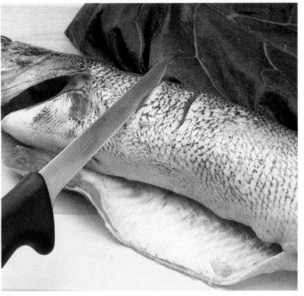

2 Pour la cuisson au barbecue, entailler légèrement les deux côtés.

3 Pour lever les filets: couper en partant de la queue vers la tête, le plus près possible de l'arête dorsale.

4 Dès que le filet est complètement levé, placer à plat sur une planche à découper et retirer la peau.

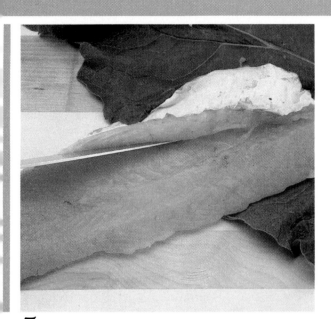

5 Repérer la partie du filet qui contient les arêtes latérales et retirer.

6 Parer les filets pour la cuisson.

Bouillon de poulet maison

1 kg	(2¼ livres) d'os de poulet
4 L	(16 tasses) d'eau froide
15 ml	(1 c. à soupe) d'huile végétale
1	carotte, pelée et grossièrement hachée
1	oignon, grossièrement haché
1	branche de céleri, grossièrement hachée
1	poireau coupé en deux et lavé
2	grosses tomates coupées en deux
1	feuille de laurier
2 ml	(½ c. à thé) de grains de poivre
2 ml	(½ c. à thé) de thym
2 ml	(½ c. à thé) de basilic
1	gousse d'ail, pelée
	quelques branches de persil
	sel et poivre

Mettre les os dans une grande casserole. Ajouter l'eau et amener à ébullition. Écumer et bien assaisonner.

Faire chauffer l'huile dans une poêle à frire. Ajouter tous les légumes et les épices. Faire cuire 4 à 5 minutes.

Transférer tous les légumes dans la casserole contenant les os. Faire cuire 2 minutes à feu doux, sans couvrir.

Passer le bouillon dans une passoire. Laisser refroidir. Réfrigérer ou congeler jusqu'au moment de l'utiliser.

1 PORTION   15 CALORIES   0 g GLUCIDES
0 g PROTÉINES   0 g LIPIDES   0 g FIBRES

Salade de flétan froid *(pour 4 personnes)*

4	steaks de flétan, pochés
30 ml	(2 c. à soupe) d'oignons rouges finement hachés
15 ml	(1 c. à soupe) de persil frais haché
$\frac{1}{3}$	branche de céleri, finement hachée
30 ml	(2 c. à soupe) de vinaigre de vin
45 ml	(3 c. à soupe) d'huile d'olive
2	œufs durs, hachés
	jus de $\frac{1}{4}$ de citron
	sel et poivre
	feuilles de laitue
	quartiers de tomates

Émietter le poisson avec une fourchette et le mettre dans un bol. Ajouter les oignons, le persil, le céleri et le jus de citron. Bien mélanger.

Incorporer le vinaigre et l'huile; saler, poivrer. Ajouter les œufs et mélanger tous les ingrédients de nouveau.

Rectifier l'assaisonnement. Servir sur des feuilles de laitues et garnir de tomates.

1 PORTION	296 CALORIES	3 g GLUCIDES
35 g PROTÉINES	16 g LIPIDES	0,4 g FIBRES

Filet de brochet aux champignons et aux crevettes *(pour 4 personnes)*

4	filets de brochet
125 ml	(½ tasse) de farine
30 ml	(2 c. à soupe) de beurre
15 ml	(1 c. à soupe) d'huile végétale
125 g	(¼ livre) de champignons frais, nettoyés et émincés
16	crevettes cuites, décortiquées, nettoyées et coupées en deux
15 ml	(1 c. à soupe) de ciboulette hachée
	jus de ½ citron
	sel et poivre

Préchauffer le four à 70°C (150°F).

Enfariner les filets.

Faire chauffer la moitié du beurre et l'huile dans une poêle à frire. Ajouter les filets; faire cuire 3 à 4 minutes de chaque côté à feu moyen. Saler, poivrer.

Retirer les filets et les tenir au chaud au four.

Faire chauffer le reste du beurre dans la poêle. Ajouter les champignons, les crevettes et la ciboulette; faire cuire 3 à 4 minutes à feu moyen-vif.

Saler, poivrer et arroser du jus de citron.

Verser la sauce sur les filets. Servir avec des asperges.

1 PORTION	340 CALORIES	14 g GLUCIDES
44 g PROTÉINES	12 g LIPIDES	0,3 g FIBRES

Filet de sole roulé *(pour 4 personnes)*

30 ml	(2 c. à soupe) de beurre
½	branche de céleri, finement hachée
½	oignon, finement haché
2	bâtonnets de poisson et de fruits de mer, hachés
125 ml	(½ tasse) de crème à 35 %
4	grands filets de sole
15 ml	(1 c. à soupe) d'échalotes finement hachées
15 ml	(1 c. à soupe) de persil frais finement haché
250 g	(½ livre) de champignons frais, nettoyés et émincés
45 ml	(3 c. à soupe) de cognac Courvoisier
15 ml	(1 c. à soupe) de fécule de maïs
30 ml	(2 c. à soupe) d'eau froide
	sel et poivre

Faire chauffer le beurre dans une poêle à frire. Ajouter le céleri, les oignons et les bâtonnets de poisson hachés. Saler, poivrer. Couvrir et faire cuire 4 à 5 minutes à feu moyen.

Incorporer 30 ml (2 c. à soupe) de crème et continuer la cuisson pendant 1 minute.

Répartir la farce sur les filets de sole et rouler. Placer les filets dans une sauteuse légèrement beurrée. Parsemer d'échalotes et de persil.

Ajouter les champignons, le cognac et 500 ml (2 tasses) d'eau. Couvrir avec un papier ciré et amener à ébullition.

Retourner les filets et saler, poivrer; continuer la cuisson 3 à 4 minutes à feu très doux.

Retirer les filets roulés. Mettre de côté.

Amener le liquide de cuisson à ébullition; faire chauffer 4 à 5 minutes à feu vif.

Incorporer le reste de la crème. Rectifier l'assaisonnement. Faire cuire 2 à 3 minutes à feu moyen.

Délayer la fécule de maïs dans l'eau froide. Incorporer à la sauce. Amener à ébullition.

Napper le poisson de sauce. Servir.

1 PORTION	326 CALORIES	8 g GLUCIDES
33 g PROTÉINES	18 g LIPIDES	0,7 g FIBRES

Filet de sole au gratin   *(pour 4 personnes)*

5 ml	(1 c. à thé) d'huile d'arachide
30 ml	(2 c. à soupe) d'oignons hachés
1	gousse d'ail, écrasée et hachée
3	tomates, coupées en gros dés
1 ml	(¼ c. à thé) d'origan
5 ml	(1 c. à thé) de persil frais haché
5 ml	(1 c. à thé) de beurre
8	filets de sole
250 ml	(1 tasse) d'eau
125 ml	(½ tasse) de fromage gruyère râpé
	jus de 1 citron
	sel et poivre

Faire chauffer l'huile dans une casserole. Ajouter les oignons et l'ail; couvrir et faire cuire 3 minutes à feu moyen.

Ajouter les tomates, l'origan et le persil. Saler, poivrer; couvrir et continuer la cuisson 12 minutes à feu doux.

Beurrer une poêle à frire et y placer les filets. Arroser de jus de citron; saler, poivrer.

Ajouter l'eau et couvrir d'un papier ciré. Le papier doit toucher le poisson. Amener le liquide à ébullition.

Retirer la poêle du feu. Retourner les filets; laisser reposer 3 minutes.

Transférer le poisson dans un plat de service allant au four. Couvrir partiellement de tomates. Parsemer de fromage et passer sous le gril (broil) 2 minutes. Servir.

Filet de brochet aux câpres *(pour 4 personnes)*

4	filets de brochet
125 ml	(½ tasse) de farine
30 ml	(2 c. à soupe) de beurre
15 ml	(1 c. à soupe) d'huile végétale
30 ml	(2 c. à soupe) d'amandes effilées grillées
30 ml	(2 c. à soupe) de câpres
5 ml	(1 c. à thé) de persil frais haché
	jus de ½ citron
	sel et poivre

Préchauffer le four à 70°C (150°F).

Enfariner les filets de brochet.

Faire chauffer la moitié du beurre et l'huile dans une poêle à frire. Ajouter les filets; faire cuire 3 à 4 minutes de chaque côté à feu moyen.

Retirer les filets et les tenir au chaud au four.

Faire chauffer le reste du beurre dans la poêle. Ajouter les amandes et les câpres; faire cuire 1 minute à feu moyen. Saler, poivrer.

Ajouter le persil et le jus de citron; rectifier l'assaisonnement. Continuer la cuisson 1 minute.

Verser la sauce sur les filets. Servir avec des légumes.

1 PORTION	285 CALORIES	12 g GLUCIDES
30 g PROTÉINES	13 g LIPIDES	0,2 g FIBRES

Goberge aux tomates
et aux oignons *(pour 4 personnes)*

15 ml	(1 c. à soupe) d'huile végétale
1	oignon finement haché
2	gousses d'ail, écrasées et hachées
½	branche de céleri, coupée en dés
3	tomates hachées
2 ml	(½ c. à thé) d'origan
4	filets de goberge, de 170 à 198 g (6 à 7 oz)
3	branches de persil
5 ml	(1 c. à thé) de graines de fenouil
1	carotte, pelée et émincée
½	oignon blanc, tranché
	jus de citron
	sel et poivre

Faire chauffer l'huile dans une casserole. Ajouter les oignons hachés et l'ail; bien mélanger. Couvrir et faire cuire 3 minutes à feu moyen.

Ajouter le céleri; saler, poivrer. Couvrir et continuer la cuisson 2 minutes.

Ajouter les tomates, l'origan et le jus de citron; remuer et rectifier l'assaisonnement. Couvrir et faire cuire 9 à 12 minutes. Retirer le couvercle et prolonger la cuisson de 3 minutes.

Entre-temps placer le reste des ingrédients dans une sauteuse. Ajouter assez d'eau froide pour recouvrir. Amener à ébullition.

Retourner les filets; laisser reposer dans le liquide chaud de 4 à 5 minutes à feu doux.

Servir le poisson avec le mélange de tomates.

Filet de goberge poché aux piments *(pour 4 personnes)*

4	filets de goberge, de 170 à 198 g (6 à 7 oz)
15 ml	(1 c. à soupe) de jus de citron
1	branche de fenouil
1	carotte pelée et émincée
½	oignon rouge tranché
15 ml	(1 c. à soupe) de beurre
½	piment rouge, émincé
½	piment vert, émincé
250 g	(½ livre) de champignons frais, nettoyés et émincés
50 ml	(¼ tasse) de vin blanc sec
15 ml	(1 c. à soupe) de fenouil frais haché
	sel et poivre

Placer le poisson dans une sauteuse. Ajouter le jus de citron, la branche de fenouil, les carottes et les oignons. Saler, poivrer.

Verser assez d'eau froide pour recouvrir les ingrédients et amener à ébullition à feu moyen.

Retourner les filets; laisser reposer de 4 à 5 minutes dans le liquide chaud à feu doux.

Faire chauffer le beurre dans une casserole. Ajouter les piments et les champignons; faire cuire 2 minutes à feu moyen.

Saler, poivrer. Ajouter le vin et le fenouil haché; bien remuer. Faire cuire 3 minutes à feu vif.

Égoutter le poisson et servir avec les piments au vin

416

1 PORTION	241 CALORIES	3 g GLUCIDES
37 g PROTÉINES	9 g LIPIDES	0,6 g FIBRES

Filet de goberge au fromage   *(pour 4 personnes)*

4	filets de goberge, de 170 à 198 g (6 à 7 oz)
5 ml	(1 c. à thé) d'estragon frais haché
1	carotte, pelée et émincée
½	oignon tranché
1	feuille de laurier
3	branches de persil
45 ml	(3 c. à soupe) de beurre
45 ml	(3 c. à soupe) de farine
30 ml	(2 c. à soupe) de crème à 35 %
125 ml	(½ tasse) de fromage gruyère râpé
	une pincée de paprika
	quelques gouttes de Tabasco
	sel et poivre

Placer le poisson dans une sauteuse. Ajouter l'estragon, les carottes, les oignons, le laurier et le persil; saler, poivrer.

Recouvrir les ingrédients d'eau froide et amener à ébullition à feu moyen.

Retourner les filets; laisser reposer de 4 à 5 minutes dans le liquide chaud à feu doux.

Retirer le poisson et le transférer dans un plat à gratin. Mettre de côté. Réserver le liquide de cuisson.

Faire chauffer le beurre dans une casserole. Ajouter la farine; mélanger et faire cuire 1 minute à feu doux. Remuer de temps à autre.

Passer 500 ml (2 tasses) du liquide de cuisson. Incorporer le liquide très lentement au mélange de farine. Laisser mijoter 8 à 10 minutes à feu doux. Remuer de temps à autre.

Incorporer la crème; bien remuer. Ajouter la moitié du fromage, le paprika et la sauce Tabasco; rectifier l'assaisonnement. Faire cuire 1 minute.

Verser la sauce sur les filets. Parsemer du reste de fromage. Passer sous le gril (broil) 5 à 6 minutes. Servir.

1 PORTION	366 CALORIES	2 g GLUCIDES
40 g PROTÉINES	22 g LIPIDES	0 g FIBRES

Goberge frite aux crevettes *(pour 4 personnes)*

4	filets de goberge, de 170 à 198 g (6 à 7 oz)
125 ml	(½ tasse) de farine
30 ml	(2 c. à soupe) de beurre
15 ml	(1 c. à soupe) d'huile végétale
12	crevettes cuites, pelées et nettoyées
30 ml	(2 c. à soupe) d'amandes effilées grillées
15 ml	(1 c. à soupe) de persil frais haché
	sel et poivre
	jus de ½ citron

Préchauffer le four à 70°C (150°F).

Enfariner les filets de poisson.

Faire chauffer 15 ml (1 c. à soupe) de beurre et l'huile dans une poêle à frire. Ajouter les filets; faire cuire 3 minutes à feu moyen.

Retourner les filets; saler, poivrer. Continuer la cuisson de 3 à 4 minutes. Retirer les filets de la poêle et garder chaud au four.

Faire chauffer le reste du beurre dans la poêle. Ajouter les crevettes, les amandes et le persil. Faire cuire 2 minutes à feu moyen. Saler, poivrer.

Incorporer le jus de citron; laisser mijoter 1 minute. Rectifier l'assaisonnement.

Verser sur les filets. Servir avec des asperges.

1 PORTION	398 CALORIES	12 g GLUCIDES
47 g PROTÉINES	18 g LIPIDES	0,2 g FIBRES

Steak de saumon poché *(pour 4 personnes)*

4	tranches de saumon
1	feuille de laurier
1	carotte pelée et tranchée
5 ml	(1 c. à thé) de jus de citron
1	petit poireau, lavé et émincé
1	branche de persil
½	courgette, coupée en julienne épaisse
½	piment rouge, coupé en julienne épaisse
1	botte de pointes d'asperges
125 g	(¼ livre) de champignons frais, nettoyés et tranchés
15 ml	(1 c. à soupe) de jus de citron
125 ml	(½ tasse) de vin blanc sec
15 ml	(1 c. à soupe) de beurre
	sel et poivre

Mettre le saumon dans une sauteuse. Ajouter le laurier, les carottes, 5 ml (1 c. à thé) de jus de citron, le poireau et le persil; saler, poivrer.

Recouvrir les ingrédients d'eau froide et amener à ébullition à feu moyen.

Retourner le poisson; laisser reposer 4 à 5 minutes dans le liquide chaud à feu doux.

Entre-temps: mettre le reste des légumes, le jus de citron, le vin et le beurre dans une poêle; couvrir et faire cuire 3 minutes à feu moyen.

Retirer les légumes et les mettre de côté. Continuer la cuisson du liquide 2 à 3 minutes à feu vif. Rectifier l'assaisonnement. Retirer le saumon du liquide de cuisson. Retirer la peau.

Servir le saumon avec les légumes et la réduction de vin.

1 PORTION	317 CALORIES	10 g GLUCIDES
40 g PROTÉINES	13 g LIPIDES	1,3 g FIBRES

Steak de saumon frit aux anchois *(pour 4 personnes)*

4	tranches de saumon
125 ml	(½ tasse) de farine
30 ml	(2 c. à soupe) d'huile végétale
15 ml	(1 c. à soupe) de beurre
4	filets d'anchois, hachés
250 g	(½ livre) de champignons frais, nettoyés et émincés
15 ml	(1 c. à soupe) de persil frais haché
	jus de citron au goût
	sel et poivre

Préchauffer le four à 70°C (150°F).

Enfariner les tranches de saumon.

Faire chauffer 25 ml (1½ c. à soupe) d'huile dans une poêle à frire. Ajouter le saumon; faire cuire 5 minutes à feu moyen.

Retourner le saumon. Saler, poivrer et continuer la cuisson 5 minutes ou selon la grosseur. Retirer le saumon et le tenir au chaud au four.

Faire chauffer le reste de l'huile et le beurre dans la poêle. Ajouter les anchois et les champignons; faire cuire 3 à 4 minutes à feu moyen-vif.

Saler, poivrer. Ajouter le persil et le jus de citron; faire cuire 1 minute.

Servir avec le saumon.

1 PORTION	409 CALORIES	14 g GLUCIDES
41 g PROTÉINES	21 g LIPIDES	0,6 g FIBRES

Saumon aux olives
et aux champignons

(pour 4 personnes)

4	tranches de saumon
125 ml	(½ tasse) de farine
15 ml	(1 c. à soupe) d'huile végétale
30 ml	(2 c. à soupe) de beurre
125 g	(¼ livre) de champignons frais, nettoyés et en quartiers
50 ml	(¼ tasse) d'olives noires dénoyautées
250 ml	(1 tasse) de cœurs d'artichauts
1	gousse d'ail, écrasée et hachée
15 ml	(1 c. à soupe) de persil frais haché
	jus de citron au goût
	sel et poivre

Préchauffer le four à 70°C (150°F).

Enfariner les tranches de saumon.

Faire chauffer l'huile et 15 ml (1 c. à soupe) de beurre dans une poêle à frire. Ajouter le saumon; faire cuire 5 minutes à feu moyen.

Retourner le saumon. Saler, poivrer; faire cuire 5 minutes ou selon la grosseur.

Retirer le saumon et le garder chaud au four.

Faire chauffer le reste du beurre dans la poêle. Ajouter les champignons, les olives, les cœurs d'artichauts, l'ail et le persil; saler, poivrer. Continuer la cuisson 4 à 5 minutes à feu moyen-vif.

Arroser de jus de citron; prolonger la cuisson de 30 secondes.

Servir le saumon avec les légumes. Garnir de tranches de citron.

1 PORTION	426 CALORIES	16 g GLUCIDES
41 g PROTÉINES	22 g LIPIDES	1,0 g FIBRES

Steak de saumon aux tomates *(pour 4 personnes)*

4	steaks de saumon
1	feuille de laurier
3	branches de persil
2	carottes pelées et tranchées
5 ml	(1 c. à thé) de vinaigre de vin
5 ml	(1 c. à thé) de jus de citron
5 ml	(1 c. à thé) d'huile végétale
2	échalotes sèches hachées
1	gousse d'ail, écrasée et hachée
5 ml	(1 c. à thé) de ciboulette hachée
2	tomates pelées et finement hachées
45 ml	(3 c. à soupe) de crème à 35 %
	quelques gouttes de sauce Tabasco
	sel et poivre

Placer le saumon dans une sauteuse, ajouter le laurier, le persil, les carottes, le vinaigre et le jus de citron. Saler, poivrer.

Recouvrir les ingrédients d'eau froide et amener à ébullition à feu moyen.

Retourner le poisson; laisser reposer de 4 à 5 minutes dans le liquide chaud à feu doux.

Entre-temps; faire chauffer l'huile dans une casserole. Ajouter le reste des ingrédients à l'exception de la crème. Faire cuire 5 à 6 minutes à feu vif.

Saler, poivrer et incorporer la crème; continuer la cuisson 2 à 3 minutes à feu moyen.

Retirer les steaks de saumon du liquide de cuisson. Retirer la peau.

Servir le saumon avec les tomates.

1 PORTION	324 CALORIES	6 g GLUCIDES
39 g PROTÉINES	16 g LIPIDES	0,7 g FIBRES

Truite dans le papier argenté *(pour 4 personnes)*

4	truites nettoyées et lavées
1	citron tranché
15 ml	(1 c. à soupe) de persil frais haché
2 ml	(½ c. à thé) de fenouil
2 ml	(½ c. à thé) de graines d'aneth
60 ml	(4 c. à soupe) de beurre
	jus de 1 ½ citron
	sel et poivre

Préchauffer le four à 200°C (400°F).

Étendre une grande feuille de papier d'aluminium dans le fond d'un plat à rôtir et y placer les truites.

Ajouter le reste des ingrédients; saler, poivrer.

Couvrir d'une autre feuille de papier d'aluminium. Sceller les extrémités. Faire cuire au four 20 à 25 minutes ou selon la grosseur.

Servir avec du jus de citron.

Truite aux amandes *(pour 4 personnes)*

4	petites truites nettoyées
50 ml	(¼ tasse) de farine
15 ml	(1 c. à soupe) d'huile végétale
45 ml	(3 c. à soupe) de beurre
50 ml	(¼ tasse) d'amandes effilées
15 ml	(1 c. à soupe) de persil frais haché
	sel et poivre
	jus de ½ citron

Préchauffer le four à 190°C (375°F).

Saler, poivrer et enfariner les truites.

Faire chauffer l'huile et 15 ml (1 c. à soupe) de beurre dans une poêle à frire. Ajouter les truites; faire cuire 3 minutes à feu moyen.

Retourner les truites. Saler, poivrer; continuer la cuisson pendant 3 minutes. Retirer les truites de la poêle et les placer dans un plat de service. Continuer la cuisson au four de 8 à 10 minutes.

Faire chauffer le reste du beurre dans la poêle. Ajouter les amandes; faire brunir 3 minutes.

Incorporer le persil et le jus de citron; faire cuire 1 minute.

Rectifier l'assaisonnement.

Verser la sauce aux amandes sur les truites. Servir avec des légumes et une salade.

1 PORTION	352 CALORIES	7 g GLUCIDES
36 g PROTÉINES	20 g LIPIDES	0,4 g FIBRES

TECHNIQUE

1 Saler, poivrer et enfariner les truites.

2 Après 3 minutes de cuisson, retourner les truites. Saler, poivrer et continuer la cuisson 3 minutes. Retirer de la poêle et finir la cuisson au four.

3 Faire chauffer le reste du beurre dans la poêle à frire. Ajouter les amandes; faire brunir 3 minutes.

4 Incorporer le persil et le jus de citron; faire cuire 1 minute. Rectifier l'assaisonnement.

Truite farcie aux champignons *(pour 4 personnes)*

4	petites truites nettoyées
30 ml	(2 c. à soupe) de beurre
3	oignons verts, finement hachés
½	branche de céleri, finement hachée
125 g	(¼ livre) de champignons frais, nettoyés et finement hachés
60 ml	(4 c. à soupe) de chapelure
45 ml	(3 c. à soupe) de crème à 35 %
15 ml	(1 c. à soupe) de fenouil frais haché
5 ml	(1 c. à thé) de ciboulette hachée
125 ml	(½ tasse) de farine
	sel et poivre

Préchauffer le four à 190°C (375°F).

Bien nettoyer et retirer les nageoires des truites. Mettre de côté.

Faire chauffer le beurre dans une poêle à frire. Ajouter les oignons et le céleri; faire cuire 3 minutes à feu moyen.

Incorporer les champignons et saler, poivrer; continuer la cuisson 3 minutes.

Ajouter la chapelure et bien mêler. Incorporer la crème, le fenouil et la ciboulette; faire cuire 3 minutes.

Retirer la poêle du feu. Farcir les truites et les ficeler.

Enfariner les truites et faire cuire au four de 12 à 15 minutes.

1 PORTION	338 CALORIES	17 g GLUCIDES
36 g PROTÉINES	14 g LIPIDES	0,3 g FIBRES

TECHNIQUE

1 Demander au poissonnier de nettoyer et de retirer les nageoires des truites.

2 Faire chauffer le beurre dans une poêle à frire. Ajouter les oignons et le céleri; faire cuire 3 minutes à feu moyen.

3 Incorporer les champignons. Saler, poivrer et continuer la cuisson 3 minutes.

4 Ajouter la chapelure et bien mêler.

Voir page suivante.

5 Incorporer la crème, le fenouil et la ciboulette; faire cuire 3 minutes.

6 Retirer la poêle du feu. Farcir les truites.

7 Ficeler les truites.

8 Enfariner les truites avant la cuisson.

Truite du soir   *(pour 4 personnes)*

4	petites truites nettoyées
30 ml	(2 c. à soupe) de beurre
2	oignons verts hachés
2	échalotes sèches hachées
½	branche de céleri, hachée
150 g	(⅓ livre) de champignons frais, nettoyés et hachés
45 ml	(3 c. à soupe) de chapelure
75 ml	(⅓ tasse) de crème à 35 %
	une pincée de paprika
	persil haché au goût
	sel et poivre

Préchauffer le four à 190°C (375°F).

Placer le poisson sur le ventre et à l'aide d'un couteau bien effilé, couper le long du dos en partant de la queue vers la tête. Couper assez profondément pour atteindre l'épine dorsale. Refaire une longue incision de l'autre côté de l'épine.

Couper l'épine près de la tête et glisser le couteau sous l'os pour le retirer.

Répéter la même opération pour chaque truite.

Faire chauffer le beurre dans une poêle à frire. Ajouter les oignons, les échalotes et le céleri; faire cuire 3 minutes à feu moyen.

Ajouter les champignons; continuer la cuisson de 3 à 4 minutes. Saler, poivrer et parsemer d'épices.

Incorporer la chapelure et la crème; continuer la cuisson 2 minutes.

Farcir les truites et les placer dans un plat à rôtir huilé. Faire cuire 12 à 15 minutes au four.

1 PORTION	317 CALORIES	6 g GLUCIDES
35 g PROTÉINES	17 g LIPIDES	0,4 g FIBRES

Vivaneaux au rhum *(pour 4 personnes)*

4	vivaneaux, bien nettoyés
8	branches de thym frais
8	branches de fenouil frais
75 ml	(5 c. à soupe) d'huile végétale
50 ml	(¼ tasse) de rhum léger Lamb's
30 ml	(2 c. à soupe) de vinaigre de vin
60 ml	(4 c. à soupe) de persil frais haché
2	gousses d'ail, écrasées et hachées
	jus de limette au goût
	sel et poivre

Bien nettoyer les vivaneaux et retirer les nageoires.

Pratiquer des entailles sur les vivaneaux, des deux côtés. Insérer du thym et du fenouil dans les entailles. Placer les vivaneaux dans un plat à rôtir ou dans une grande assiette.

Mélanger l'huile, le rhum, le vinaigre, le persil et l'ail dans un bol. Saler, poivrer et arroser de jus de limette. Verser sur les poissons.

Réfrigérer 2 heures tout en retournant les poissons 2 fois durant cette période.

Préchauffer le four à 200°C (400°F).

Retirer les vivaneaux de la marinade et les transférer dans un plat allant au four. Mettre la marinade de côté.

Faire cuire les poissons 15 à 20 minutes au four ou selon leur grosseur. Badigeonner fréquemment de marinade et retourner les poissons une fois.

Servir.

1 PORTION	311 CALORIES	0 g GLUCIDES
35 g PROTÉINES	19 g LIPIDES	0 g FIBRES

TECHNIQUE

1 Demander au poissonnier de bien nettoyer et de retirer les nageoires des poissons.

2 Pratiquer des entailles dans la chair, des deux côtés.

3 Insérer le thym et le fenouil dans les entailles. Placer les vivaneaux dans un plat à rôtir ou dans une grande assiette.

4 Verser la marinade sur les poissons. Réfrigérer 2 heures avant la cuisson.

431

TECHNIQUE: CUISSON DES CREVETTES

1 Selon la recette choisie, les crevettes peuvent être cuites avec ou sans leur carapace.

2 Plonger les crevettes dans l'eau froide et ajouter les épices.

3 Dès que l'eau commence à bouillir, retirer la casserole du feu. Retirer les crevettes.

4 Faire refroidir les crevettes dans l'eau froide.

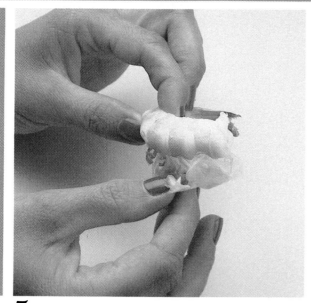

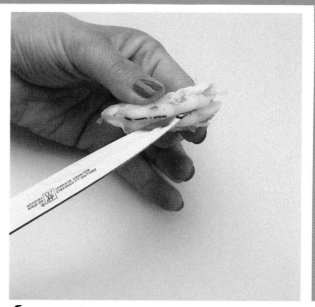

5 Si les crevettes sont utilisées immédiatement, les décortiquer avec les doigts. Les crevettes non décortiquées peuvent se conserver 24 heures au réfrigérateur, recouvertes d'une pellicule de plastique.

6 Pour nettoyer les crevettes, trancher le long du dos et retirer la veine noire.

Crevettes au poivre *(pour 4 personnes)*

900 g	(2 livres) de crevettes géantes, décortiquées
30 ml	(2 c. à soupe) de poivre noir moulu
15 ml	(1 c. à soupe) de beurre
500 ml	(2 tasses) d'eau froide
30 ml	(2 c. à soupe) de paprika
	jus de 1 citron

Mettre les crevettes, 25 ml (1 ½ c. à soupe) de poivre et le jus de citron dans une casserole.

Ajouter le beurre, l'eau et la moitié du paprika. Remuer; couvrir et amener à ébullition.

Retirer la casserole du feu et retourner les crevettes. Laisser mijoter dans le liquide chaud de 3 à 4 minutes.

Égoutter les crevettes et les transférer dans un bol. Ajouter le reste du poivre et du paprika. Bien mélanger.

La tradition veut que l'on serve ces crevettes sur du papier journal.

1 PORTION	213 CALORIES	4 g GLUCIDES
38 g PROTÉINES	5 g LIPIDES	0 g FIBRES

Crevettes au gingembre *(pour 4 personnes)*

15 ml	(1 c. à soupe) d'huile végétale
750 g	(1 ½ livre) de crevettes décortiquées
1	piment rouge émincé
1	branche de céleri, émincée
1	carotte, pelée et émincée
3	oignons verts, coupés en petits bâtonnets
30 ml	(2 c. à soupe) de gingembre frais haché
375 ml	(1 ½ tasse) de bouillon de poulet chaud
15 ml	(1 c. à soupe) de fécule de maïs
30 ml	(2 c. à soupe) d'eau froide
	quelques gouttes de sauce piquante commerciale
	sel et poivre

Faire chauffer l'huile dans une poêle à frire. Ajouter les crevettes; faire cuire 4 à 6 minutes à feu vif. Retourner les crevettes 1 ou 2 fois pendant la cuisson. Saler, poivrer.

Retirer les crevettes de la poêle. Mettre de côté.

Mettre les légumes et le gingembre dans la poêle; saler, poivrer. Faire cuire 3 à 4 minutes à feu vif. Remuer de temps à autre.

Incorporer le bouillon de poulet et amener à ébullition.

Délayer la fécule de maïs dans l'eau froide. Incorporer aux légumes. Assaisonner au goût.

Remettre les crevettes dans la poêle et bien mêler. Laisser mijoter 1 à 2 minutes à feu moyen-doux. Servir.

1 PORTION	221 CALORIES	10 g GLUCIDES
34 g PROTÉINES	5 g LIPIDES	0,7 g FIBRES

Vol-au-vent aux crevettes
et aux pétoncles *(pour 4 personnes)*

15 ml	(1 c. à soupe) de beurre
250 g	(½ livre) de champignons frais, nettoyés et coupés en dés
16	crevettes décortiquées
16	pétoncles
15 ml	(1 c. à soupe) de persil frais haché
2 ml	(½ c. à thé) de graines de fenouil
125 ml	(½ tasse) de vin blanc sec
125 ml	(½ tasse) d'eau froide
375 ml	(1 ½ tasse) de crème légère, chaude
5 ml	(1 c. à thé) de jus de citron
5 ml	(1 c. à thé) de fécule de maïs
30 ml	(2 c. à soupe) d'eau froide
1 ml	(¼ c. à thé) de sauce Tabasco
4	vol-au-vent, cuits
	sel et poivre

Beurrer une sauteuse et y mettre les champignons, les crevettes, les pétoncles, le persil et les graines de fenouil.

Incorporer le vin et l'eau; saler, poivrer. Couvrir et amener à ébullition.

Retourner les fruits de mer; laisser mijoter de 3 à 4 minutes à feu très doux.

À l'aide d'une cuiller à trous, retirer les fruits de mer et les mettre dans un bol.

Remettre la sauteuse sur l'élément de la cuisinière et amener le liquide de cuisson à ébullition à feu moyen.

Incorporer la crème et amener à ébullition de nouveau. Saler, poivrer et incorporer le jus de citron.

Délayer la fécule de maïs dans l'eau froide. Incorporer à la sauce. Amener à ébullition et faire chauffer 1 minute.

Remettre les fruits de mer dans la sauce et ajouter la sauce Tabasco; remuer et laisser mijoter 2 minutes à feu très doux.

Garnir les vol-au-vent. Servir.

1 PORTION	616 CALORIES	28 g GLUCIDES
36 g PROTÉINES	40 g LIPIDES	0,3 g FIBRES

Vol-au-vent de bâtonnets de poisson *(pour 4 personnes)*

30 ml	(2 c. à soupe) de beurre
½	oignon, finement haché
½	carotte, pelée et hachée
¼	branche de céleri, hachée
30 ml	(2 c. à soupe) de poudre de cari
45 ml	(3 c. à soupe) de farine
375 ml	(1 ½ tasse) de bouillon de poulet chaud
50 ml	(¼ tasse) de crème à 35 %
5 ml	(1 c. à thé) de persil frais haché
12	bâtonnets de poisson et de fruits de mer, en dés
125 ml	(½ tasse) de mandarines en conserve, égouttées
4	vol-au-vent, cuits
	sel et poivre

Faire chauffer le beurre dans une sauteuse. Ajouter les oignons, les carottes et le céleri; couvrir et faire cuire 3 à 4 minutes à feu moyen.

Ajouter la poudre de cari et la farine; faire cuire 1 minute, sans couvrir, à feu moyen.

Incorporer le bouillon de poulet et assaisonner. Faire cuire 8 à 10 minutes.

Ajouter la crème et le persil; bien remuer et continuer la cuisson 3 à 4 minutes.

Ajouter les bâtonnets de poisson et les mandarines; laisser mijoter 2 à 3 minutes à feu doux. Remplir les vol-au-vent et servir.

Vol-au-vent aux pétoncles et fromage

(pour 4 personnes)

45 ml	(3 c. à soupe) de beurre
125 g	(¼ livre) de champignons frais, nettoyés et coupés en dés
½	courgette coupée en dés
45 ml	(3 c. à soupe) de farine
375 ml	(1 ½ tasse) de bouillon de poulet chaud
15 ml	(1 c. à soupe) de fenouil frais haché
2	feuilles de menthe fraîche
50 ml	(¼ tasse) de crème à 35 %
375 g	(¾ livre) de crevettes décortiquées
250 g	(½ livre) de pétoncles
4	bâtonnets de poisson et de fruits de mer, en dés
175 ml	(¾ tasse) de fromage suisse râpé
4	vol-au-vent, cuits
	jus de citron au goût, sel et poivre

Faire chauffer le beurre dans une sauteuse. Ajouter les champignons et les courgettes; faire cuire 3 minutes à feu moyen-vif.

Ajouter la farine; faire cuire 1 minute.

Incorporer le bouillon de poulet et saler, poivrer. Ajouter le fenouil et la menthe; remuer et faire cuire 4 à 5 minutes à feu moyen.

Incorporer la crème; faire cuire 2 minutes à feu moyen-vif. Rectifier l'assaisonnement.

Ajouter les crevettes et les pétoncles; laisser mijoter 3 minutes à feu doux.

Ajouter les bâtonnets de poisson; mélanger et laisser mijoter 2 minutes.

Incorporer la moitié du fromage. Remplir les vol-au-vent et couronner du reste de fromage.

Passer sous le gril (broil) 2 à 3 minutes ou jusqu'à ce que le fromage fonde. Arroser de jus de citron et servir.

1 PORTION	642 CALORIES	27 g GLUCIDES
39 g PROTÉINES	42 g LIPIDES	0,4 g FIBRES

Coquilles de fruits de mer *(pour 4 personnes)*

45 ml	(3 c. à soupe) de beurre
8	grosses crevettes, décortiquées, nettoyées et coupées en 3
375 g	(¾ livre) de pétoncles
15 ml	(1 c. à soupe) de persil frais haché
250 ml	(1 tasse) de vin blanc sec
30 ml	(2 c. à soupe) de farine
300 ml	(1 ¼ tasse) de crème légère, chaude
250 ml	(1 tasse) de fromage gruyère râpé
1 ml	(¼ c. à thé) de muscade
	sel et poivre
	jus de citron au goût

Graisser une sauteuse avec 15 ml (1 c. à soupe) de beurre. Ajouter les crevettes, les pétoncles, la moitié du persil et le vin. Bien assaisonner; couvrir et amener à ébullition.

Retourner les fruits de mer; laisser cuire 3 à 4 minutes à feu doux.

Retirer la sauteuse du feu. Retirer les fruits de mer. Passer le liquide au tamis. Mettre de côté.

Faire chauffer le reste du beurre dans une casserole. Ajouter la farine; mélanger et faire cuire 1 minute.

Entre-temps, verser le liquide de cuisson dans une petite casserole et le faire réduire de moitié à feu moyen-vif.

Incorporer le liquide à la farine; remuer. Ajouter la crème et le reste du persil; remuer et faire cuire 8 à 10 minutes à feu très doux.

Incorporer la moitié du fromage et la muscade; faire cuire 2 minutes à feu doux.

Remettre les fruits de mer dans la sauce et remuer. Remplir des coquilles individuelles du mélange. Parsemer de fromage et passer sous le gril (broil) 4 à 5 minutes. Servir.

Voir technique page suivante.

1 PORTION	489 CALORIES	11 g GLUCIDES
37 g PROTÉINES	33 g LIPIDES	0 g FIBRES

1 Graisser une sauteuse avec 15 ml (1 c. à soupe) de beurre. Ajouter les crevettes, les pétoncles et la moitié du persil.

2 Incorporer le vin; assaisonner. Couvrir et amener à ébullition.

3 Retourner les fruits de mer; laisser cuire de 3 à 4 minutes à feu doux.

4 Retirer la sauteuse du feu. Retirer les fruits de mer. Passer le liquide au tamis. Mettre de côté.

5 Faire chauffer le reste du beurre dans une casserole. Ajouter la farine; mélanger et faire cuire 1 minute à feu doux. Incorporer la réduction de liquide.

6 Incorporer la crème et le reste du persil. Faire cuire 8 à 10 minutes à feu très doux.

7 Incorporer la moitié du fromage et la muscade; faire cuire 2 minutes à feu doux.

8 Remettre les fruits de mer dans la sauce; remuer. Remplir les coquilles et parsemer de fromage. Passer sous le gril (broil) 4 à 5 minutes.

441

Coquilles St-Jacques *(pour 4 personnes)*

45 ml	(3 c. à soupe) de beurre
500 g	(1 livre) de pétoncles frais
30 ml	(2 c. à soupe) d'échalotes sèches hachées
15 ml	(1 c. à soupe) de persil frais haché
30 ml	(2 c. à soupe) de ciboulette fraîche hachée
125 ml	(½ tasse) de grosse chapelure
	sel et poivre
	beurre fondu

Préchauffer le four à 200°C (400°F).

Faire chauffer 45 ml (3 c. à soupe) de beurre dans une poêle à frire. Ajouter les pétoncles; faire cuire 3 minutes à feu vif.

Ajouter les échalotes, le persil et la ciboulette; saler, poivrer. Faire cuire 2 minutes à feu moyen.

Bien mêler. Placer le tout dans des coquilles individuelles. Saupoudrer de chapelure et arroser de beurre fondu.

Faire cuire 3 minutes au four.

Servir avec du citron.

1 PORTION	249 CALORIES	12 g GLUCIDES
21 g PROTÉINES	13 g LIPIDES	0,1 g FIBRES

Coquilles St-Jacques crémeuse *(pour 4 personnes)*

60 ml	(4 c. à soupe) de beurre
500 g	(1 livre) de pétoncles frais
125 g	(¼ livre) de champignons frais, nettoyés et coupés en dés
1	échalote sèche hachée
15 ml	(1 c. à soupe) de ciboulette fraîche hachée
30 ml	(2 c. à soupe) de vermouth sec
375 ml	(1 ½ tasse) d'eau froide
45 ml	(3 c. à soupe) de farine
125 ml	(½ tasse) de crème à 35 %
	une pincée de fenouil
	quelques gouttes de jus de citron
	sel et poivre

Graisser une sauteuse avec 15 ml (1 c. à soupe) de beurre. Ajouter les pétoncles, les champignons, les échalotes, la ciboulette, le fenouil, le vermouth, l'eau et le jus de citron. Saler, poivrer. Couvrir avec une feuille de papier ciré et amener à ébullition.

Retirer immédiatement du feu. Laisser reposer 3 à 4 minutes.

À l'aide d'une cuiller à trous, retirer les pétoncles; mettre de côté.

Faire chauffer le reste du beurre dans une casserole. Ajouter la farine; mélanger et faire cuire 2 minutes à feu doux tout en remuant constamment.

Ajouter le liquide de cuisson et l'incorporer au fouet. Ajouter la crème; bien remuer; continuer la cuisson 3 à 4 minutes.

Remettre les pétoncles dans la sauce et rectifier l'assaisonnement. Bien remuer et arroser de jus de citron au goût.

Servir immédiatement.

1 PORTION	274 CALORIES	7 g GLUCIDES
21 g PROTÉINES	18 g LIPIDES	0,3 g FIBRES

Casserole de flétan *(pour 4 personnes)*

45 ml	(3 c. à soupe) de beurre
45 ml	(3 c. à soupe) de farine
500 ml	(2 tasses) de lait chaud
1 ml	(¼ c. à thé) de muscade
1 ml	(¼ c. à thé) de paprika
2 ml	(½ c. à thé) de graines de fenouil
4	tranches de flétan cuit à la vapeur, émietté*
125 ml	(½ tasse) de fromage gruyère râpé
5 ml	(1 c. à thé) de ciboulette hachée
	quelques gouttes de jus de citron
	sel et poivre

Faire chauffer le beurre dans une casserole. Ajouter la farine; mélanger et faire cuire 2 minutes à feu doux.

Incorporer le lait et les épices. Rectifier l'assaisonnement. Bien mélanger au fouet et faire cuire 10 minutes à feu doux. Remuer fréquemment pendant la cuisson.

Retirer la casserole du feu et incorporer délicatement les morceaux de flétan. Arroser de jus de citron.

Incorporer la moitié du fromage. Verser le tout dans un plat à gratin. Parsemer du reste de fromage et de la ciboulette. Passer sous le gril (broil) 2 à 3 minutes.

Servir avec du maïs frais.

* Voir Cuisson du poisson à la vapeur, page 406.

1 PORTION	350 CALORIES	8 g GLUCIDES
39 g PROTÉINES	18 g LIPIDES	0 g FIBRES

Homards grillés *(pour 4 personnes)*

4	homards bouillis*, de 750 g (1 ½ livre)
60 ml	(4 c. à soupe) de beurre doux
1	échalote sèche, finement hachée
15 ml	(1 c. à soupe) de persil frais haché
15 ml	(1 c. à soupe) de chapelure
5 ml	(1 c. à thé) de jus de citron
1 ml	(¼ c. à thé) de sauce Tabasco
	une pincée de paprika
	poivre du moulin

*Ne pas faire bouillir les homards plus de 12 minutes. Suivre la technique pour bouillir des homards vivants, page 445.

Couper les homards en deux et les placer dans un plat de service allant au four. Mettre de côté.

Mélanger le reste des ingrédients dans un bol. Étendre le mélange sur la chair des homards.

Placer les homards sur la grille supérieure et passer sous le gril (broil) pendant 8 minutes.

Servir immédiatement.

1 PORTION	263 CALORIES	2 g GLUCIDES
30 g PROTÉINES	15 g LIPIDES	0 g FIBRES

TECHNIQUE: BOUILLIR DES HOMARDS

1 Acheter des homards d'environ 750 g (1 ½ livre). Au besoin, les homards vivants peuvent se conserver de 2 à 3 jours au réfrigérateur enveloppés dans du papier journal.

2 Amener l'eau à ébullition et y plonger les homards vivants. Laisser les bâtonnets de bois dans les pinces. Couvrir et faire cuire de 14 à 18 minutes selon leur grosseur. Note: l'eau ne doit pas bouillir trop fort.

3 La carapace d'un homard cuit deviendra rouge.

4 Dès que le homard est cuit, le retirer et le laisser refroidir. À l'aide d'un bon couteau, couper le homard en deux.

Voir page suivante.

5 Nettoyer l'intérieur du homard en retirant le petit intestin.

6 Le foie (matière verte) et les œufs (le corail) sont très fins au goût et fort appréciés par les connaisseurs.

7 Si désiré, briser les pinces et retirer la chair avant de servir.

8 La chair de la queue se retire très facilement. La carapace convient bien comme garniture.

Homards Newburg *(pour 4 personnes)*

4	homards bouillis, de 750 g (1 ½ livre)*
1	jaune d'œuf
500 ml	(2 tasses) de crème à 35 %
30 ml	(2 c. à soupe) de beurre
2	échalotes sèches, finement hachées
250 g	(½ livre) de champignons frais, nettoyés et émincés
50 ml	(¼ tasse) de vin de Madère
5 ml	(1 c. à thé) de persil frais haché
	sel et poivre
	poivre de Cayenne

*Suivre la technique pour bouillir les homards vivants, page 445. Retirer toute la chair des homards bouillis et la couper en dés. Mettre de côté.

Mélanger le jaune d'œuf à 30 ml (2 c. à soupe) de crème; mettre de côté.

Faire chauffer le beurre dans une poêle à frire. Ajouter les échalotes et les champignons; saler, poivrer. Faire cuire 3 minutes à feu moyen-vif.

Incorporer le vin; faire cuire 3 minutes à feu vif.

Incorporer le reste de la crème, le persil et le poivre de Cayenne. Rectifier l'assaisonnement. Faire cuire 4 à 5 minutes à feu moyen-vif.

Ajouter la chair de homard et mélanger rapidement. Réduire l'élément à feu doux et incorporer le jaune d'œuf; remuer et laisser épaissir 2 minutes à feu très doux.

Remuer délicatement et servir immédiatement. Si désiré, garnir le plat avec la carapace des homards.

1 PORTION	672 CALORIES	7 g GLUCIDES
35 g PROTÉINES	56 g LIPIDES	0,5 g FIBRES

Riz aux pétoncles *(pour 4 personnes)*

15 ml	(1 c. à soupe) de beurre
30 ml	(2 c. à soupe) d'oignons finement hachés
1	courgette, coupée en dés
250 ml	(1 tasse) de riz à longs grains, lavé et égoutté
375 ml	(1 ½ tasse) de bouillon de poulet chaud
5 ml	(1 c. à thé) de graines de fenouil
15 ml	(1 c. à soupe) de beurre
250 g	(½ livre) de têtes de champignons frais, nettoyées
15 ml	(1 c. à soupe) de ciboulette hachée
375 g	(¾ livre) de petits pétoncles
30 ml	(2 c. à soupe) de sauce soya
	sel et poivre

Préchauffer le four à 180°C (350°F).

Faire chauffer 15 ml (1 c. à soupe) de beurre dans une casserole allant au four. Ajouter les oignons; bien mélanger et faire cuire 2 à 3 minutes à feu moyen.

Ajouter les courgettes. Saler, poivrer et continuer la cuisson 2 minutes.

Incorporer le riz; faire cuire 2 minutes.

Incorporer le bouillon de poulet et les graines de fenouil; bien remuer et amener à ébullition. Saler, poivrer; couvrir et faire cuire 18 minutes au four.

Faire chauffer 15 ml (1 c. à soupe) de beurre dans une poêle à frire. Ajouter les champignons et la ciboulette; faire cuire 3 minutes.

Ajouter les pétoncles; faire cuire 2 minutes à feu vif. Ajouter la sauce soya et bien mêler.

4 minutes avant la fin de la cuisson du riz, ajouter le mélange de pétoncles. Finir la cuisson. Rectifier l'assaisonnement.

Garnir de piments hachés. Servir avec de la sauce chutney.

1 PORTION	339 CALORIES	48 g GLUCIDES
21 g PROTÉINES	7 g LIPIDES	1,0 g FIBRES

TECHNIQUE

1 Ajouter les courgettes aux oignons. Saler, poivrer et continuer la cuisson pendant 2 minutes.

2 Incorporer le riz; faire cuire 2 minutes.

3 Ajouter le bouillon de poulet et le fenouil; bien remuer et amener à ébullition. Finir la cuisson au four.

4 Entre-temps, faire cuire les champignons dans le beurre chaud. Ajouter les pétoncles et le soya; faire cuire 2 minutes. Incorporer le tout au riz.

Crabe royal mariné au rhum *(pour 4 personnes)*

8	pattes de crabe royal, décongelées et coupées en deux
50 ml	(¼ tasse) de rhum blanc Lamb's
250 g	(½ livre) de beurre doux, mou
30 ml	(2 c. à soupe) de persil frais haché
1	gousse d'ail, écrasée et hachée
1	échalote sèche, finement hachée
45 ml	(3 c. à soupe) de chapelure
	jus de ½ citron
	quelques gouttes de sauce Tabasco
	poivre du moulin

Préchauffer le four à 200°C (400°F).

Mettre les pattes de crabe dans un plat profond et les arroser de rhum. Laisser mariner 5 à 6 minutes.

Mélanger le beurre au reste des ingrédients; mettre de côté.

Égoutter les pattes de crabe et les placer dans un plat allant au four. Étendre le mélange de beurre sur le crabe.

Faire cuire 5 à 6 minutes au four.

Servir avec des pommes de terre frites.

| 1 PORTION | 583 CALORIES | 4 g GLUCIDES |
| 27 g PROTÉINES | 51 g LIPIDES | 0 g FIBRES |

Steaks de merlu au beurre fondu *(pour 4 personnes)*

4	tranches de merlu argenté
1	branche de céleri, émincée
1	petit poireau, lavé et émincé
3	carottes pelées et émincées
2	branches de fenouil frais
15 ml	(1 c. à soupe) d'huile végétale
1	courgette, émincée
50 ml	(¼ tasse) de beurre
15 ml	(1 c. à soupe) de persil frais haché
	jus de 1 citron
	sel et poivre

Placer le poisson dans un plat à rôtir. Ajouter le céleri, les poireaux, une carotte, le fenouil et le jus de citron. Saler, poivrer. Recouvrir les ingrédients d'eau froide et amener à ébullition.

Retirer le plat du feu. Retourner le poisson et laisser reposer de 8 à 10 minutes.

Faire chauffer l'huile dans une poêle à frire. Ajouter le reste des carottes et les courgettes. Saler, poivrer et faire cuire 5 à 6 minutes à feu moyen.

Mettre le beurre et le persil dans une petite casserole; faire chauffer pour fondre le beurre.

Disposer les steaks de merlu dans les assiettes. Arroser de beurre fondu. Servir avec des légumes.

1 PORTION	288 CALORIES	10 g GLUCIDES
26 g PROTÉINES	16 g LIPIDES	1,1 g FIBRES

Queues de langoustines à l'ail *(pour 4 personnes)*

20	queues de langoustines
250 g	(½ livre) de beurre mou
15 ml	(1 c. à soupe) de persil frais haché
2	échalotes sèches hachées
2	gousses d'ail, écrasées et hachées
15 ml	(1 c. à soupe) de jus de citron
1 ml	(¼ c. à thé) de sauce Tabasco
30 ml	(2 c. à soupe) de chapelure
	sel et poivre

Préchauffer le four à 200°C (400°F).

Préparer les queues de langoustines tel que décrit dans la technique.

Mettre le beurre, le persil, les échalotes, l'ail, le jus de citron, la sauce Tabasco et la chapelure dans un bol. Bien mélanger les ingrédients. Rectifier l'assaisonnement.

Étendre le beurre à l'ail sur la chair des queues de langoustines. Faire cuire 6 à 8 minutes au four ou selon leur grosseur.

Servir sur du riz.

1 PORTION	513 CALORIES	4 g GLUCIDES
14 g PROTÉINES	49 g LIPIDES	0 g FIBRES

TECHNIQUE

1 S'assurer de la fraîcheur des queues de langoustines.

2 Couper la carapace en deux sur la longueur.

3 Ne pas couper complètement la carapace pour pouvoir ouvrir la queue en papillon.

4 Placer dans un plat allant au four.

Voir page suivante.

5  Mettre le beurre et le persil dans un bol.

6  Ajouter les échalotes et l'ail.

7 Ajouter le jus de citron, la sauce Tabasco et la chapelure. Bien mélanger et rectifier l'assaisonnement.

8 Étendre le beurre à l'ail sur la chair et faire cuire au four 6 à 8 minutes ou selon la grosseur.

Langoustines aux champignons
et au fromage *(pour 4 personnes)*

20	queues de langoustines décortiquées
30 ml	(2 c. à soupe) de beurre
2	échalotes sèches hachées
250 g	(½ livre) de champignons frais, nettoyés et tranchés
5 ml	(1 c. à thé) de persil frais haché
45 ml	(3 c. à soupe) de cognac Courvoisier
375 ml	(1 ½ tasse) de crème légère, chaude
5 ml	(1 c. à thé) de fécule de maïs
30 ml	(2 c. à soupe) d'eau froide
125 ml	(½ tasse) de fromage suisse ou de gruyère râpé
	sel et poivre

Préparer les queues de langoustines tel que décrit dans la technique.

Faire chauffer le beurre dans une poêle à frire. Ajouter les échalotes et les champignons; saler, poivrer et faire cuire 3 minutes à feu moyen-vif. Parsemer de persil. Couper les langoustines en deux et les ajouter à la poêle. Faire cuire 2 minutes à feu moyen. Rectifier l'assaisonnement.

Incorporer le cognac; faire cuire 2 minutes à feu moyen-vif.

Retirer les langoustines de la poêle. Mettre de côté. Verser la crème dans la poêle; faire chauffer 3 à 4 minutes à feu moyen.

Délayer la fécule de maïs dans l'eau froide. Incorporer à la sauce. Faire cuire 1 minute.

Remettre les langoustines dans la sauce et ajouter la plupart du fromage; remuer et faire cuire 1 minute.

À l'aide d'une cuiller, disposer les langoustines sur du riz cuit. Parsemer du reste de fromage. Passer sous le gril (broil) jusqu'à ce que le fromage fonde. Servir.

Voir technique page suivante.

1 PORTION	381 CALORIES	8 g GLUCIDES
22 g PROTÉINES	29 g LIPIDES	0,2 g FIBRES

TECHNIQUE

1 À l'aide de ciseaux, couper le long de la carapace, des deux côtés.

2 Dégager la carapace pour libérer la chair.

3 Mettre les langoustines de côté. Jeter les carapaces ou les conserver pour la garniture.

4 Faire cuire les échalotes et les champignons dans le beurre chaud pendant 3 minutes à feu moyen-vif. Parsemer de persil.

5 Couper les langoustines en deux et les ajouter à la poêle. Faire cuire 2 minutes à feu moyen. Rectifier l'assaisonnement.

6 Incorporer le cognac; faire cuire 2 minutes à feu moyen-vif.

7 Retirer les langoustines de la poêle et les mettre de côté. Verser la crème dans la poêle; faire chauffer 3 à 4 minutes à feu moyen.

8 Incorporer le mélange de fécule à la sauce. Remettre les langoustines dans la sauce et ajouter la plupart du fromage. Remuer et faire cuire 1 minute.

Langoustines flambées *(pour 4 personnes)*

15 ml	(1 c. à soupe) d'huile végétale
30 ml	(2 c. à soupe) de beurre
20	queues de langoustines, décortiquées
250 g	(½ livre) de champignons frais, nettoyés et coupés en dés
60 ml	(4 c. à soupe) de cognac Courvoisier
250 ml	(1 tasse) de yogourt nature
15 ml	(1 c. à soupe) de persil frais haché
	quelques gouttes de jus de citron
	une pincée de paprika
	sel et poivre
	quartiers de citron pour la présentation

Faire chauffer l'huile et la moitié du beurre dans une sauteuse. Ajouter les langoustines et bien assaisonner; faire cuire 2 à 3 minutes à feu vif. Remuer 1 fois.

Retirer les langoustines de la sauteuse et les mettre de côté.

Faire chauffer le reste du beurre dans la sauteuse. Ajouter les champignons; saler, poivrer. Faire cuire 3 minutes à feu moyen-vif.

Ajouter le cognac; flamber et faire cuire 2 minutes. Bien remuer.

Incorporer le yogourt, le persil, le jus de citron et le paprika. Faire cuire 2 à 3 minutes à feu moyen.

Remettre les langoustines dans la sauce; laisser mijoter 1 à 2 minutes. Servir.

458

1 PORTION	208 CALORIES	7 g GLUCIDES
18 g PROTÉINES	12 g LIPIDES	0,5 g FIBRES

Palourdes à la vapeur *(pour 4 personnes)*

32	palourdes fraîches
15 ml	(1 c. à soupe) de beurre
	jus de ½ citron
	persil frais haché

Bien laver et brosser les palourdes sous l'eau froide pour retirer toute la saleté et le sable.

Mettre les palourdes dans une casserole profonde. Ajouter le beurre et le jus de citron. Verser 5 cm (2 po) d'eau dans la casserole.

Couvrir et faire cuire 8 à 10 minutes à feu moyen. Dès que les coquilles s'ouvrent partiellement, les palourdes sont cuites.

Retirer les palourdes en s'assurant de remettre dans la casserole le liquide contenu dans les coquilles.

Disposer les palourdes dans un plat de service. Ajouter le persil au liquide de cuisson. Verser le tout sur les palourdes.

Servir immédiatement.

1 PORTION	148 CALORIES	10 g GLUCIDES
18 g PROTÉINES	4 g LIPIDES	0 g FIBRES

459

Petites palourdes à l'italienne *(pour 4 personnes)*

15 ml	(1 c. à soupe) de beurre
15 ml	(1 c. à soupe) de persil frais haché
15 ml	(1 c. à soupe) de ciboulette hachée
2	gousses d'ail, écrasées et hachées
1	oignon haché
1	branche de céleri, finement hachée
48	petites palourdes, cuites à la vapeur*
3	tomates hachées
125 ml	(½ tasse) de fromage parmesan râpé
	sel et poivre

Faire chauffer le beurre dans une casserole. Ajouter le persil, la ciboulette, l'ail et les oignons; mêler et faire cuire 3 à 4 minutes à feu moyen.

Ajouter le céleri; continuer la cuisson 2 à 3 minutes.

Retirer les palourdes de leur coquille et les hacher finement. Mettre de côté. Réserver les coquilles.

Mettre les tomates dans la casserole et bien assaisonner; faire cuire 4 à 5 minutes à feu vif.

Ajouter les palourdes hachées; prolonger la cuisson de 2 minutes.

Incorporer la moitié du fromage et rectifier l'assaisonnement. À l'aide d'une cuiller, remplir les coquilles du mélange et parsemer de fromage. Passer sous le gril (broil) 2 à 3 minutes. Servir.

* Voir Palourdes à la vapeur, page 459.

1 PORTION	240 CALORIES	18 g GLUCIDES
24 g PROTÉINES	8 g LIPIDES	0,8 g FIBRES

Palourdes au gratin *(pour 4 personnes)*

32	palourdes, cuites à la vapeur*
15 ml	(1 c. à soupe) de beurre
1	petit oignon, coupé en dés
15 ml	(1 c. à soupe) de persil frais haché
25 ml	(1 ½ c. à soupe) de ciboulette hachée
250 ml	(1 tasse) de crème à 35 %
125 ml	(½ tasse) de fromage gruyère râpé
500 ml	(2 tasses) d'épinards hachés, cuits
	quelques gouttes de jus de limette
	sel et poivre

*Préparer les palourdes tel que décrit dans la recette des palourdes à la vapeur, page 459. Dès que les palourdes sont cuites, les retirer du liquide de cuisson. Ouvrir les coquilles et placer les palourdes dans les demi-coquilles. Mettre de côté.

Faire chauffer le beurre dans une casserole. Ajouter les oignons; couvrir et faire cuire 2 minutes à feu moyen.

Ajouter le persil et la ciboulette; couvrir et continuer la cuisson 1 minute à feu doux.

Incorporer la crème et la moitié du fromage; saler, poivrer. Faire cuire, sans couvrir, 3 à 4 minutes à feu moyen. Arroser de jus de limette.

Mettre les épinards sur les palourdes dans les coquilles. Napper de sauce et parsemer de fromage. Passer sous le gril (broil) 5 minutes.

Servir.

Ragoût aux huîtres *(pour 4 personnes)*

32	huîtres en vrac et leur jus
15 ml	(1 c. à soupe) de jus de citron
375 ml	(1 ½ tasse) de crème légère
15 ml	(1 c. à soupe) de beurre
15 ml	(1 c. à soupe) de ciboulette hachée
	sel et poivre
	biscuits soda

Mettre les huîtres et le jus dans une casserole. Ajouter le jus de citron; couvrir et faire cuire 2 à 3 minutes à feu doux.

Verser la crème dans une autre casserole et amener au point d'ébullition.

Verser la crème dans la casserole contenant les huîtres. Incorporer le beurre et la ciboulette; laisser mijoter 1 à 2 minutes à feu doux. Rectifier l'assaisonnement.

Servir dans des bols peu profonds. Accompagner de biscuits soda.

1 PORTION	295 CALORIES	8 g GLUCIDES
14 g PROTÉINES	23 g LIPIDES	0 g FIBRES

Huîtres Rockefeller *(pour 4 personnes)*

24	huîtres lavées
5 ml	(1 c. à thé) de jus de citron
60 ml	(4 c. à soupe) de beurre
½	branche de céleri, finement hachée
2	gousses d'ail, écrasées et hachées
15 ml	(1 c. à soupe) de persil frais haché
250 ml	(1 tasse) d'épinards cuits, finement hachés
45 ml	(3 c. à soupe) de crème à 35 %
60 ml	(4 c. à soupe) de chapelure
	sel et poivre du moulin

Retirer les huîtres de leur coquille et les mettre ainsi que leur jus dans une casserole. Mettre les coquilles de côté.

Ajouter le jus de citron et 15 ml (1 c. à soupe) de beurre au contenu de la casserole. Couvrir et faire cuire 3 à 4 minutes à feu doux. Assaisonner légèrement.

Égoutter les huîtres et les mettre de côté.

Faire chauffer le reste du beurre dans une autre casserole. Ajouter le céleri, l'ail et le persil; couvrir et faire cuire 3 minutes à feu doux.

Incorporer les épinards et bien assaisonner; couvrir et faire cuire 2 minutes à feu moyen-vif.

Ajouter la crème et 45 ml (3 c. à soupe) de chapelure; mélanger et faire cuire, sans couvrir, 2 minutes à feu vif.

Placer les huîtres dans les demi-coquilles. Étendre le mélange d'épinards sur les huîtres et saupoudrer de chapelure. Passer sous le gril (broil) 3 à 4 minutes. Servir.

1 PORTION	246 CALORIES	10 g GLUCIDES
11 g PROTÉINES	18 g LIPIDES	0,3 g FIBRES

Huîtres en sauce *(pour 4 personnes)*

24	huîtres lavées
5 ml	(1 c. à thé) de jus de citron
60 ml	(4 c. à soupe) de beurre
45 ml	(3 c. à soupe) de farine
375 ml	(1½ tasse) de lait chaud
1 ml	(¼ c. à thé) de muscade
1 ml	(¼ c. à thé) de clou moulu
125 ml	(½ tasse) de fromage suisse râpé
	sel et poivre

Retirer les huîtres de leur coquille et les mettre ainsi que leur jus dans une casserole. Mettre les coquilles de côté.

Ajouter le jus de citron et 15 ml (1 c. à soupe) de beurre au contenu de la casserole. Couvrir et faire cuire 3 à 4 minutes à feu doux. Assaisonner légèrement.

Égoutter les huîtres et les mettre de côté. Réserver 125 ml (½ tasse) du liquide de cuisson.

Faire chauffer le reste du beurre dans une autre casserole. Ajouter la farine et mélanger; faire cuire 1 minute à feu moyen.

Incorporer le lait au fouet. Ajouter 125 ml (½ tasse) du liquide de cuisson, les épices et la moitié du fromage. Faire cuire 8 à 10 minutes à feu doux.

Disposer les huîtres dans les demi-coquilles. À l'aide d'une cuiller, recouvrir les huîtres de sauce et parsemer de fromage. Passer sous le gril (broil) 3 à 4 minutes. Servir.

1 PORTION	437 CALORIES	10 g GLUCIDES
16 g PROTÉINES	37 g LIPIDES	0 g FIBRES

TECHNIQUE: CUISSON DES MOULES

1 Bien laver les moules sous l'eau, les brosser et à l'aide d'un petit couteau, retirer la «barbe».

2 Jeter les moules déjà ouvertes et ne pas les faire cuire. Les moules ouvertes pourraient contenir des bactéries nuisibles à la santé.

3 Mettre les moules lavées dans une grande casserole et ajouter un peu de liquide (eau ou vin).

4 Couvrir et amener à ébullition. Laisser cuire à la vapeur jusqu'à ce que leur coquille ouvre.

465

Moules marinières *(pour 4 personnes)*

4 kg	(8½ livres) de moules fraîches, brossées et nettoyées
30 ml	(2 c. à soupe) d'échalotes finement hachées
125 ml	(½ tasse) de vin blanc sec
30 ml	(2 c. à soupe) de persil frais haché
15 ml	(1 c. à soupe) de jus de citron
45 ml	(3 c. à soupe) de beurre
125 ml	(½ tasse) de crème à 35 %
	poivre du moulin

Mettre les moules nettoyées dans une grande casserole. Ajouter les échalotes, le vin, 15 ml (1 c. à soupe) de persil, le jus de citron et le beurre. Couvrir et amener à ébullition.

Dès que les moules ouvrent, les retirer et remettre le jus de cuisson dans la casserole. Mettre de côté.

Passer le liquide de cuisson dans une passoire contenant une gaze à fromage et le verser dans la casserole. Incorporer la crème et assaisonner généreusement de poivre. Faire cuire 3 à 4 minutes à feu vif.

Ajouter le reste du persil. Remettre les moules dans la sauce; laisser mijoter 2 minutes à feu doux.

Servir les moules dans leur coquille avec beaucoup de sauce.

1 PORTION	328 CALORIES	6 g GLUCIDES
22 g PROTÉINES	24 g LIPIDES	0 g FIBRES

Moules à l'italienne *(pour 4 personnes)*

4 kg	(8½ livres) de moules fraîches, brossées et nettoyées
30 ml	(2 c. à soupe) de persil frais haché
3	gousses d'ail, écrasées et hachées
45 ml	(3 c. à soupe) de beurre
125 ml	(½ tasse) d'eau
125 ml	(½ tasse) de vin blanc sec
1	boîte de tomates en conserve, de 796 ml (28 oz), égouttées et hachées
1 ml	(¼ c. à thé) d'origan
	quelques piments rouges broyés
	jus de ½ citron
	poivre du moulin

Mettre les moules nettoyées dans une grande casserole. Ajouter le persil, une gousse d'ail hachée, 30 ml (2 c. à soupe) de beurre, l'eau et les piments broyés. Poivrer et arroser de jus de citron; couvrir et amener à ébullition.

Dès que les coquilles ouvrent les retirer de la casserole en s'assurant de remettre le liquide contenu dans les coquilles, dans la casserole. Mettre de côté. Utiliser le jus de cuisson pour d'autres recettes.

Faire chauffer le reste du beurre dans une poêle. Ajouter le reste de l'ail; faire cuire 2 minutes à feu moyen.

Ajouter le vin; faire chauffer 2 minutes à feu vif.

Incorporer les tomates. Saler, poivrer et faire cuire 1 minute.

Ajouter l'origan et finir la cuisson 7 à 8 minutes à feu vif. Remuer de temps à autre.

Placer les moules dans le mélange de tomates. Remuer et faire réchauffer 2 minutes. Servir.

1 PORTION	269 CALORIES	14 g GLUCIDES
24 g PROTÉINES	13 g LIPIDES	0,8 g FIBRES

Moules au vermouth

(pour 4 personnes)

4 kg	(8½ livres) de moules fraîches, brossées et nettoyées
30 ml	(2 c. à soupe) d'oignons hachés
30 ml	(2 c. à soupe) de ciboulette hachée
45 ml	(3 c. à soupe) de beurre
125 ml	(½ tasse) de vin blanc sec
45 ml	(3 c. à soupe) de vermouth sec
250 ml	(1 tasse) de crème à 35 %
	poivre du moulin

Mettre les moules nettoyées dans une grande casserole. Ajouter les oignons, 15 ml (1 c. à soupe) de ciboulette, le beurre, le vin et le poivre. Couvrir et amener à ébullition.

Dès que les coquilles ouvrent, les retirer de la casserole et remettre le jus de cuisson dans la casserole. Mettre de côté.

Passer le jus de cuisson dans une passoire contenant une gaze à fromage. Transvider dans une casserole. Incorporer le vermouth et la crème. Saler, poivrer. Faire cuire 3 à 4 minutes à feu vif.

Ajouter le reste de la ciboulette; laisser mijoter 2 minutes à feu moyen-doux.

Servir les moules dans des demi-coquilles et arroser de sauce.

1 PORTION	435 CALORIES	7 g GLUCIDES
23 g PROTÉINES	35 g LIPIDES	0 g FIBRES

Crêpes de fruits de mer
au parmesan   *(pour 4 personnes)*

30 ml	(2 c. à soupe) de beurre
1	petite courgette, coupée en dés
375 g	(¾ livre) de crevettes décortiquées
375 g	(¾ livre) de pétoncles, coupés en deux
375 ml	(1½ tasse) de sauce blanche chaude
125 ml	(½ tasse) de fromage parmesan râpé
8	crêpes
	sel et poivre

Faire chauffer le beurre dans une sauteuse. Ajouter les courgettes et assaisonner; couvrir et faire cuire 3 minutes à feu moyen.

Ajouter les crevettes et les pétoncles; mélanger et rectifier l'assaisonnement. Couvrir et faire cuire 3 à 4 minutes à feu moyen.

Incorporer la sauce blanche et la moitié du fromage; faire cuire 2 minutes, sans couvrir, à feu doux.

Farcir les crêpes de la plupart du mélange, les rouler et les placer dans un plat à gratin. Verser le reste de la sauce sur les crêpes et parsemer de fromage.

Passer sous le gril (broil) 1 minute. Servir.

Voir technique page suivante.

1 PORTION	523 CALORIES	30 g GLUCIDES
40 g PROTÉINES	27 g LIPIDES	0,3 g FIBRES

TECHNIQUE: PÂTE À CRÊPE SPÉCIALE

1 Tamiser la farine, le sel et le paprika dans un grand bol. Ajouter les œufs.

2 Ajouter le tonic et l'eau tiède.

3 Bien mélanger au fouet. Incorporer le lait et mélanger de nouveau pour obtenir une pâte onctueuse.

4 Ajouter l'huile, mélanger et passer la pâte au tamis. Réfrigérer 15 minutes.

5 Beurrer une poêle à crêpe froide et la faire chauffer à feu moyen. Verser une petite louche de pâte dans la poêle; faire cuire 1 minute.

6 Retourner la crêpe; faire cuire 1 minute. Beurrer la poêle pour chaque crêpe.

7 Les crêpes cuites doivent être minces et légères. Réfrigérer ou congeler jusqu'au moment de l'utiliser.

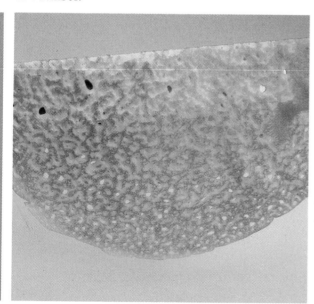

Pâte à crêpe spéciale

375 ml	(1 ½ tasse) de farine tout usage
1 ml	(¼ c. à thé) de sel
1 ml	(¼ c. à thé) de paprika
3	gros œufs
50 ml	(¼ tasse) de tonic
500 ml	(2 tasses) d'eau tiède
250 ml	(1 tasse) de lait
45 ml	(3 c. à soupe) d'huile végétale

Crevettes à la friture *(pour 4 personnes)*

20	grosses crevettes, décortiquées
125 ml	(½ tasse) de farine
2	œufs battus mélangés avec 5 ml (1 c. à thé) d'huile
375 ml	(1½ tasse) de chapelure assaisonnée
	sel et poivre

Huile d'arachide pour la friture, préchauffée à 190°C (350°F).

Décortiquer les crevettes et retirer la veine noire en coupant le dos.

Enfariner les crevettes, les tremper dans les œufs battus et les enrober de chapelure. Saler, poivrer.

Presser la chapelure avec les mains pour qu'elle adhère bien à la chair.

Plonger 3 à 4 minutes dans la friture ou selon la grosseur des crevettes.

Servir avec une sauce tartare, page 479.

1 PORTION	404 CALORIES	37 g GLUCIDES
37 g PROTÉINES	12 g LIPIDES	0,2 g FIBRES

TECHNIQUE: CREVETTES À LA FRITURE

1 Décortiquer les crevettes et couper le long du dos.

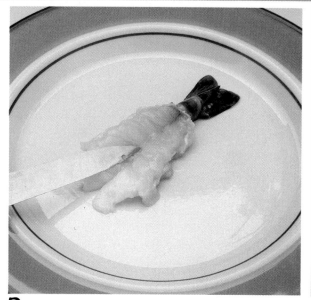

2 Retirer la veine noire.

3 Enfariner les crevettes.

4 Tremper dans les œufs battus.

Voir page suivante.

5 Enrober de chapelure. Saler, poivrer.

6 Presser la chapelure avec les mains pour qu'elle adhère bien à la chair.

Mayonnaise aux herbes

2	jaunes d'œufs
5 ml	(1 c. à thé) de moutarde forte
300 ml	(1 ¼ tasse) d'huile
15 ml	(1 c. à soupe) de persil frais haché
5 ml	(1 c. à thé) de ciboulette
5 ml	(1 c. à thé) d'estragon frais haché
	quelques gouttes de jus de citron
	quelques gouttes de sauce Tabasco
	sel et poivre

Mélanger les jaunes d'œufs et la moutarde dans un bol.

Incorporer l'huile, goutte à goutte, tout en mélangeant constamment à petite vitesse avec un batteur électrique.

Dès que le mélange commence à épaissir, continuer d'incorporer l'huile en filet.

Dès que la mayonnaise est très épaisse, ajouter le jus de citron et incorporer le reste d'huile.

Assaisonner et ajouter les herbes. Bien mélanger.

Réfrigérer jusqu'au moment de l'utiliser.

1 PORTION	108 CALORIES	0 g GLUCIDES
0 g PROTÉINES	12 g LIPIDES	0 g FIBRES

Pétoncles à la friture   *(pour 4 personnes)*

750 g	(1½ livre) de pétoncles frais
1 ml	(¼ c. à thé) de sauce Tabasco
1 ml	(¼ c. à thé) de sauce Worcestershire
30 ml	(2 c. à soupe) de jus de citron
125 ml	(½ tasse) de farine
2	œufs battus mélangés à 5 ml (1 c. à thé) d'huile
250 ml	(1 tasse) de chapelure

Huile d'arachide pour la friture, préchauffée à 180°C (350°F).

Mettre les pétoncles dans un bol. Ajouter la sauce Tabasco, la sauce Worcestershire et le jus de citron. Laisser mariner 10 à 15 minutes.

Enfariner les pétoncles, les tremper dans les œufs battus et les enrober de chapelure.

Plonger les pétoncles dans la friture pendant 3 minutes ou selon la cuisson désirée.

Servir avec des patates sucrées.

Cuisses de grenouille à l'ail *(pour 4 personnes)*

24	cuisses de grenouille
125 ml	(½ tasse) de farine
15 ml	(1 c. à soupe) de beurre
15 ml	(1 c. à soupe) d'huile végétale
60 ml	(4 c. à soupe) de beurre à l'ail
½	courgette, coupée en dés
125 g	(¼ livre) de champignons frais, nettoyés et coupés en dés
	sel et poivre

Préchauffer le four à 70°C (150°F).

Laver soigneusement les cuisses de grenouille et retirer la peau.

Faire une petite incision dans une des cuisses et insérer l'autre cuisse dans l'incision pour croiser les jambes.

Bien enfariner toutes les cuisses.

Faire chauffer le beurre et l'huile dans une poêle à frire. Ajouter les cuisses; faire cuire 20 à 25 minutes à feu moyen. Saler, poivrer et retourner 4 fois durant la cuisson.

Dès que les cuisses sont cuites, les retirer de la poêle et les tenir au chaud au four.

Faire chauffer le beurre à l'ail dans une autre poêle. Ajouter les légumes; faire cuire 4 minutes à feu moyen. Saler, poivrer.

Verser les légumes et le beurre à l'ail sur les cuisses et servir immédiatement.

1 PORTION	388 CALORIES	13 g GLUCIDES
39 g PROTÉINES	20 g LIPIDES	0,5 g FIBRES

Cocktail de crevettes
(pour 4 personnes)

150 ml	(⅔ tasse) de ketchup
75 ml	(⅓ tasse) de sauce chili
15 ml	(1 c. à soupe) de raifort
2 ml	(½ c. à thé) de jus de citron
24	crevettes cuites, décortiquées et nettoyées
	sauce Tabasco
	poivre du moulin
	feuilles de laitue

Mettre le ketchup, la sauce chili et le raifort dans un petit bol. Bien incorporer.

Ajouter le jus de citron, la sauce Tabasco et le poivre; mélanger et rectifier l'assaisonnement.

Garnir chaque assiette de feuilles de laitue et dresser les crevettes en dôme dessus. Servir avec la sauce.

Truite en aspic *(pour 4 personnes)*

1	carotte pelée et tranchée
1	branche de céleri, tranchée
2 ml	(½ c. à thé) de graines de fenouil
½	citron tranché
125 ml	(½ tasse) de vin blanc sec
4	branches de persil
4	truites nettoyées
	sel et poivre
	quelques feuilles de poireau, blanchies
	gélatine non aromatisée

Préparer la gélatine selon le mode d'emploi indiqué sur l'emballage. Il en faut 500 ml (2 tasses).
Réfrigérer et faire prendre la gelée sans la durcir.
Mettre les carottes et le céleri dans un plat à rôtir.
Ajouter le fenouil, le citron, le vin et le persil.
Placer les truites dans le plat et recouvrir d'eau froide. Saler, poivrer.
Amener à ébullition sur l'élément de la cuisinière et retirer immédiatement du feu. Laisser les truites reposer dans le liquide chaud 7 à 8 minutes.
Retirer les truites du plat et les mettre de côté pour refroidir.
Placer une grille à gâteau sur une grande assiette.
Placer délicatement les truites sur la grille.
À l'aide d'un petit couteau, retirer la peau sur un des côtés de chacune des truites. Disposer des feuilles de poireau effilées sur chaque truite.
À l'aide d'une petite louche ou d'une cuiller, verser la gélatine sur les truites. Réfrigérer les truites et la gélatine.
Répéter le même procédé 3 fois, à toutes les 10 minutes.
Servir sur de la laitue effeuillée et accompagner de mayonnaise.

1 PORTION	184 CALORIES	0 g GLUCIDES
37 g PROTÉINES	4 g LIPIDES	0 g FIBRES

Sauce tartare

250 ml	(1 tasse) de mayonnaise
2	cornichons, finement hachés
15 ml	(1 c. à soupe) de persil frais haché
5 ml	(1 c. à thé) de ciboulette finement hachée
5 ml	(1 c. à thé) de jus de citron
5 ml	(1 c. à thé) de jus de limette
	quelques gouttes de sauce Tabasco
	poivre du moulin

Mettre la mayonnaise dans un bol et ajouter le reste des ingrédients.

Bien incorporer et rectifier l'assaisonnement.

Réfrigérer jusqu'au moment de l'utiliser.

Servir avec des fruits de mer ou du poisson.

1 PORTION	99 CALORIES	0 g GLUCIDES
0 g PROTÉINES	11 g LIPIDES	0 g FIBRES

Sauce béarnaise

2	échalotes sèches, finement hachées
5 ml	(1 c. à thé) d'estragon
30 ml	(2 c. à soupe) de vinaigre de vin
5 ml	(1 c. à thé) de persil frais haché
3	jaunes d'œufs
375 g	(¾ livre) de beurre doux, clarifié
	sel et poivre fraîchement moulu

Mettre les échalotes, l'estragon, le vinaigre et le persil dans un bol en acier inoxydable.

Placer le bol sur l'élément de la cuisinière à feu doux. Faire cuire jusqu'à ce que le vinaigre s'évapore. Retirer du feu et laisser refroidir.

Incorporer les jaunes d'œufs et bien mélanger au fouet.

Placer le bol sur une casserole contenant de l'eau chaude. Incorporer le beurre clarifié, goutte à goutte, tout en fouettant constamment.

Lorsque la sauce commence à épaissir, continuer d'ajouter le beurre en filet. Remuer constamment au fouet.

Assaisonner et servir.

1 PORTION	476 CALORIES	1 g GLUCIDES
1 g PROTÉINES	52 g LIPIDES	0 g FIBRES

Pouding au riz rapide *(pour 4 personnes)*

500 ml	(2 tasses) de riz cuit
125 ml	(½ tasse) de sucre
1 ml	(¼ c. à thé) de sel
2	gros œufs
125 ml	(½ tasse) de raisins de Smyrne (sultana)
5 ml	(1 c. à thé) de vanille
5 ml	(1 c. à thé) de cannelle
15 ml	(1 c. à soupe) de zeste de citron haché
50 ml	(¼ tasse) de noix de coco râpée
250 ml	(1 tasse) de crème fouettée
1	boîte de 284 ml (10 oz) de mandarines en sections
30 ml	(2 c. à soupe) de gelée ou de confiture
5 ml	(1 c. à thé) de fécule de maïs
30 ml	(2 c. à soupe) d'eau froide

Préchauffer le four à 180°C (350°F).

Beurrer un moule rond ou carré; mettre de côté.

Bien mélanger le riz, le sucre, le sel et les œufs dans un bol. Ajouter les raisins, la vanille, la cannelle et le zeste de citron; mélanger de nouveau.

Incorporer la noix de coco et la crème fouettée. Verser le pouding dans le moule. Faire cuire 35 à 40 minutes au four.

Juste avant de servir, préparer la sauce: mettre les sections de mandarines et le jus dans une casserole. Ajouter la gelée et mélanger; faire cuire 3 à 4 minutes à feu moyen.

Délayer la fécule de maïs dans l'eau froide. Incorporer à la sauce. Continuer la cuisson 2 minutes à feu doux.

Servir le pouding et l'arroser de sauce.

Voir technique page suivante.

1 PORTION	401 CALORIES	66 g GLUCIDES
5 g PROTÉINES	13 g LIPIDES	0,5 g FIBRES

TECHNIQUE: POUDING AU RIZ RAPIDE

1 Bien mélanger le riz, le sucre, le sel et les œufs dans un bol.

2 Ajouter les raisins, la vanille, la cannelle et le zeste de citron; mélanger de nouveau.

3 Incorporer la noix de coco.

4 Incorporer la crème fouettée. Verser le pouding dans le moule et faire cuire au four.

Pouding de fruits au cognac *(pour 4 personnes)*

3	pêches mûres, pelées et tranchées
4	prunes mûres, tranchées
45 ml	(3 c. à soupe) de sucre
45 ml	(3 c. à soupe) de cognac Courvoisier
45 ml	(3 c. à soupe) de beurre mou
75 ml	(⅓ tasse) de sucre
2	gros œufs
250 ml	(1 tasse) de farine tout usage
15 ml	(1 c. à soupe) de poudre à pâte
125 ml	(½ tasse) de lait
30 ml	(2 c. à soupe) de cassonade

Préchauffer le four à 180°C (350°F).

Beurrer un moule carré de 23 cm (9 po). Mettre de côté.

Faire mariner les pêches et les prunes pendant 15 minutes dans 45 ml (3 c. à soupe) de sucre et 30 ml (2 c. à soupe) de cognac.

Défaire le beurre en crème et ajouter le reste du sucre. Incorporer les œufs tout en mélangeant avec un batteur électrique.

Tamiser la farine et la poudre à pâte dans un bol. Incorporer le tout au mélange d'œufs avec le batteur électrique.

Incorporer le lait.

Placer les fruits dans le moule. À l'aide d'une spatule, recouvrir les fruits de pâte.

Faire cuire 30 minutes au four.

10 minutes avant la fin de la cuisson du pouding, mélanger la cassonade et le reste du cognac. Verser sur le pouding et finir la cuisson.

Servir chaud.

1 PORTION	434 CALORIES	69 g GLUCIDES
8 g PROTÉINES	14 g LIPIDES	0,7 g FIBRES

Pain français aux pommes   *(pour 4 personnes)*

3	pommes, pelées, évidées et tranchées
30 ml	(2 c. à soupe) de jus de limette
30 ml	(2 c. à soupe) de raisins dorés secs
45 ml	(3 c. à soupe) d'amandes effilées
60 ml	(4 c. à soupe) de beurre
45 ml	(3 c. à soupe) de confiture aux framboises
4	tranches épaisses de pain français
3	œufs battus
	sirop d'érable au goût

Mettre les pommes dans un bol à mélanger. Ajouter le jus de limette, les raisins et les amandes; bien mélanger.

Faire chauffer la moitié du beurre dans une poêle téflon. Ajouter les pommes; faire cuire 7 à 8 minutes à feu moyen-vif. Remuer fréquemment.

Ajouter la confiture et bien mélanger pour enrober les pommes. Continuer la cuisson 2 minutes à feu doux.

Entre-temps, tremper le pain dans les œufs battus. Faire chauffer le reste du beurre dans une autre poêle téflon.

Mettre le pain dans le beurre chaud; faire dorer 2 à 3 minutes de chaque côté à feu moyen-vif.

Disposer le pain français sur un plat de service, couronner de pommes sautées et servir avec du sirop d'érable.

1 PORTION	432 CALORIES	56 g GLUCIDES
7 g PROTÉINES	20 g LIPIDES	1,3 g FIBRES

TECHNIQUE : SAUCE AUX FRAISES

1 Mettre les fraises, le Tia Maria et le sucre dans une casserole. Couvrir et faire cuire 8 à 10 minutes à feu moyen.

2 Délayer la fécule de maïs dans l'eau froide. Incorporer aux fraises. Continuer la cuisson 2 minutes.

Sauce aux fraises *(pour 4 personnes)*

1 L	(4 tasses) de fraises, lavées et équeutées
30 ml	(2 c. à soupe) de Tia Maria
125 ml	(½ tasse) de sucre
15 ml	(1 c. à soupe) de fécule de maïs
30 ml	(2 c. à soupe) d'eau froide

Mettre les fraises, le Tia Maria et le sucre dans une casserole. Couvrir et faire cuire 8 à 10 minutes à feu moyen.

Délayer la fécule de maïs dans l'eau froide. Incorporer aux fraises. Continuer la cuisson 2 minutes.

Retirer la casserole du feu et mettre de côté pour refroidir.

Utiliser cette sauce pour napper des gâteaux ou pour d'autres recettes de dessert.

1 RECETTE	691 CALORIES	162 g GLUCIDES
4 g PROTÉINES	3 g LIPIDES	8 g FIBRES

Sauce au chocolat riche

250 ml	(1 tasse) de sucre à glacer
60 g	(2 oz) de brisures de chocolat à la menthe
45 ml	(3 c. à soupe) de crème à 35 %
15 ml	(1 c. à soupe) de beurre doux

Mettre le sucre, le chocolat et la crème dans la partie supérieure d'un bain-marie. Faire cuire jusqu'à ce que le chocolat soit complètement fondu et le mélange onctueux; remuer constamment.

Retirer la sauce. Laisser refroidir 1 minute.

Incorporer complètement le beurre au fouet. Laisser la sauce refroidir un peu avant de l'utiliser.

1 RECETTE	1251 CALORIES	214 g GLUCIDES
2 g PROTÉINES	43 g LIPIDES	0 g FIBRES

Pâte à tarte

750 ml	(3 tasses) de farine tout usage
1 ml	(¼ c. à thé) de sel
125 g	(¼ livre) de graisse végétale
90 g	(3 oz) de beurre
75 ml	(5 c. à soupe) d'eau très froide

Mettre la farine, le sel, la graisse et le beurre dans un grand bol. Bien incorporer le tout avec un couteau à pâtisserie jusqu'à ce que le mélange ait la consistance du gruau.

Ajouter l'eau et pétrir la pâte. Si la pâte est trop ferme, ajouter un peu d'eau.

Former une boule de pâte, envelopper dans un linge et réfrigérer 2 heures.

Enfariner le comptoir et couper la pâte en deux. Placer la moitié de la pâte sur le comptoir et abaisser en farinant au besoin.

Retourner la pâte pour abaisser l'autre côté.

Foncer un moule à tarte et rouler le bord au rouleau. Découper délicatement l'excès de pâte.

Précuire ou garnir selon la recette choisie.

1 RECETTE	2962 CALORIES	251 g GLUCIDES
35 g PROTÉINES	202 g LIPIDES	0,9 g FIBRES

TECHNIQUE: PÂTE À TARTE

1 Mettre la farine, le sel, la graisse végétale et le beurre dans un grand bol.

2 Incorporer le tout avec un couteau à pâtisserie jusqu'à ce que le mélange ait la consistance du gruau.

3 Ajouter l'eau et pétrir la pâte pour bien incorporer.

4 Réfrigérer la pâte 2 heures. Ramener la pâte à la température de la pièce. Couper la pâte en deux et façonner avec les mains.

Voir page suivante.

487

5 Abaisser la pâte en farinant si nécessaire.

6 Retourner la pâte pour abaisser l'autre côté.

7 Foncer un moule à tarte et rouler le bord au rouleau.

8 Découper délicatement l'excès de pâte.

Tarte aux pommes *(pour 6 à 8 personnes)*

1,2 L	(5 tasses) de pommes à cuire, pelées, évidées et tranchées
30 ml	(2 c. à soupe) de jus de citron
125 ml	(½ tasse) de cassonade
5 ml	(1 c. à thé) de cannelle
45 ml	(3 c. à soupe) de farine
1 ml	(¼ c. à thé) de muscade
15 ml	(1 c. à soupe) de zeste de citron râpé
	pâte à tarte*
	œuf battu

Préchauffer le four à 240°C (450°F).

Foncer un moule à tarte de 22 cm (8 po) d'une abaisse de pâte. Mettre de côté.

Mettre les pommes dans un grand bol et arroser de jus de citron; mélanger.

Ajouter la cassonade, la cannelle, la farine et la muscade; bien mélanger.

Ajouter le zeste de citron; mélanger de nouveau.

Étaler les pommes dans le fond de tarte et mouiller le bord de la pâte d'un peu d'eau. Recouvrir d'une seconde abaisse de pâte.

Pratiquer des petites incisions dans la pâte pour permettre à la vapeur de s'échapper pendant la cuisson. Badigeonner d'œuf battu. On peut saupoudrer de sucre granulé.

Placer la tarte sur une plaque à biscuits et faire cuire 10 minutes au four.

Réduire le four à 190°C (375°F) et continuer la cuisson 35 à 45 minutes.

Servir avec du fromage, de la crème glacée ou de la crème fouettée.

* Voir Pâte à tarte, page 486.

1 PORTION	510 CALORIES	64 g GLUCIDES
5 g PROTÉINES	26 g LIPIDES	1,4 g FIBRES

Tarte aux pêches *(pour 4 à 6 personnes)*

500 g	(1 livre) de farine tout usage
1 ml	(¼ c. à thé) de sel
125 g	(¼ livre) de beurre
125 g	(¼ livre) de graisse végétale
60 à 75 ml	(4 à 5 c. à soupe) d'eau froide

Tamiser la farine et le sel dans un grand bol à mélanger.

Ajouter le beurre et la graisse; incorporer le tout avec un couteau à pâtisserie jusqu'à ce que le mélange ait la consistance du gruau.

Former un creux au milieu de la farine et verser l'eau. Pétrir la pâte pour bien incorporer.

Façonner la pâte en boule et envelopper dans un linge propre. Réfrigérer 1 heure.

Ramener la pâte à la température de la pièce avant de l'utiliser.

1 PORTION	756 CALORIES	89 g GLUCIDES
10 g PROTÉINES	40 g LIPIDES	0,3 g FIBRES

La garniture

1	boîte de pêches tranchées en conserve, égouttées (réserver le jus)
125 ml	(½ tasse) de gelée de prunes
1	œuf battu

Préchauffer le four à 200°C (400°F).

Foncer un moule à tarte d'une abaisse de pâte et la piquer avec une fourchette. Mettre de côté 20 à 30 minutes.

Placer une feuille de papier ciré dans le fond de tarte et y mettre des poids à pâtisserie. Faire cuire 15 minutes au four.

Retirer du four et laisser refroidir. Retirer le papier et les poids.

Disposer les pêches également dans le fond de tarte. Mettre de côté.

Mettre la gelée de prunes dans une petite casserole. Ajouter 45 ml (3 c. à soupe) du jus de pêches. Amener à ébullition et faire cuire 2 minutes. Verser sur les pêches.

Badigeonner la pâte d'œuf battu; faire cuire 5 à 6 minutes au four.

Laisser refroidir légèrement avant de servir.

Sauce aux bleuets de dernière minute

(pour 4 personnes)

250 ml	(1 tasse) de bleuets frais, lavés
45 ml	(3 c. à soupe) de sucre
15 ml	(1 c. à soupe) de zeste de citron râpé
30 ml	(2 c. à soupe) de rhum Lamb's Navy
5 ml	(1 c. à thé) de fécule de maïs
30 ml	(2 c. à soupe) d'eau froide

Mettre les bleuets, le sucre, le zeste de citron et le rhum dans une casserole; couvrir et amener à ébullition.

Continuer la cuisson pendant 15 minutes à feu doux; remuer de temps à autre.

Délayer la fécule de maïs dans l'eau froide. Incorporer à la sauce. Prolonger la cuisson 1 minute à feu moyen.

Laisser refroidir la sauce. Servir avec de la crème glacée, du pouding ou un gâteau.

1 RECETTE	277 CALORIES	66 g GLUCIDES
1 g PROTÉINES	1 g LIPIDES	2,1 g FIBRES

Pâte à tarte sucrée

625 ml	(2½ tasses) de farine tout usage
50 ml	(¼ tasse) de sucre granulé fin
250 ml	(1 tasse) de beurre doux, mou et coupé en morceaux
1 ml	(¼ c. à thé) de sel
1	œuf
1	jaune d'œuf entier
30 ml	(2 c. à soupe) d'eau très froide

Mettre la farine, le sucre, le beurre et le sel dans un grand bol.

Battre l'œuf entier et le jaune d'œuf. Incorporer le tout à la farine avec un couteau à pâte jusqu'à ce que le mélange ait la consistance du gruau.

Ajouter l'eau et pincer avec les doigts pour incorporer.

Pétrir la pâte plusieurs fois et former une boule. Envelopper la pâte dans un linge et réfrigérer 2 heures.

Ramener la pâte à la température de la pièce avant de l'utiliser.

Voir technique page suivante.

1 RECETTE	2785 CALORIES	185 g GLUCIDES
41 g PROTÉINES	209 g LIPIDES	0,5 g FIBRES

TECHNIQUE: PÂTE À TARTE SUCRÉE

1 Mettre la farine, le sucre, le beurre et le sel dans un grand bol.

2 Incorporer les œufs battus à la farine.

3 Bien incorporer avec un couteau à pâtisserie jusqu'à ce que le mélange ait la consistance du gruau.

4 Ajouter l'eau et pincer la pâte avec les doigts pour incorporer.

Tarte aux bleuets en fête   *(pour 4 à 6 personnes)*

625 ml	(2 ½ tasses) de bleuets frais, lavés
50 ml	(¼ tasse) de rhum blanc Lamb's
45 ml	(3 c. à soupe) de sucre
5 ml	(1 c. à thé) de fécule de maïs
30 ml	(2 c. à soupe) d'eau froide
1	recette de sauce au chocolat*
500 ml	(2 tasses) de crème fouettée
	pâte feuilletée
	œuf bien battu

Préchauffer le four à 220°C (425°F).
Abaisser la pâte sur une surface enfarinée. À l'aide d'une roulette à pâtisserie de fantaisie, couper 1 bande de pâte de 30 cm (12 po) de longueur et de 10 cm (4 po) de largeur. Étendre la bande sur une plaque à biscuits.

Couper deux autres bandes de même longueur mais de 2,5 cm (1 po) de largeur. Badigeonner la plus large bande d'eau et placer dessus, de chaque côté, les deux bandes étroites.
Couper deux petites languettes de pâte et les attacher aux extrémités de la bande la plus large. Presser le tout légèrement avec les doigts.
Badigeonner la pâte d'œuf battu et piquer le fond avec une fourchette. Faire cuire 16 à 18 minutes au four. Mettre de côté pour refroidir.
Entre-temps: faire mariner les bleuets dans le rhum et le sucre pendant 10 minutes.
Transférer le tout dans une casserole; faire cuire 5 à 6 minutes à feu moyen en remuant de temps à autre.
Délayer la fécule de maïs dans l'eau froide.
Incorporer aux bleuets. Faire chauffer 1 minute.
Retirer du feu et laisser refroidir.
Étendre une couche de sauce au chocolat dans le fond de tarte. Ajouter une couche de crème fouettée. Garnir de bleuets.
Couronner de crème fouettée et garnir du reste de sauce au chocolat. Trancher et servir.

* Voir Surprise de fraises
au chocolat, page 547.

Voir technique page suivante.

1 PORTION	496 CALORIES	66 g GLUCIDES
4 g PROTÉINES	24 g LIPIDES	0,9 g FIBRES

TECHNIQUE: TARTE AUX BLEUETS

1 Étendre une couche de sauce au chocolat dans le fond de tarte.

2 Ajouter une couche de crème fouettée.

3 Ajouter les bleuets.

4 Couronner de crème fouettée et décorer de sauce au chocolat.

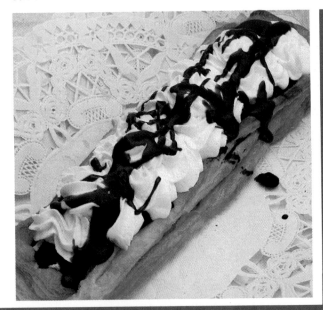

Tartelettes aux fraises *(pour 4 à 6 personnes)*

500 ml	(2 tasses) de farine tout usage
125 ml	(½ tasse) de graisse végétale
75 ml	(¾ tasse) de beurre doux
1	œuf
60 ml	(4 c. à soupe) d'eau froide
1	recette de sauce au chocolat*
	crème fouettée
	fraises mûres, équeutées et coupées en deux
	une pincée de sel

Préchauffer le four à 200°C (400°F).

Tamiser la farine et le sel dans un bol. Ajouter la graisse et le beurre. Incorporer le tout avec un couteau à pâtisserie jusqu'à ce que le mélange ait la consistance du gruau.

Battre l'œuf et l'eau dans un petit bol avec une fourchette.

Former un creux au milieu du mélange de farine et y verser l'œuf. Bien mélanger pour incorporer. Recouvrir la pâte d'un linge et réfrigérer 1 heure.

Abaisser la pâte sur une surface enfarinée. Foncer des moules à tartelettes de pâte. Piquer la pâte avec une fourchette. Mettre de côté pendant 20 minutes.

Faire cuire les tartelettes au four pendant 15 minutes.

Laisser refroidir les tartelettes. Placer 15 ml (1 c. à soupe) de sauce au chocolat dans le fond de chaque tartelette et couronner de crème fouettée. Décorer de fraises. Servir.

* Voir Surprises de fraises au chocolat, page 547.

Voir technique page suivante.

1 PORTION	792 CALORIES	66 g GLUCIDES
6 g PROTÉINES	56 g LIPIDES	0,4 g FIBRES

1 Laisser refroidir les tartelettes cuites. Placer 15 ml (1 c. à soupe) de sauce au chocolat dans le fond de chaque tartelette.

2 Couronner de crème fouettée et garnir de fraises.

Pouding aux cerises

(pour 4 personnes)

375 ml	(1½ tasse) de lait
150 ml	(⅔ tasse) de chapelure Graham
250 ml	(1 tasse) de cerises fraîches, dénoyautées
50 ml	(¼ tasse) de sucre
15 ml	(1 c. à soupe) de vanille
5 ml	(1 c. à thé) de rhum blanc Lamb's
30 ml	(2 c. à soupe) de zeste de citron râpé
3	œufs de grosseur moyennne, battus

Préchauffer le four à 180°C (350°F).

Beurrer et fariner un moule à tarte de 20 cm (8 po). Mettre de côté.

Faire chauffer le lait et verser dans un grand bol. Incorporer la chapelure Graham; laisser refroidir 15 minutes.

Mélanger les cerises, le sucre, la vanille, le rhum et le zeste de citron dans les œufs battus. Le mélange doit être bien homogène.

Incorporer le mélange de cerises au lait refroidi; bien remuer.

Verser dans le moule. Faire cuire 40 à 50 minutes au four.

Servir le pouding tiède avec de la crème glacée.

1 PORTION	339 CALORIES	49 g GLUCIDES
11 g PROTÉINES	11 g LIPIDES	0,7 g FIBRES

Tartelettes aux cerises *(pour 4 personnes)*

500 g	(1 livre) de cerises fraîches, dénoyautées
45 ml	(3 c. à soupe) de sucre
45 ml	(3 c. à soupe) d'eau
1 ml	(¼ c. à thé) de jus de citron
5 ml	(1 c. à thé) de Tia Maria
2 ml	(½ c. à thé) de fécule de maïs
30 ml	(2 c. à soupe) d'eau froide
4	tartelettes cuites
	crème fouettée (facultatif)

Mettre les cerises, le sucre, 45 ml (3 c. à soupe) d'eau, le jus de citron et le Tia Maria dans une casserole; amener à ébullition.

Bien mélanger et continuer la cuisson 2 minutes à feu moyen.

Délayer la fécule de maïs dans l'eau froide. Incorporer aux cerises. Faire cuire 1 minute et laisser refroidir.

Remplir les tartelettes du mélange de cerises. Garnir de crème fouettée. Servir.

Tartelettes aux bleuets *(pour 4 personnes)*

4	tartelettes cuites
250 ml	(1 tasse) de bleuets, lavés
30 ml	(2 c. à soupe) de sucre
5 ml	(1 c. à thé) de zeste de citron râpé
5 ml	(1 c. à thé) de fécule de maïs
60 ml	(4 c. à soupe) d'eau
	crème pâtissière au goût
	crème fouettée

Placer les tartelettes sur un plat de service. Mettre de côté.

Mettre les bleuets, le sucre, le zeste de citron et 30 ml (2 c. à soupe) d'eau dans une casserole. Bien mélanger et couvrir; faire cuire 5 à 6 minutes à feu moyen. Remuer de temps à autre.

Délayer la fécule de maïs dans 30 ml (2 c. à soupe) d'eau. Incorporer le mélange aux bleuets. Continuer la cuisson 1 à 2 minutes.

Retirer du feu et laisser refroidir.

Garnir chaque tartelette de crème pâtissière, ajouter les bleuets et couronner de crème glacée. Servir.

1 PORTION	491 CALORIES	47 g GLUCIDES
6 g PROTÉINES	31 g LIPIDES	0,5 g FIBRES

Tartelettes aux pêches *(pour 4 personnes)*

4	tartelettes cuites
3	pêches mûres, pelées et tranchées
45 ml	(3 c. à soupe) de gelée ou de confiture
15 ml	(1 c. à soupe) d'eau
	crème pâtissière au choix

Disposer les tartelettes sur un plat de service et garnir de crème pâtissière.

Décorer de pêches tranchées. Mettre de côté.

Mettre la gelée et l'eau dans une petite casserole et amener à ébullition. Faire cuire 1 minute et bien remuer.

Laisser refroidir le mélange et en badigeonner les pêches.

Réfrigérer les tartelettes pendant 30 minutes avant de servir.

1 PORTION   456 CALORIES   28 g GLUCIDES
23 g PROTÉINES   11 g LIPIDES   1,5 g FIBRES

Crème caramel au Tia Maria   *(pour 4 personnes)*

125 ml	(½ tasse) de sucre
30 ml	(2 c. à soupe) d'eau
4	gros œufs
1	gros jaune d'œuf
500 ml	(2 tasses) de lait
45 ml	(3 c. à soupe) de Tia Maria
75 ml	(⅓ tasse) de sucre
5 ml	(1 c. à thé) de vanille

Préchauffer le four à 180°C (350°F).
Mettre 125 ml (½ tasse) de sucre et l'eau dans une petite casserole. Faire cuire à feu moyen sans remuer afin que le mélange bouillonne.
Dès que le mélange caramélise, il devient blond, retirer la casserole du feu. Plonger immédiatement la casserole dans un bol contenant de l'eau froide.

Remettre la casserole sur l'élément de la cuisinière et ajouter 125 ml (½ tasse) d'eau. Laisser cuire tout en remuant constamment jusqu'à ce que le mélange fonde.
Verser le caramel dans des ramequins en s'assurant de bien enduire le fond et les parois des moules. Mettre de côté.
Mettre les œufs et le jaune d'œuf dans un grand bol. Mettre de côté.
Verser le lait, le Tia Maria, le sucre et la vanille dans une casserole. Amener au point d'ébullition en remuant de temps à autre.
Verser le liquide sur les œufs; bien mélanger.
Verser dans les ramequins et les placer dans un plat contenant 2,5 cm (1 po) d'eau chaude. Faire cuire 50 à 60 minutes au four.
Dès que les crèmes caramel sont cuites, retirer du four et laisser refroidir.
Pour démouler: passer une lame fine sur le pourtour du moule. Placer une assiette sur le ramequin.
Retourner, démouler et servir.

1 PORTION	335 CALORIES	49 g GLUCIDES
10 g PROTÉINES	11 g LIPIDES	0 g FIBRES

TECHNIQUE: CRÈME CARAMEL

1 Mettre le sucre et l'eau dans une petite casserole. Faire cuire à feu moyen sans remuer afin que le mélange bouillonne.

2 Dès que le mélange caramélise, il devient blond, plonger la casserole dans un bol d'eau froide.

3 Remettre la casserole sur le feu et ajouter 125 ml (½ tasse) d'eau.

4 Faire cuire jusqu'à ce que le mélange fonde tout en remuant constamment.

Voir page suivante.

5  Verser le caramel dans les ramequins.

6  Mettre les œufs et le jaune d'œuf dans un bol.

7 Verser le mélange de lait sur les œufs; bien mélanger.

8 Verser le mélange dans les ramequins placés dans un plat contenant de l'eau chaude.

Sauce au zeste d'orange pour crème caramel

30 ml	(2 c. à soupe) de sucre
30 ml	(2 c. à soupe) de rhum léger Lamb's
125 ml	(½ tasse) de jus d'orange
2 ml	(½ c. à thé) de fécule maïs
30 ml	(2 c. à soupe) d'eau froide
	zeste de 1 orange ½
	zeste de ½ citron

Mettre le sucre, le rhum, le jus d'orange et les zestes d'orange et de citron dans une casserole. Couvrir et faire cuire 4 à 5 minutes à feu moyen.

Délayer la fécule de maïs dans l'eau froide. Incorporer à la sauce. Continuer la cuisson 1 à 2 minutes; bien remuer.

Verser la sauce sur une crème caramel. Servir.

1 RECETTE	164 CALORIES	40 g GLUCIDES
1 g PROTÉINES	0 g LIPIDES	0 g FIBRES

Crème aux amandes grillées *(pour 4 personnes)*

250 ml	(1 tasse) de sucre à glacer
125 ml	(½ tasse) d'amandes effilées
1	recette de crème pâtissière au rhum

Mettre le sucre et les amandes dans une casserole. Faire brunir à feu moyen tout en remuant fréquemment.

Transférer le tout dans un plat à rôtir huilé ou sur une plaque à biscuits; laisser refroidir.

Placer les amandes refroidies dans un robot culinaire et broyer en poudre.

Incorporer les amandes à la crème pâtissière parfumée au rhum.

Pour varier, ne pas broyer les amandes et servir, entières, sur de la crème glacée.

1 RECETTE	2395 CALORIES	381 g GLUCIDES
40 g PROTÉINES	79 g LIPIDES	1,0 g FIBRES

Crème pâtissière au rhum

6	jaunes d'œufs
150 ml	(⅔ tasse) de sucre
5 ml	(1 c. à thé) d'extrait de vanille
30 ml	(2 c. à soupe) de rhum léger Lamb's
125 ml	(½ tasse) de farine tout usage
500 ml	(2 tasses) de lait
15 ml	(1 c. à soupe) de beurre

Mettre les jaunes d'œufs et le sucre dans un grand bol. Bien mélanger avec un batteur électrique pour faire épaissir.
Ajouter la vanille et le rhum; bien incorporer.
Ajouter la farine; mélanger de nouveau.
Verser le lait dans une grande casserole et l'amener au point d'ébullition.
Retirer la casserole du feu et incorporer la moitié du lait au mélange d'œufs. Bien incorporer le tout avec le batteur électrique.
Remettre la casserole sur le feu et amener le reste du lait au point d'ébullition. Très lentement, incorporer le mélange d'œufs au lait chaud tout en remuant constamment au fouet.
Faire cuire, en remuant constamment avec un fouet, jusqu'à ce que la crème épaississe. Ne pas laisser bouillir.
Dès que la crème est très épaisse, la retirer du feu et la verser dans un grand bol. Incorporer le beurre et bien mélanger au fouet.
Laisser refroidir la crème. Placer un papier ciré directement sur la surface de la crème. Réfrigérer jusqu'au moment de l'emploi.

1 RECETTE	1476 CALORIES	200 g GLUCIDES
34 g PROTÉINES	60 g LIPIDES	0,2 g FIBRES

TECHNIQUE: CRÈME PÂTISSIÈRE AU RHUM

1 Mettre les jaunes d'œufs et le sucre dans un grand bol.

2 Bien mélanger avec un batteur électrique jusqu'à épaississement. Ajouter la vanille et le rhum; mélanger de nouveau.

3 Ajouter la farine et bien l'incorporer.

4 Ajouter la moitié du lait chaud et bien mélanger au batteur électrique.

Bleuets à la crème *(pour 4 personnes)*

250 ml	(1 tasse) de crème à 35 %
5 ml	(1 c. à thé) de vanille
30 ml	(2 c. à soupe) de sucre à glacer
500 ml	(2 tasses) de bleuets, lavés et égouttés
45 ml	(3 c. à soupe) de cassonade
30 ml	(2 c. à soupe) de rhum léger Lamb's
	fraises pour décorer

Battre la crème et la vanille fermement avec un batteur électrique.

Incorporer le sucre à glacer et battre 30 secondes. Réfrigérer.

Mettre les bleuets, la cassonade et le rhum dans un bol de service décoratif. Laisser reposer 7 à 8 minutes.

Incorporer la crème fouettée aux bleuets en pliant délicatement avec une spatule. Servir dans des coupes à dessert. Garnir de fraises.

1 PORTION	345 CALORIES	28 g GLUCIDES
2 g PROTÉINES	23 g LIPIDES	1,1 g FIBRES

Crème anglaise *(pour 4 personnes)*

4	gros jaunes d'œufs
125 ml	(½ tasse) de sucre
300 ml	(1¼ tasse) de lait chaud
5 ml	(1 c. à thé) de rhum Lamb's Navy
1 ml	(¼ c. à thé) de cannelle
30 ml	(2 c. à soupe) de crème à 35 %

Battre les jaunes d'œufs et le sucre avec un batteur électrique jusqu'à consistance crémeuse.

Incorporer la moitié du lait chaud tout en mélangeant constamment au fouet.

Remettre le reste du lait chaud sur l'élément de la cuisinière. Ajouter le mélange d'œufs, la cannelle et le rhum. Faire cuire à feu moyen, tout en mélangeant constamment au fouet, jusqu'à épaississement du mélange.

Verser la crème à 35 % dans un bol et incorporer la crème anglaise tout en mélangeant constamment. La crème doit être assez épaisse pour napper le dos d'une cuiller.

Laisser refroidir. Recouvrir d'une feuille de papier ciré. Réfrigérer jusqu'au moment de l'emploi.

1 RECETTE	978 CALORIES	128 g GLUCIDES
22 g PROTÉINES	42 g LIPIDES	0 g FIBRES

TECHNIQUE: CRÈME ANGLAISE

1 Battre les jaunes d'œufs et le sucre jusqu'à consistance crémeuse.

2 Incorporer la moitié du lait chaud tout en mélangeant constamment au fouet.

3 Verser le mélange d'œufs, la cannelle et le rhum dans le reste du lait chaud. Faire cuire à feu moyen, tout en fouettant constamment, jusqu'à ce que la crème épaississe.

4 Verser la crème à 35 % dans un grand bol. Incorporer la crème anglaise et mélanger. La crème doit être assez épaisse pour napper le dos d'une cuiller. Incorporer le mélange au fouet.

Petits choux enrobés de caramel

(pour 4 à 6 personnes)

125 ml	(½ tasse) de sucre
30 ml	(2 c. à soupe) d'eau
1	recette de pâte à choux*
1	recette de crème pâtissière au rhum**
250 ml	(1 tasse) de crème à 35%, fouettée

Mettre le sucre et l'eau dans une petite casserole. Faire cuire à feu moyen, sans remuer, en laissant bouillonner le mélange.

Dès que le sucre caramélise, retirer la casserole du feu. Plonger la casserole immédiatement dans un bol rempli d'eau froide.

Remettre la casserole sur le feu et ajouter 125 ml (½ tasse) d'eau; faire fondre le mélange en remuant constamment.

Tremper les choux dans le caramel. Mettre de côté sur un plat.

Mélanger la moitié de la crème pâtissière à la crème fouettée. Conserver le reste de la crème pâtissière pour d'autres desserts.

Introduire le mélange de crème fouettée dans un sac à pâtisserie muni d'une douille étoilée. Presser la douille à la base du chou et farcir de crème. Servir.

* Voir Choux au fromage, page 509.
** Voir Crème pâtissière au rhum, page 504.

508

1 PORTION	654 CALORIES	65 g GLUCIDES
13 g PROTÉINES	38 g LIPIDES	0,1 g FIBRES

Choux au fromage   *(pour 4 personnes)*

250 ml	(1 tasse) d'eau
60 ml	(4 c. à soupe) de beurre doux, coupé en petits morceaux
1 ml	(¼ c. à thé) de sel
250 ml	(1 tasse) de farine tout usage
4	gros œufs

Préchauffer le four à 190°C (375°F).
Beurrer et fariner légèrement 2 plaques à biscuits.
Mettre l'eau, le beurre et le sel dans une petite casserole et amener à ébullition. Dès que le beurre est complètement fondu, retirer la casserole du feu. Ajouter toute la farine et mélanger rapidement avec une cuiller en bois.

Remettre la casserole à feu doux et faire sécher la pâte 5 à 6 minutes en remuant constamment avec une cuiller en bois.
La pâte ne doit pas adhérer aux doigts lorsqu'on la pince.
Transférer la pâte dans un bol. Laisser refroidir 6 à 7 minutes.
Ajouter les œufs, un à un, en mélangeant entre chaque addition. Il est très important que la pâte reprenne sa texture originale avant d'ajouter un autre œuf.
Mettre la pâte à choux dans un sac à pâtisserie muni d'une douille lisse. Dresser une petite boule de pâte de la grosseur d'une noix sur la plaque à biscuits. Répéter pour obtenir plusieurs choux. Badigeonner la pâte d'œuf battu et aplatir légèrement avec les dents d'une fourchette. Laisser reposer 20 minutes à la température de la pièce. Faire cuire 35 minutes au four. Éteindre le four et entrouvrir la porte. Laisser sécher les choux au four pendant 1 heure.

1 PORTION	670 CALORIES	29 g GLUCIDES
17 g PROTÉINES	54 g LIPIDES	0,1 g FIBRES

Garniture

375 g	(¾ livre) de fromage de chèvre
30 ml	(2 c. à soupe) de crème sure
15 ml	(1 c. à soupe) de miel
	quelques gouttes de sauce Tabasco
	quelques gouttes de sauce Worcestershire

Mettre tous les ingrédients dans un malaxeur ou dans un blender; bien incorporer.

Mettre le mélange dans un sac à pâtisserie muni d'une douille étoilée et farcir les choux.

On peut badigeonner de miel fondu avant de servir.

1 PORTION	670 CALORIES	29 g GLUCIDES
17 g PROTÉINES	54 g LIPIDES	0,1 g FIBRES

Choux au Tia Maria *(pour 4 à 6 personnes)*

375 ml	(1½ tasse) de crème à 35 %, froide
5 ml	(1 c. à thé) de vanille
10 ml	(2 c. à thé) de Tia Maria
50 ml	(¼ tasse) de sucre à glacer
1	recette de pâte à choux*
15 ml	(1 c. à soupe) de cacao sucré mélangé à un peu de sucre à glacer

Verser la crème dans un bol. Ajouter la vanille et le Tia Maria. Fouetter avec un batteur électrique jusqu'à la formation de pics.

Incorporer le sucre à glacer et continuer de battre pendant 30 secondes.

Introduire la crème dans un sac à pâtisserie muni d'une douille étoilée. Farcir les choux.

Saupoudrer du mélange de cacao pour décorer. Servir.

* Voir Choux au fromage, page 509.

1 PORTION 443 CALORIES 24 g GLUCIDES
8 g PROTÉINES 35 g LIPIDES 0,1 g FIBRES

Choux au chocolat aromatisés de Tia Maria   *(pour 4 personnes)*

5	jaunes d'œufs
150 ml	(⅔ tasse) de sucre
5 ml	(1 c. à thé) de vanille
30 ml	(2 c. à soupe) de Tia Maria
125 ml	(½ tasse) de farine tout usage
500 ml	(2 tasses) de lait
15 ml	(1 c. à soupe) de beurre
1	recette de sauce au chocolat*
125 ml	(½ tasse) de sucre
30 ml	(2 c. à soupe) d'eau
8	choux

Mélanger les jaunes d'œufs et 150 ml (⅔ tasse) de sucre dans un bol avec un batteur électrique. Ajouter la vanille et le Tia Maria. Incorporer la farine au mélange. Verser le lait dans une grande casserole et l'amener au point d'ébullition. Retirer la casserole du feu. Verser la moitié du lait chaud dans le mélange d'œufs. Bien mêler.

Remettre la casserole sur le feu et porter le reste du lait à ébullition. Incorporer le mélange d'œufs, très lentement, tout en remuant constamment au fouet. Continuer de faire cuire tout en fouettant constamment jusqu'à ce que la crème épaississe. Dès que la crème est épaisse, retirer la casserole du feu. Verser la crème dans un bol. Incorporer le beurre au fouet jusqu'à ce qu'il fonde complètement. Laisser refroidir. Incorporer la sauce au chocolat. Mettre de côté.
Mettre 125 ml (½ tasse) de sucre et l'eau dans une casserole et faire cuire à feu moyen, sans remuer, pour que le mélange bouillonne.
Lorsque le mélange caramélise, plonger la casserole dans un bol rempli d'eau froide. Retirer et mettre de côté.
Introduire la crème au chocolat dans un sac à pâtisserie muni d'une douille étoilée. Farcir les choux par la base et les disposer sur un plat. Remettre la casserole contenant le caramel sur le feu. Ajouter 125 ml (½ tasse) d'eau; faire fondre en remuant constamment.
Verser le caramel, en filet, sur les choux. Servir.

1 PORTION	944 CALORIES	140 g GLUCIDES
15 g PROTÉINES	36 g LIPIDES	0,1 g FIBRES

511

Sandwich aux bleuets *(pour 4 personnes)*

500 ml	(2 tasses) de bleuets lavés
45 ml	(3 c. à soupe) de rhum Lamb's Navy
75 ml	(5 c. à soupe) de sucre
375 ml	(1½ tasse) de crème fouettée
	pâte feuilletée
	œuf bien battu

Préchauffer le four à 220°C (425°F).

Abaisser la pâte sur une surface farinée. Découper 8 ronds de pâte et les placer sur une plaque à biscuits. Badigeonner la pâte d'œuf battu et la piquer avec une fourchette. Faire cuire 15 minutes au four.

Retirer du four et laisser refroidir.

Entre-temps: mettre les bleuets, le rhum et 30 ml (2 c. à soupe) de sucre dans un bol; laisser macérer 15 à 20 minutes.

Égoutter les bleuets et réserver la marinade.

Transférer les bleuets dans un autre bol et mélanger à la crème fouettée.

Mettre un rond de pâte feuilletée dans un plat de service et recouvrir de bleuets. Couronner d'un second rond de pâte feuilletée. Répéter la même opération.

Faire chauffer la marinade et le reste du sucre dans une petite casserole. Faire cuire jusqu'à l'obtention d'un caramel clair.

Verser le caramel sur les sandwiches aux bleuets. Servir.

512

1 PORTION	386 CALORIES	37 g GLUCIDES
6 g PROTÉINES	18 g LIPIDES	1,2 g FIBRES

Poires au chocolat *(pour 4 personnes)*

4	poires pelées
30 ml	(2 c. à soupe) de jus de citron
60 g	(2 oz) de chocolat mi-sucré
250 ml	(1 tasse) de sucre à glacer
30 ml	(2 c. à soupe) de crème à 35 %
15 ml	(1 c. à soupe) de rhum blanc
	amandes effilées

Retirer le cœur des poires. Placer les poires dans une assiette et arroser de jus de citron. Réfrigérer jusqu'au moment de servir.

Mettre le chocolat, le sucre, la crème et le rhum dans la partie supérieure d'un bain-marie. Faire fondre à feu moyen-doux en remuant constamment.

Dès que la sauce a épaissi, retirer du feu. Laisser refroidir.

À l'aide d'une cuiller, verser du chocolat sur les poires et parsemer d'amandes effilées.

Réfrigérer pour que le chocolat raffermisse. Servir.

Voir technique page suivante.

1 PORTION	431 CALORIES	90 g GLUCIDES
2 g PROTÉINES	7 g LIPIDES	1,2 g FIBRES

TECHNIQUE: POIRES AU CHOCOLAT

1 Retirer le cœur des poires. Placer les poires dans une assiette.

2 Arroser de jus de citron et réfrigérer.

3 Mettre le chocolat, le sucre, la crème et le rhum dans la partie supérieure d'un bain-marie. Laisser fondre à feu moyen-doux en remuant constamment.

4 À l'aide d'une cuiller, verser du chocolat sur les poires. On peut parsemer d'amandes effilées. Réfrigérer.

514

Îles flottantes   *(pour 4 à 6 personnes)*

4	jaunes d'œufs
175 ml	(¾ tasse) de sucre
250 ml	(1 tasse) de lait chaud
5 ml	(1 c. à thé) de vanille
30 ml	(2 c. à soupe) de Tia Maria
4	blancs d'œufs

Mettre les jaunes d'œufs dans un bol; ajouter 50 ml (¼ tasse) de sucre et mélanger 2 minutes avec un batteur électrique. Incorporer le lait. Ajouter la vanille et le Tia Maria; bien remuer.

Placer le bol sur une casserole contenant de l'eau chaude. Faire cuire pour épaissir la sauce afin qu'elle nappe le dos d'une cuiller. Remuer constamment. Retirer le bol. Laisser refroidir.

Mettre les blancs d'œufs dans un bol en acier inoxydable et les monter avec un batteur électrique pour qu'ils forment des pics. Ajouter 50 ml (¼ tasse) de sucre; battre 30 secondes.

Incorporer le reste du sucre avec une spatule. Remplir une casserole d'eau et la faire mijoter. À l'aide d'une cuiller à crème glacée, déposer de petites quantités de blancs battus dans l'eau. Faire pocher 1 à 1 minute ½ de chaque côté.

À l'aide d'une cuiller à trous, retirer les meringues de l'eau et égoutter sur du papier essuie-tout.

Au moment de servir, verser la sauce dans de petites assiettes et ajouter les meringues. Si désiré, arroser de caramel.

Voir technique page suivante.

1 PORTION	186 CALORIES	28 g GLUCIDES
5 g PROTÉINES	6 g LIPIDES	0 g FIBRES

TECHNIQUE: ÎLES FLOTTANTES

1 Mettre les jaunes d'œufs dans un bol. Ajouter 50 ml (¼ tasse) de sucre.

2 Mélanger 2 minutes avec un batteur électrique.

3 Incorporer le lait. Ajouter la vanille et le Tia Maria; bien remuer. Faire cuire la sauce.

4 Battre les blancs d'œufs jusqu'à ce qu'ils forment des pics.

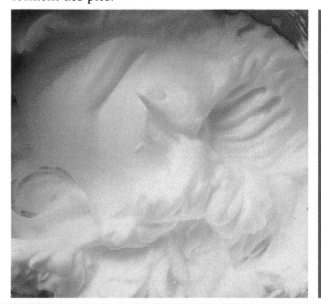

5 À l'aide d'une cuiller à crème glacée, déposer de petites quantités de blancs battus dans l'eau mijotante. Laisser pocher 1 à 1 minute ½ de chaque côté.

6 À l'aide d'une cuiller à trous, retirer les meringues de l'eau et égoutter sur du papier essuie-tout.

Meringues

6	blancs d'œufs à la température de la pièce
250 ml	(1 tasse) de sucre extra-fin
2 ml	(½ c. à thé) de Tia Maria
	une pincée de sel
	crème fouettée

Préchauffer le four à 80°C (175°F).
Beurrer et fariner des plaques à biscuits. Mettre de côté.
Battre les blancs d'œufs jusqu'à ce qu'ils moussent.
Ajouter le Tia Maria et continuer de battre jusqu'à ce qu'ils forment des pics.
Très lentement, incorporer 175 ml (¾ tasse) de sucre et le sel. Continuer de battre à vitesse maximum pendant 1 minute ½.

Ajouter le reste du sucre et battre 30 secondes.
Insérer la meringue dans un sac à pâtisserie muni d'une douille unie. Dresser des meringues de formes et de tailles diverses sur les plaques à biscuits.
Faire cuire 3 heures au four.
Entrouvrir la porte du four et laisser sécher 5 à 10 minutes avant de retirer.
Lorsque les meringues sont complètement refroidies, introduire la crème fouettée dans un sac à pâtisserie muni d'une douille unie.
Écraser le dessus d'une meringue et remplir la cavité de crème fouettée. Souder une seconde meringue à la première et presser. Si nécessaire, ajouter un peu de crème fouettée pour qu'elles tiennent bien ensemble.
Répéter le même procédé pour le reste des meringues
Si désiré, plonger les meringues dans la sauce au chocolat.

1 RECETTE	1348 CALORIES	205 g GLUCIDES
24 g PROTÉINES	48 g LIPIDES	0 g FIBRES

Gâteau à la rhubarbe *(pour 6 personnes)*

375 ml	(1½ tasse) de farine tout usage
25 ml	(1½ c. à soupe) de poudre à pâte
2 ml	(½ c. à thé) de bicarbonate de soude
15 ml	(1 c. à soupe) de cannelle
250 ml	(1 tasse) d'huile végétale
375 ml	(1½ tasse) de sucre
3	œufs extra-gros
250 ml	(1 tasse) de compote de rhubarbe
125 ml	(½ tasse) de noix hachées
	une pincée de sel

Préchauffer le four à 180°C (350°F).

Beurrer et fariner un moule à gâteau à fond amovible de 20 cm (8 po). Mettre de côté.

Tamiser la farine, le sel, la poudre à pâte, le bicarbonate de soude et la cannelle dans un grand bol. Mettre de côté.

Verser l'huile dans un grand bol. Ajouter le sucre et bien mélanger avec un batteur électrique.

Ajouter les œufs, un à un, tout en mélangeant 1 minute entre chaque addition.

Incorporer la farine au mélange avec une spatule.

Ajouter la rhubarbe et les noix; bien incorporer.

Verser le mélange dans le moule. Faire cuire au four sur la grille du milieu pendant 1 h 30.

Dès que le gâteau est cuit, retirer du four et laisser refroidir.

Démouler et glacer au choix.

1 PORTION	764 CALORIES	74 g GLUCIDES
9 g PROTÉINES	48 g LIPIDES	0,6 g FIBRES

Pain aux bananes *(pour 6 à 8 personnes)*

175 ml	(¾ tasse) de cassonade
50 ml	(¼ tasse) de sucre granulé
125 ml	(½ tasse) de beurre doux
4	petites bananes
50 ml	(¼ tasse) de crème à 35 %
5 ml	(1 c. à thé) de vanille
2	œufs extra-gros
500 ml	(2 tasses) de farine tout usage
5 ml	(1 c. à thé) de bicarbonate de soude
2 ml	(½ c. à thé) de cannelle
2 ml	(½ c. à soupe) de sel
125 ml	(½ tasse) de noix hachées
125 ml	(½ tasse) de raisins de Smyrne (sultana)

Préchauffer le four à 180°C (350°F).

Beurrer un moule à pain de 23 × 13 cm (9 × 5 po). Mettre de côté.

Mettre la cassonade et le sucre dans un grand bol; bien mélanger.

Ajouter le beurre et défaire en crème.

Incorporer les bananes, la crème et la vanille avec une spatule.

Incorporer les œufs, un à un, tout en battant bien entre chaque addition.

Tamiser la farine, le bicarbonate de soude, la cannelle et le sel dans un bol. Incorporer le tout au mélange d'œufs avec un batteur ou un blender.

Incorporer les noix et les raisins. Verser la pâte dans le moule beurré et faire cuire au four 65 à 70 minutes ou jusqu'à ce qu'un cure-dents inséré au centre du gâteau en ressorte sec.

Refroidir avant de servir.

1 PORTION	486 CALORIES	65 g GLUCIDES
7 g PROTÉINES	22 g LIPIDES	0,6 g FIBRES

TECHNIQUE: PAIN AUX BANANES

1 Mettre la cassonade et le sucre dans un bol; bien mélanger.

2 Ajouter le beurre.

3 Bien mélanger et défaire en crème.

4 Incorporer les bananes, la crème et la vanille avec une spatule.

Voir page suivante.

5 Incorporer les œufs, un à un, tout en battant entre chaque addition.

6 Tamiser la farine, le bicarbonate de soude, la cannelle et le sel dans un bol.

7 Incorporer la farine au mélange d'œufs en utilisant un batteur ou un blender.

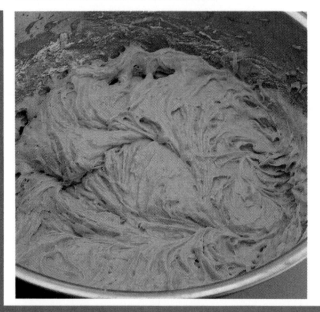

8 Incorporer les noix et les raisins.

Gâteau aux carottes
et à la noix de coco   *(pour 6 à 8 personnes)*

300 ml	(1 ¼ tasse) d'huile végétale
500 ml	(2 tasses) de sucre granulé
4	œufs extra-gros
550 ml	(2 ¼ tasses) de farine tout usage
10 ml	(2 c. à thé) de poudre à pâte
5 ml	(1 c. à thé) de cannelle
1 ml	(¼ c. à thé) de muscade
5 ml	(1 c. à thé) de bicarbonate de soude
5 ml	(1 c. à thé) de sel
45 ml	(3 c. à soupe) de rhum blanc
125 ml	(½ tasse) de noix de coco râpée
500 ml	(2 tasses) de carottes râpées

Préchauffer le four à 180°C (350°F).

Beurrer et fariner un moule à gâteau à fond amovible de 25 cm (10 po). Mettre de côté.

Mettre le sucre et l'huile dans un bol. Bien mélanger.

Ajouter deux œufs, un à un, en battant bien entre chaque addition.

Tamiser tous les ingrédients secs ensemble. Ajouter la moitié du mélange à la pâte.

Ajouter le reste des œufs en battant bien entre chaque addition.

Incorporer le reste des ingrédients secs. Ajouter le rhum et la noix de coco.

Incorporer les carottes. Verser la pâte dans le moule. Faire cuire au four 60 à 70 minutes ou jusqu'à ce qu'un cure-dents inséré au centre du gâteau en ressorte sec.

Laisser refroidir. Glacer avant de servir, si désiré.

Voir technique page suivante.

1 Mettre l'huile et le sucre dans un bol.

2 Bien mélanger.

3 Ajouter 2 œufs, un à la fois, en battant bien entre chaque addition.

4 Tamiser tous les ingrédients secs.

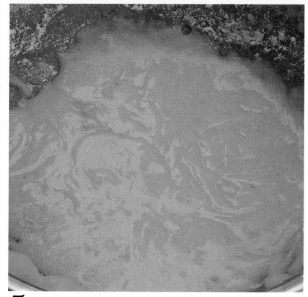

5 Incorporer la moitié du mélange à la pâte.

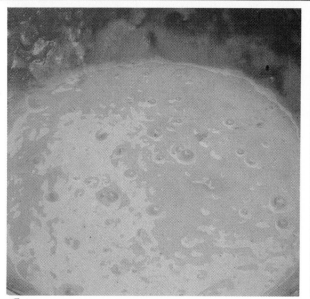

6 Ajouter le reste des œufs en mélangeant bien entre chaque addition.

7 Incorporer le reste des ingrédients secs. Ajouter le rhum et la noix de coco.

8 Ajouter les carottes.

Gâteau aux pommes

(pour 6 à 8 personnes)

250 ml	(1 tasse) d'huile végétale
250 ml	(1 tasse) de cassonade
250 ml	(1 tasse) de sucre granulé
3	œufs extra-gros
625 ml	(2 ½ tasses) de farine tout usage
10 ml	(2 c. à thé) de poudre à pâte
5 ml	(1 c. à thé) de bicarbonate de soude
5 ml	(1 c. à thé) de sel
5 ml	(1 c. à thé) de cannelle
45 ml	(3 c. à soupe) de Tia Maria
875 ml	(3 ½ tasses) de pommes cuites, hachées
125 ml	(½ tasse) de noix hachées

Préchauffer le four à 160°C (325°F).

Beurrer et fariner un moule à gâteau à fond amovible de 25 cm (10 po). Mettre de côté.

Mettre l'huile, la cassonade et le sucre dans un bol; mélanger avec un batteur électrique 2 à 3 secondes.

Incorporer les œufs, un à un, tout en battant bien entre chaque addition.

Tamiser la farine, la poudre à pâte, le bicarbonate de soude, le sel et la cannelle dans un bol. Incorporer le tout au mélange d'œufs.

À l'aide d'une spatule, incorporer le Tia Maria, les pommes et les noix. Verser la pâte dans le moule. Faire cuire au four pendant 1 h ½ ou jusqu'à ce qu'un cure-dents inséré au centre du gâteau en ressorte sec.

1 PORTION	721 CALORIES	89 g GLUCIDES
8 g PROTÉINES	37 g LIPIDES	1,2 g FIBRES

Salade exotique   *(pour 4 à 6 personnes)*

2	pommes vertes, tranchées
1	orange, pelée et coupée en rondelles
2	pêches, pelées et tranchées
125 ml	(½ tasse) de raisins verts sans pépins
4	prunes, tranchées
1	mangue, pelée et tranchée
¼	melon, en morceaux
¼	cantaloup, en morceaux
45 ml	(3 c. à soupe) de sucre
50 ml	(¼ tasse) de rhum blanc

Mettre les fruits dans un bol. Saupoudrer de sucre et arroser de rhum. Bien mélanger.

Laisser mariner 30 minutes avant de servir.

Salade de fruits au yogourt *(pour 4 personnes)*

2	bananes, pelées et tranchées
2	pommes, tranchées avec la peau
3	oranges, pelées et coupées en sections
1	pamplemousse, pelé et coupé en sections
50 ml	(¼ tasse) de noix hachées
45 ml	(3 c. à soupe) de miel pur
60 ml	(4 c. à soupe) de yogourt nature

Mettre les fruits dans un bol de service et bien mêler.

Ajouter les noix et le miel; mêler de nouveau. Laisser mariner 10 minutes.

Couronner de yogourt avant de servir.

1 PORTION 278 CALORIES 53 g GLUCIDES
3 g PROTÉINES 6 g LIPIDES 2,0 g FIBRES

Salade de fruits élégante *(pour 4 personnes)*

1	mangue, pelée et émincée
500 ml	(2 tasses) de framboises, lavées
6	abricots, lavés et tranchés
30 ml	(2 c. à soupe) de sucre
30 ml	(2 c. à soupe) de rhum Lamb's Navy
	jus de 1 orange
	crème fouettée

Mettre les fruits dans un bol et saupoudrer de sucre; bien mêler.

Ajouter le jus d'orange et le rhum; mélanger délicatement et laisser mariner 15 minutes.

Servir avec de la crème fouettée.

1 Couper les papayes en deux et retirer les graines.

2 Suivre la recette. Avant de servir, décorer de crème fouettée.

Papayes délicieuses *(pour 4 personnes)*

2	papayes mûres
125 ml	(½ tasse) de jus d'orange
30 ml	(2 c. à soupe) de cassonade
1	petite enveloppe de gélatine non aromatisée
	crème fouettée pour la garniture

Couper les papayes en deux sur la longueur et enlever les graines.

Retirer la pulpe et laisser une bordure autour de la peau pour que les papayes tiennent debout. Mettre de côté.

Broyer la pulpe dans un blender pendant 1 minute.

Verser le jus d'orange dans une petite casserole. Ajouter la cassonade et amener à ébullition.

Saupoudrer le jus de gélatine et bien remuer. Retirer la cassonade du feu.

Incorporer la purée de papaye au jus d'orange.

Verser le mélange dans les papayes évidées et réfrigérer 6 à 8 heures.

Garnir de crème fouettée avant de servir.

1 PORTION	118 CALORIES	24 g GLUCIDES
1 g PROTÉINES	2 g LIPIDES	1,4 g FIBRES

Cerises au cognac   *(pour 4 personnes)*

30 ml	(2 c. à soupe) de beurre
30 ml	(2 c. à soupe) de sucre
45 ml	(3 c. à soupe) de cognac
900 g	(2 livres) de cerises, lavées et dénoyautées
5 ml	(1 c. à thé) de fécule de maïs
30 ml	(2 c. à soupe) d'eau froide
	jus de 2 oranges
	crème glacée à la vanille

Faire chauffer le beurre et le sucre dans une poêle. Continuer la cuisson jusqu'à l'obtention d'une couleur brun doré en remuant constamment.

Ajouter le jus d'orange; bien remuer et continuer la cuisson 3 minutes à feu moyen.

Ajouter le cognac et flamber.

Incorporer les cerises et prolonger la cuisson de 1 minute.

Délayer la fécule de maïs dans l'eau froide. Incorporer à la sauce. Laisser épaissir 1 minute.

Servir sur de la crème glacée.

1 PORTION	430 CALORIES	64 g GLUCIDES
5 g PROTÉINES	14 g LIPIDES	0,9 g FIBRES

Prunes en sirop *(pour 4 personnes)*

30 ml	(2 c. à soupe) de beurre
30 ml	(2 c. à soupe) de sucre
125 ml	(½ tasse) de jus d'orange
8	prunes, lavées et dénoyautées
45 ml	(3 c. à soupe) de cognac
5 ml	(1 c. à thé) de fécule de maïs
30 ml	(2 c. à soupe) d'eau froide
	crème fouettée
	zeste d'orange blanchi

Faire cuire le beurre et le sucre dans une poêle à frire jusqu'à épaississement. Remuer avec une fourchette.

Ajouter le jus d'orange et faire cuire 2 à 3 minutes en brassant constamment.

Mettre les prunes dans la sauce; couvrir et faire cuire 4 à 5 minutes à feu moyen-doux.

Ajouter le cognac et bien remuer; continuer la cuisson 2 minutes à feu moyen-vif.

Délayer la fécule de maïs dans l'eau froide. Incorporer à la sauce. Faire cuire 1 à 2 minutes à feu moyen.

Servir les prunes au sirop avec de la crème fouettée. Décorer de zeste d'orange.

1 PORTION	220 CALORIES	29 g GLUCIDES
1 g PROTÉINES	8 g LIPIDES	0,4 g FIBRES

TECHNIQUE: PRUNES EN SIROP

1 Faire épaissir le beurre et le sucre dans une poêle à frire, à feu moyen, en remuant avec une fourchette.

2 Ajouter le jus d'orange et faire cuire 2 à 3 minutes en remuant constamment.

3 Mettre les prunes dans la sauce; couvrir et faire cuire 4 à 5 minutes à feu moyen-doux.

4 Ajouter le cognac; bien remuer et faire cuire 2 minutes à feu moyen-vif.
Faire épaissir la sauce avec un mélange de fécule de maïs et d'eau froide.

Bananes flambées *(pour 4 personnes)*

4	bananes un peu fermes, pelées et tranchées en morceaux de 2,5 cm (1 po)
30 ml	(2 c. à soupe) de cassonade
30 ml	(2 c. à soupe) de cognac
30 ml	(2 c. à soupe) de beurre
30 ml	(2 c. à soupe) de sucre granulé
30 ml	(2 c. à soupe) de Tia Maria
	jus de 1 citron
	jus de 2 oranges
	zeste de 1 citron, émincé
	crème fouettée au goût
	une pincée de cannelle

Mettre les bananes, la cassonade, le cognac et le jus de citron dans un bol; laisser mariner 15 minutes.

Entre-temps, faire chauffer le beurre et le sucre granulé dans une poêle jusqu'à ce que le mélange caramélise.

Dès que le mélange est brun doré, ajouter le jus d'orange et bien remuer. Continuer la cuisson de 2 à 3 minutes à feu moyen en remuant constamment.

Ajouter les bananes et la marinade au mélange de jus d'orange. Incorporer le zeste de citron et faire cuire 1 minute à feu vif.

Avant de servir, garnir les bananes de crème fouettée et saupoudrer de cannelle.

1 PORTION	261 CALORIES	39 g GLUCIDES
1 g PROTÉINES	8 g LIPIDES	0,5 g FIBRES

Crêpes Suzette *(pour 4 personnes)*

8	cubes de sucre
2	grosses oranges
1	citron
30 ml	(2 c. à soupe) de beurre
12	crêpes, pliées en 4
50 ml	(¼ tasse) de cognac
	zeste de 1 orange, coupé en julienne

Frotter la pelure des oranges et du citron avec les cubes de sucre.

Mettre les cubes de sucre dans une poêle à frire et faire fondre à feu moyen en remuant avec une fourchette. Continuer la cuisson de 1 à 2 minutes.

Incorporer le beurre et continuer la cuisson pendant 1 minute en remuant constamment.

Couper les oranges et le citron en deux et ajouter leur jus au contenu de la poêle. Remuer et faire cuire 3 à 4 minutes à feu moyen en remuant constamment.

Placer les crêpes dans la poêle et faire cuire pendant 1 minute. Retourner les crêpes.

Ajouter le cognac et le zeste d'orange; amener à ébullition et flamber.

Retirer les crêpes de la poêle et disposer dans un plat de service; mettre de côté.

Continuer la cuisson de la sauce 2 minutes à feu vif.

Verser la sauce sur les crêpes et servir immédiatement.

Crêpes aux framboises   *(pour 4 personnes)*

375 ml	(1 ½ tasse) de framboises fraîches, lavées
50 ml	(¼ tasse) de cassonade
375 ml	(1 ½ tasse) de crème à 35 %, fouettée
8	crêpes

Mettre les ¾ des framboises dans un grand bol. Ajouter la cassonade et le Tia Maria; laisser mariner de 15 à 20 minutes.

Incorporer la moitié de la crème fouettée aux framboises marinées. Étendre le tout sur des crêpes et rouler.

Décorer les crêpes farcies du reste de framboises et de crème fouettée. Servir.

1 PORTION	593 CALORIES	39 g GLUCIDES
8 g PROTÉINES	41 g LIPIDES	1,4 g FIBRES

Soufflé froid   *(pour 4 à 6 personnes)*

5	gros œufs, séparés
175 ml	(¾ tasse) de sucre
175 ml	(¾ tasse) de noix hachées
45 ml	(3 c. à soupe) de Tia Maria
500 ml	(2 tasses) de crème à 35 %, fouettée
30 ml	(2 c. à soupe) d'amandes effilées

Beurrer et saupoudrer légèrement de sucre un moule à soufflé de 20 cm (8 po) et de 8 cm (3 po) de profondeur.

Mettre les jaunes d'œufs et le sucre dans un bol; bien mélanger avec un batteur électrique de 3 à 4 minutes.

Ajouter les noix et le Tia Maria; incorporer avec une spatule.

Ajouter la crème fouettée et incorporer de 1 à 2 minutes avec une spatule.

Battre les blancs d'œufs jusqu'à ce qu'ils forment des pics. Incorporer le tout à la pâte.

Avec une double feuille de papier d'aluminium, former un collet de 8 cm (3 po) de hauteur. Placer le collet à l'intérieur du moule, le long du bord supérieur. Coller avec un ruban adhésif.

Verser le mélange dans le moule et parsemer d'amandes. Réfrigérer 8 heures.

Retirer le collet avant de servir.

1 PORTION	610 CALORIES	31 g GLUCIDES
11 g PROTÉINES	48 g LIPIDES	0,5 g FIBRES

Gâteau éponge *(pour 6 à 8 personnes)*

6	œufs extra-gros
175 ml	(¾ tasse) de sucre fin
250 ml	(1 tasse) de farine tout usage
60 ml	(4 c. à soupe) de beurre clarifié
	Tia Maria
	glaçage au choix

Préchauffer le four à 180°C (350°F).

Beurrer et fariner un moule à gâteau à fond amovible de 23 cm (9 po). Mettre de côté.

Mettre les œufs et le sucre dans un bol placé sur une casserole contenant de l'eau chaude. Bien mélanger avec un batteur électrique jusqu'à ce que le mélange devienne épais et mousseux.

Retirer le bol de l'eau. Incorporer la farine et bien mélanger au fouet.

Incorporer le beurre très lentement en mélangeant avec une spatule.

Verser le mélange dans le moule. Faire cuire 40 à 45 minutes ou jusqu'à ce qu'un cure-dents inséré au centre du gâteau en ressorte sec.

Retirer le gâteau du four et laisser reposer 10 minutes. Faire refroidir le gâteau sur une grille.

Couper le gâteau en deux, délicatement. Arroser les deux parties du gâteau de Tia Maria.

Glacer la partie inférieure et reformer le gâteau. Glacer le dessus et les côtés.

Décorer au goût avant de servir.

1 PORTION (sans glaçage)   13 g. LIPIDES   0 g. FIBRES
7 g PROTÉINES   261 CALORIES   29 g GLUCIDES

TECHNIQUE: GÂTEAU ÉPONGE

1 Mettre les œufs et le sucre dans un grand bol placé sur une casserole contenant de l'eau chaude.

2 Bien mélanger avec un batteur électrique jusqu'à ce que le mélange devienne épais et mousseux.

3 Retirer le bol de l'eau chaude. Incorporer la farine et bien mélanger au fouet.

4 Incorporer le beurre très lentement en mélangeant avec une spatule.

Voir page suivante.

539

5  Verser le mélange dans le moule et faire cuire au four.

6  Laisser refroidir le gâteau sur une grille à gâteau.

7 Trancher le gâteau en deux très délicatement. Arroser les deux parties de Tia Maria.

8 Glacer la partie inférieure du gâteau.

9 Reformer le gâteau.

10 Glacer le dessus et les côtés. Décorer au goût avant de servir.

Gâteau de l'après-midi *(pour 4 à 6 personnes)*

125 ml	(½ tasse) de confiture d'abricots
175 ml	(¾ tasse) de sucre à glacer
45 ml	(3 c. à soupe) d'eau
	pâte feuilletée commerciale
1	œuf bien battu

Préchauffer le four à 220°C (425°F).

Arroser une plaque à biscuits d'eau froide; mettre de côté.

Abaisser la pâte sur une surface farinée et couper un rectangle d'environ 10 cm (4 po) de largeur. Placer le tout sur la plaque à biscuits.

Abaisser un rectangle de pâte un peu plus épais mais de même grandeur et de même largeur.

Étendre la confiture sur le premier rectangle de pâte et recouvrir du second. Souder les côtés ensemble.

Badigeonner d'œuf battu et piquer la pâte avec une fourchette. Faire cuire 15 minutes au four.

Réduire la chaleur du four à 190°C (375°F) et continuer la cuisson pendant 15 minutes.

Bien mélanger le sucre à glacer et l'eau pour le glaçage.

Glacer le gâteau, trancher et servir.

Gâteau au fromage   *(pour 4 à 6 personnes)*

500 g	(1 livre) de fromage à la crème, mou
3	jaunes d'œufs
75 ml	(⅓ tasse) de sucre
150 ml	(⅔ tasse) de crème à 35 %
15 ml	(1 c. à soupe) de zeste de citron râpé
15 ml	(1 c. à soupe) de Tia Maria
3	blancs d'œufs
1	fond de tarte Graham, cuit dans un moule à tarte de 22 cm (8 ½ po)

Préchauffer le four à 150°C (300°F).

Mélanger le fromage, les jaunes d'œufs, le sucre, la crème, le zeste et le Tia Maria dans un blender pendant 3 minutes.

Battre les blancs d'œufs en neige ferme.

Mettre le mélange de fromage dans un bol et plier les blancs d'œufs.

Verser le mélange dans le fond de tarte cuit. Faire cuire 1 h ¼ à 1 h ½ au four.

Retirer le gâteau du four et laisser refroidir.

Servir nature ou avec une sauce aux fraises, page 485.

542

1 PORTION	631 CALORIES	32 g GLUCIDES
11 g PROTÉINES	51 g LIPIDES	0,2 g FIBRES

TECHNIQUE: GÂTEAU AU FROMAGE

1 Mélanger le fromage, les jaunes d'œufs, le sucre, la crème et le Tia Maria dans un blender pendant 3 minutes.

2 Battre les blancs d'œufs en neige ferme et incorporer au mélange de fromage.

Pommes au four *(pour 4 personnes)*

4	pommes à cuire, évidées
60 ml	(4 c. à soupe) de cassonade
20 ml	(4 c. à thé) de confiture d'abricots
20 ml	(4 c. à thé) de beurre
15 ml	(1 c. à soupe) de cannelle
250 ml	(1 tasse) d'eau
5 ml	(1 c. à thé) de fécule de maïs
30 ml	(2 c. à soupe) d'eau froide
	jus de 1 citron

Préchauffer le four à 190°C (375°F).

Couper la pelure autour du milieu de chaque pomme à l'aide d'un petit couteau. Ceci empêche la pelure d'éclater pendant la cuisson.

Placer les pommes dans un plat allant au four. Remplir chaque cavité de cassonade, de confiture, de beurre et de cannelle. Arroser de jus de citron.

Verser l'eau dans le plat et faire cuire 45 minutes au four.

Dès que les pommes sont cuites, les retirer du plat et les transférer dans un plat de service.

Placer le plat sur l'élément de la cuisinière à feu vif. Amener à ébullition.

Délayer la fécule de maïs dans 30 ml (2 c. à soupe) d'eau froide. Incorporer à la sauce. Faire chauffer 2 minutes.

Verser la sauce sur les pommes. On peut décorer d'amandes effilées.

1 PORTION	213 CALORIES	42 g GLUCIDES
0 g PROTÉINES	5 g LIPIDES	1,5 g FIBRES

Dessert aux pêches *(pour 4 personnes)*

4	pêches, pelées et tranchées
30 ml	(2 c. à soupe) de Tia Maria
30 ml	(2 c. à soupe) de sucre
375 ml	(1 ½ tasse) de crème fouettée
	pâte feuilletée commerciale
	œuf battu
	fraises pour la garniture

Préchauffer le four à 220°C (425°F).

Abaisser la pâte sur une surface farinée. Couper 8 petits ronds de pâte et placer sur une plaque à biscuits. Badigeonner d'œuf battu et piquer avec une fourchette. Faire cuire 15 minutes au four.

Retirer les ronds de pâte et les laisser refroidir.

Mettre les pêches, le Tia Maria et le sucre dans un bol; laisser mariner 15 minutes.

Placer 4 ronds de pâte sur un plat de service. Disposer les pêches sur les ronds et couronner le tout de crème fouettée.

Placer le reste des ronds sur la crème fouettée et décorer de crème fouettée. Garnir de fraises. Servir.

544

Framboises à la crème *(pour 4 personnes)*

500 ml	(2 tasses) de framboises fraîches, lavées
30 ml	(2 c. à soupe) de cognac
375 ml	(1 ½ tasse) de crème pâtissière au rhum*
175 ml	(¾ tasse) de crème à 35 %, fouettée
30 ml	(2 c. à soupe) de cassonade

Mettre les framboises dans un bol et ajouter le cognac. Laisser mariner de 8 à 10 minutes.

Mélanger la crème pâtissière à la crème fouettée. À l'aide d'une cuiller, transférer le mélange dans des assiettes à dessert.

Répartir les framboises sur la crème et saupoudrer de cassonade. Servir.

* Voir Crème pâtissière au rhum, page 504.

Mousse aux fraises *(pour 6 à 8 personnes)*

500 ml	(2 tasses) de lait
75 ml	(⅓ tasse) d'eau froide
30 ml	(2 c. à soupe) de gélatine non aromatisée
5	jaunes d'œufs
15 ml	(1 c. à soupe) de vanille
125 ml	(½ tasse) de sucre
375 ml	(1 ½ tasse) de fraises en purée
250 ml	(1 tasse) de crème fouettée
	huile de noix

Bien huiler un moule en couronne de 1,5 L (6 tasses) d'huile de noix. Mettre de côté.

Faire chauffer le lait sans le faire bouillir. Mettre de côté.

Verser l'eau dans un petit bol. Saupoudrer la gélatine sur l'eau. Ne pas remuer et mettre de côté.

Mettre les jaunes d'œufs et la vanille dans un bol en acier inoxydable. Ajouter le sucre et bien mélanger avec un batteur électrique jusqu'à ce que le mélange forme des rubans.

Incorporer le lait chaud au fouet.

Placer le bol sur une casserole contenant de l'eau chaude. Faire cuire en remuant constamment jusqu'à ce que le mélange nappe le dos d'une cuiller.

Ajouter le mélange de gélatine et bien incorporer. Réfrigérer 35 minutes en remuant 2 à 3 fois.

Incorporer les fraises et remettre au réfrigérateur. Lorsque le mélange est presque pris, le retirer du réfrigérateur.

Incorporer la crème fouettée et verser le mélange dans le moule huilé. Réfrigérer 12 heures.

Démouler et servir.

1 PORTION	173 CALORIES	19 g GLUCIDES
4 g PROTÉINES	9 g LIPIDES	0,5 g FIBRES

Surprises de fraises au chocolat *(pour 4 personnes)*

250 ml	(1 tasse) de sucre à glacer
60 g	(2 oz) de chocolat amer
5 ml	(1 c. à thé) de vanille
45 ml	(3 c. à soupe) de lait
1	jaune d'œuf
32	grosses fraises mûres
8	grosses guimauves

Mettre le sucre, le chocolat, la vanille et le lait dans la partie supérieure d'un bain-marie. Faire fondre le chocolat et bien mélanger.

Retirer du feu. Incorporer le jaune d'œuf et laisser le mélange reposer pendant quelques minutes.

Tremper les fraises et les guimauves dans le chocolat. Servir.

Note: Si vous désirez servir ce dessert à un plus grand nombre de personnes, doublez les ingrédients, à l'exception de la vanille.

1 PORTION	365 CALORIES	78 g GLUCIDES
2 g PROTÉINES	5 g LIPIDES	1,0 g FIBRES

Les micro-ondes au travail

Les micro-ondes sont constituées d'ondes très courtes qui fonctionnent selon le même principe que la radio et la télévision. Les ondes utilisées pour la cuisson proviennent d'un tube cylindrique, le magnetron, intrégré au four afin de transformer l'électricité de la maison en micro-ondes. Les ondes rebondissent sur les parois en métal du four et sont transmises à travers des ustensiles non-métalliques pour être ensuite absorbées par les aliments. Comme les micro-ondes ne pénètrent qu'à 2,5 cm (1 po) de profondeur dans les aliments (dessus, dessous, sur les faces extérieures), le reste de la cuisson est accompli par l'induction de la chaleur. C'est la raison pour laquelle il est souvent nécessaire de tourner le plat ou le contenant de $\frac{1}{4}$ à $\frac{1}{2}$ tour pendant la cuisson afin d'assurer une cuisson égale aux aliments.
Pour connaître son micro-ondes, il est important de lire le guide du fabricant.

Réglage du micro-ondes

Comme chaque modèle a une façon différente de régler sa force de cuisson, nous avons procédé comme suit dans nos recettes:

RÉGLAGE	% DE LA FORCE MAXIMUM	WATTS
FORT	100%	650
MOYEN-FORT	75%	485
MOYEN	50%	325
DOUX	25%	160

Si votre four à micro-ondes a une force moindre à 650 watts, le temps de cuisson devra augmenter. Lisez le guide du fabricant pour connaître la méthode la plus sûre pour faire dégeler les aliments.

Au début de chaque recette, nous vous avons donné une liste de RÉGLAGE, TEMPS DE CUISSON et USTENSILES requis. À moins qu'un changement soit indiqué, respectez ce réglage!

Ustensiles pour la cuisson aux micro-ondes

Évitez les ustensiles de métal car les micro-ondes ne passent pas à travers ce matériau. Il y a toutefois quelques exceptions et l'on peut, à l'occasion, utiliser un papier d'aluminium lorsqu'on veut ralentir la cuisson d'un rôti ou d'un poulet.

Les ustensiles et les contenants de verre conviennent le mieux à la cuisson aux micro-ondes. Il est préférable d'utiliser les ustensiles de plastique pour la cuisson d'aliments ne requérant que très peu de temps. De plus en plus l'on trouve sur le marché des ustensiles spécialisés pour la cuisson aux micro-ondes.

Certains ustensiles que vous possédez déjà peuvent servir à la cuisson aux micro-ondes. Dans le doute, faites le test suivant:

Placez l'article vide dans le four, à réglage FORT, pendant 1 minute. S'il devient chaud, c'est qu'il ne convient pas à ce type de cuisson.

Quelques petits conseils

— Pour ramollir le beurre ou la margarine: placer au micro-ondes à réglage: DOUX.

— Pour faire bouillir l'eau, utiliser le réglage: FORT.

— Pour ramollir du fromage à la crème: placer à réglage MOYEN pendant 1 minute ou jusqu'à ce qu'il ramollisse. Le fromage doit être retiré de son emballage et placé dans un bol au préalable.

— Pour empêcher les aliments d'éclater, tels les jaunes d'œufs ou les légumes, les percer légèrement avec la pointe d'un couteau.

— Pour une cuisson plus uniforme, brasser de l'extérieur vers le centre.

— Placer la partie la plus épaisse des aliments vers l'extérieur du plat.

— IMPORTANT: ne jamais faire cuire les œufs durs au micro-ondes.

TECHNIQUE: POUR BRUNIR LES AMANDES

1 Mettre 250 ml (1 tasse) d'amandes effilées dans un bol micro-ondes. Ajouter 15 ml (1 c. à soupe) de beurre.

2 Faire cuire à réglage FORT pendant 3 minutes.

TECHNIQUE: RAMOLLIR LA CASSONADE

1 Mettre la cassonade dans un bol et faire cuire à réglage FORT pendant 1 minute.

2 Remuer la cassonade de temps en temps avec une fourchette.

550

Les œufs brouillés

Verser les œufs battus, un peu de beurre et les assaisonnements dans le plat micro-ondes approprié. Les œufs brouillés sont généralement cuits à réglage FORT. Il faut les remuer fréquemment pour obtenir une cuisson égale.

Comme vous le voyez, on peut obtenir d'excellents résultats. Remarquez comme les œufs sont moelleux et appétissants. Et tout cela en quelques minutes!

La cuisson du bacon

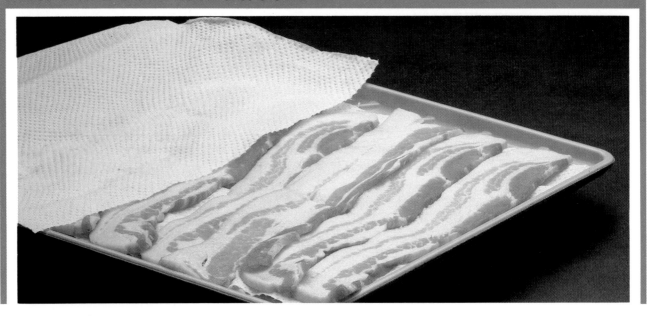

Voici une excellente façon de cuire le bacon. Placer les tranches de bacon entre deux feuilles de papier essuie-tout. Non seulement le papier empêchera le gras d'éclabousser les parois du micro-ondes, mais il absorbera aussi la plupart du gras fondu du bacon.

Pour la cuisson du bacon, il faut compter environ ¾ de minute par tranche.

Naturellement, la cuisson peut varier selon l'épaisseur des tranches.

Couvrir les aliments

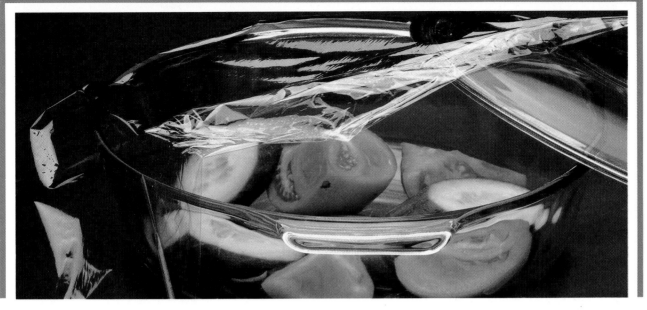

Comme pour la cuisson conventionnelle, couvrir les aliments devient souvent nécessaire pour la cuisson au micro-ondes. Selon la recette, on peut utiliser un couvercle ou une pellicule de plastique.

Couvrir avec une pellicule de plastique

Lorsqu'on couvre les aliments avec une pellicule de plastique, il est important de permettre à la vapeur de s'échapper pendant la cuisson. Percer le papier avec la pointe d'un couteau ou relever un coin du papier.

Cuisson des légumes

Les légumes sont un groupe d'aliments qui conviennent bien à la cuisson au micro-ondes. Comme on le voit sur cette photo, le brocoli cuit perd très peu de sa couleur originale. Non seulement les légumes cuits au micro-ondes sont attrayants mais ils conservent aussi beaucoup de leur goût.

Disposition des aliments

Pour les gros aliments de forme inégale, placer la partie la plus épaisse vers l'extérieur du plat. Cette technique est particulièrement importante pour la cuisson de la volaille ou des légumes entiers.

Soupe à l'oignon légère   *(pour 4 personnes)*

RÉGLAGE: *FORT*
TEMPS DE CUISSON: *24 minutes*
CONTENANT: *plat rond de 2 L (8 tasses)*
                             avec couvercle

1	gros oignon d'Espagne, émincé
15 ml	(1 c. à soupe) de beurre
30 ml	(2 c. à soupe) de sauce soya
15 ml	(1 c. à soupe) de persil frais haché
875 ml	(3 ½ tasses) de bouillon de poulet chaud
50 ml	(¼ tasse) de fromage suisse râpé
	sel et poivre

Mettre les oignons, le beurre et la sauce soya dans le plat. Saler, poivrer; couvrir et faire cuire 5 minutes à FORT.

Bien remuer et continuer la cuisson 5 minutes.

Ajouter le persil et le bouillon de poulet; remuer et rectifier l'assaisonnement. Faire cuire 10 minutes sans couvrir.

Ajouter le fromage et continuer la cuisson, sans couvrir, pendant 4 minutes.

Servir la soupe dans des bols et couronner d'un peu de fromage si désiré.

Voir technique page suivante.

1 PORTION	77 CALORIES	5 g GLUCIDES
3 g PROTÉINES	5 g LIPIDES	0,3 g FIBRES

TECHNIQUE: SOUPE À L'OIGNON LÉGÈRE

1 Mettre les oignons, le beurre et la sauce soya dans le plat. Saler, poivrer; couvrir et faire cuire 5 minutes.

2 Ajouter le persil et le bouillon de poulet; bien remuer et rectifier l'assaisonnement. Faire cuire 10 minutes sans couvrir.

3 Ajouter le fromage et prolonger la cuisson de 4 minutes sans couvrir.

4 Servir la soupe dans des bols et couronner d'un peu de fromage, si désiré.

556

TECHNIQUE: BROCOLI, SAUCE AU FROMAGE

1 Faire cuire le beurre et la farine pendant 2 minutes sans couvrir.

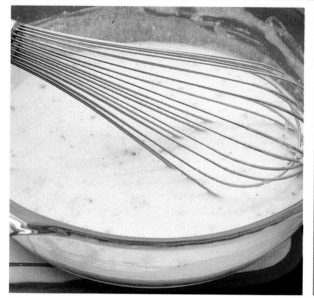

2 Incorporer le lait au fouet. Continuer la cuisson, sans couvrir, pendant 4 minutes en remuant toutes les deux minutes.

3 Ajouter la muscade et le persil. Saler, poivrer et continuer la cuisson pendant 2 minutes.

4 Incorporer la moitié du fromage à la sauce avec un fouet.

Voir page suivante.

5 Verser la sauce sur le brocoli cuit. Couronner du reste de fromage.

6 Faire cuire 2 minutes pour permettre au fromage de fondre. Servir.

Brocoli et sauce au fromage *(pour 4 personnes)*

RÉGLAGE:	*FORT*
TEMPS DE CUISSON:	*10 minutes*
CONTENANT:	*un plat rond de 2 L (8 tasses)*
	un plat rectangulaire de 2 L (8 tasses)

45 ml	(3 c. à soupe) de beurre fondu
55 ml	(3 ½ c. à soupe) de farine
375 ml	(1 ½ tasse) de lait chaud
125 ml	(½ tasse) de fromage cheddar râpé
2	brocoli, coupés en grosses fleurettes, avec le pied, cuits
	une pincée de muscade
	persil haché au goût
	sel et poivre

Mettre le beurre fondu et la farine dans le plat rond. Bien mêler et faire cuire 2 minutes, à FORT, sans couvrir.

Incorporer le lait au fouet et continuer la cuisson 4 minutes, sans couvrir, tout en remuant toutes les 2 minutes.

Incorporer la muscade et le persil; saler, poivrer et continuer la cuisson pendant 2 minutes.

Incorporer la moitié du fromage à la sauce. Placer le brocoli cuit dans le plat rectangulaire beurré. Recouvrir de sauce.

Parsemer du reste de fromage et faire cuire 2 minutes sans couvrir.

1 PORTION	273 CALORIES	18 g GLUCIDES
12 g PROTÉINES	17 g LIPIDES	1,9 g FIBRES

Soupe chinoise *(pour 4 personnes)*

RÉGLAGE: *FORT*
TEMPS DE CUISSON: *16 minutes*
CONTENANT: *plat rond de 2 L (8 tasses)
avec couvercle*

15 ml	(1 c. à soupe) de beurre
2	grosses carottes, pelées et émincées
1	branche de céleri, tranchée
1	courgette, tranchée
1	piment vert, tranché
1 ml	(¼ c. à thé) de thym
2	branches de persil
1 L	(4 tasses) de bouillon de poulet chaud
30 ml	(2 c. à soupe) de sauce soya
	basilic frais (si possible)
	sel et poivre

Faire chauffer le beurre dans le plat pendant 1 minute à FORT.

Ajouter les carottes et le céleri; couvrir et continuer la cuisson pendant 3 minutes.

Ajouter les courgettes, les piments, le thym, le persil et le basilic; couvrir et faire cuire 3 minutes.

Incorporer le bouillon de poulet et la sauce soya; bien remuer et rectifier l'assaisonnement. Faire cuire 9 minutes sans couvrir.

Servir avec des biscottes ou des nouilles chinoises.

Voir technique page suivante.

1 PORTION	71 CALORIES	9 g GLUCIDES
2 g PROTÉINES	3 g LIPIDES	1,2 g FIBRES

TECHNIQUE: SOUPE CHINOISE

1 Mettre les carottes et le céleri dans le beurre chaud; couvrir et faire cuire 3 minutes.

2 Ajouter les courgettes, les piments verts, le thym, le persil et le basilic; couvrir et faire cuire 3 minutes.

Soupe aux légumes de tous les jours *(pour 4 personnes)*

RÉGLAGE: *FORT*
TEMPS DE CUISSON: *10 minutes*
CONTENANT: *plat rond de 2 L (8 tasses) avec couvercle*

15 ml	(1 c. à soupe) de beurre
2	pieds de brocoli, en dés
15 ml	(1 c. à soupe) de persil frais haché
2	oignons verts, en dés
½	piment vert, en dés
½	concombre, pelé, épépiné et en dés
2	grosses tomates, en dés
1	branche de thym
875 ml	(3 ½ tasses) de bouillon de poulet chaud
	sel et poivre

Mettre le beurre, le brocoli et le persil dans le plat; couvrir et faire cuire 5 minutes à FORT.

Ajouter le reste des légumes et le thym. Assaisonner généreusement; couvrir et continuer la cuisson pendant 3 minutes.

Incorporer le bouillon de poulet et faire cuire 2 minutes sans couvrir. Servir chaud.

1 PORTION	75 CALORIES	9 g GLUCIDES
3 g PROTÉINES	3 g LIPIDES	1,5 g FIBRES

TECHNIQUE: SOUPE AUX LÉGUMES

1 .Mettre le beurre, le brocoli et le persil dans le plat; couvrir et faire cuire 5 minutes.

2 Ajouter le reste des légumes et le thym. Saler, poivrer et continuer la cuisson pendant 3 minutes.

3 Incorporer le bouillon de poulet et faire cuire 2 minutes sans couvrir.

4 Les légumes doivent être croustillants lorsqu'ils sont cuits.

Crème de poulet *(pour 4 personnes)*

RÉGLAGE: *FORT*
TEMPS DE CUISSON: *16 minutes*
CONTENANT: *plat rond de 2 L (8 tasses) avec couvercle*

3	demi-poitrines de poulet, sans peau et désossées
½	branche de céleri, en dés
2	carottes, pelées et coupées en dés
½	oignon, en dés
500 ml	(2 tasses) d'eau chaude
1	branche de persil
1 ml	(¼ c. à thé) de thym
60 ml	(4 c. à soupe) de beurre
70 ml	(4 ½ c. à soupe) de farine
625 ml	(2 ¼ tasses) de lait chaud
	sel et poivre
	une pincée de muscade
	une pincée de paprika
	une pincée de gingembre

Placer le poulet dans le plat. Ajouter le céleri, les carottes, les oignons, l'eau, le persil et le thym. Saler, poivrer; couvrir et faire cuire 8 minutes à FORT.

Retirer le poulet et le couper en dés. Mettre de côté avec les légumes. Passer le liquide de cuisson. Mettre de côté.

Essuyer le plat et y mettre le beurre. Faire chauffer 1 minute.

Ajouter la farine; bien mêler; couvrir et faire cuire 1 minute.

Incorporer le liquide de cuisson et bien mélanger au fouet. Couvrir et faire cuire 3 minutes.

Remuer de nouveau et incorporer le lait, la muscade, le paprika et le gingembre. Saler, poivrer.

Bien remuer et remettre le poulet et les légumes dans le liquide. Faire cuire 3 minutes sans couvrir. Servir.

1 PORTION	482 CALORIES	18 g GLUCIDES
53 g PROTÉINES	22 g LIPIDES	0,5 g FIBRES

TECHNIQUE: CRÈME DE POULET

1 Faire cuire le poulet et les légumes pendant 8 minutes.

2 Remettre le poulet et les légumes dans le liquide.

Riz aux tomates   *(pour 4 personnes)*

RÉGLAGE: *FORT*
TEMPS DE CUISSON: *24 minutes*
CONTENANT: *plat rond de 2 L (8 tasses) avec couvercle*

5 ml	(1 c. à thé) d'huile végétale
45 ml	(3 c. à soupe) d'oignons hachés
1	gousse d'ail, écrasée et hachée
½	boîte de tomates en conserve de 796 ml (28 oz), égouttées et hachées
15 ml	(1 c. à soupe) de persil frais haché
250 ml	(1 tasse) de riz à longs grains, lavé et égoutté
375 ml	(1 ½ tasse) de bouillon de poulet chaud
	sel et poivre

Mettre l'huile, les oignons, l'ail, les tomates et le persil dans le plat. Saler, poivrer; couvrir et faire cuire 4 minutes.

Incorporer le riz et le bouillon de poulet; rectifier l'assaisonnement. Couvrir et continuer la cuisson 10 minutes.

Bien mêler avec une fourchette; couvrir et continuer la cuisson 10 minutes.

Laisser reposer le riz dans le plat, de 7 à 8 minutes, avant de servir.

1 PORTION	248 CALORIES	48 g GLUCIDES
5 g PROTÉINES	4 g LIPIDES	0,9 g FIBRES

TECHNIQUE: PAIN À L'AIL MINUTE

1 Étendre le beurre à l'ail sur le pain grillé et déposer les tranches de pain dans une assiette. Ajouter le persil, la sauce tomate, le poivre et le fromage.

2 Faire cuire 3 minutes sans couvrir.

Pain à l'ail minute *(pour 4 personnes)*

RÉGLAGE: *FORT*
TEMPS DE CUISSON: *3 minutes*
CONTENANT: *une grande assiette*

250 g	(½ livre) de beurre à l'ail
6 à 8	tranches épaisses de pain français ou italien, grillées
125 ml	(½ tasse) de fromage gruyère, grossièrement râpé
	persil haché au goût
	sauce tomate épaisse ou tranches de tomates
	poivre fraîchement moulu

Étendre le beurre à l'ail sur le pain grillé. Placer les tranches de pain dans une assiette.

Parsemer de persil haché et ajouter de la sauce tomate. Poivrer.

Parsemer de fromage et assaisonner au goût. Faire cuire 3 minutes sans couvrir. Servir.

1 PORTION	632 CALORIES	24 g GLUCIDES
8 g PROTÉINES	56 g LIPIDES	0 g FIBRES

Saucisses knackwurst *(pour 4 personnes)*

RÉGLAGE : *FORT*
TEMPS DE CUISSON : *4 minutes*
CONTENANT : *une grande assiette*

4	saucisses knackwurst

Pratiquer des incisions sur les saucisses, sur tous les côtés. Placer les saucisses dans une assiette et faire cuire 4 minutes à FORT. Retourner 1 fois durant la cuisson.

Ces saucisses sont délicieuses, servies avec une salade de pommes de terre pour le lunch.

Pommes de terre au cheddar   *(pour 4 personnes)*

RÉGLAGE: **FORT**
TEMPS DE CUISSON: *19 minutes*
CONTENANT: *plat rond de 2 L (8 tasses)*

4	grosses pommes de terre, pelées et finement émincées
45 ml	(3 c. à soupe) de beurre
30 ml	(2 c. à soupe) de persil frais haché
1	oignon, haché et partiellement cuit
250 ml	(1 tasse) de crème à 35 %, chaude
250 ml	(1 tasse) de lait chaud
125 ml	(½ tasse) de fromage cheddar râpé
	une pincée de paprika
	sel et poivre

Beurrer le plat et y étendre les pommes de terre. Ajouter le beurre, le paprika et le persil. Saler, poivrer.

Recouvrir d'oignons hachés.

Verser la crème et le lait dans le plat. Faire cuire 16 minutes, sans couvrir, à FORT.

Parsemer de fromage et faire cuire 3 minutes sans couvrir. Servir.

1 PORTION	533 CALORIES	39 g GLUCIDES
11 g PROTÉINES	37 g LIPIDES	1,0 g FIBRES

TECHNIQUE

1 Étendre les pommes de terre, le beurre, le paprika et le persil dans le plat beurré. Saler, poivrer. Parsemer d'oignons hachés.

2 Verser la crème et le lait dans le plat. Faire cuire 16 minutes, sans couvrir, à FORT.

Pommes de terre au four   *(pour 2 personnes)*

RÉGLAGE: *FORT*
TEMPS DE CUISSON: *15 minutes*
CONTENANT: *aucun*

2	pommes de terre au four
	bacon cuit haché
	crème sure ou beurre

Retirer le papier d'aluminium qui recouvre les pommes de terre. Piquer les pommes de terre avec une fourchette.

Placer dans le micro-ondes et faire cuire 8 minutes à FORT. Retourner les pommes de terre et continuer la cuisson pendant 7 minutes.

Couper le dessus des pommes de terre pour les ouvrir et garnir de beurre ou de crème sure. Servir.

1 Mettre les haricots dans le plat et ajouter l'eau. Saler. Couvrir et faire cuire 15 minutes à FORT.

2 Égoutter et servir.

Haricots variés *(pour 4 personnes)*

RÉGLAGE: *FORT*
TEMPS DE CUISSON : *15 minutes*
CONTENANT :   *plat rond de 2 L (8 tasses)*
                        avec couvercle

500 g	(1 livre) haricots frais variés, nettoyés
500 ml	(2 tasses) d'eau chaude
	sel

Mettre les haricots dans le plat et ajouter l'eau. Saler.

Couvrir et faire cuire 15 minutes à FORT.

Égoutter et servir.

1 PORTION	40 CALORIES	8 g GLUCIDES
2 g PROTÉINES	0 g LIPIDES	1,3 g FIBRES

Dîner végétarien *(pour 4 personnes)*

RÉGLAGE: *FORT*
TEMPS DE CUISSON: *18 minutes*
CONTENANT: *plat rectangulaire de 2 L*
                   (8 tasses)

1	grosse aubergine, coupée sur la longueur en 8 tranches de 0,65 cm (¼ po) d'épaisseur
3	tomates mûres, tranchées
375 ml	(1 ½ tasse) de sauce à spaghetti
125 ml	(½ tasse) de fromage mozzarella râpé
	sel et poivre

Placer 4 tranches d'aubergine dans le fond du plat.

Recouvrir de tomates tranchées. Saler, poivrer généreusement. Placer le reste des aubergines sur les tomates.

Verser la sauce à spaghetti sur les aubergines et couvrir d'une pellicule de plastique. Faire cuire 15 minutes à FORT.

Parsemer de fromage et faire cuire 3 minutes sans couvrir. Servir.

Voir technique page suivante.

1 PORTION   188 CALORIES   22 g GLUCIDES
7 g PROTÉINES   8 g LIPIDES   2,6 g FIBRES

TECHNIQUE: DÎNER VÉGÉTARIEN

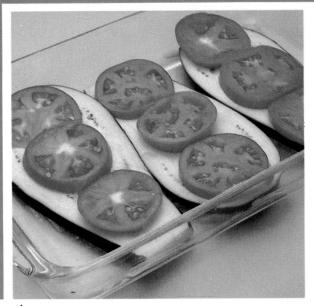

1 Placer 4 tranches d'aubergine dans le fond du plat. Recouvrir de tomates tranchées et saler, poivrer généreusement.

2 Placer le reste des aubergines sur les tomates.

3 Verser la sauce à spaghetti sur les aubergines; couvrir d'une pellicule de plastique et faire cuire 15 minutes à FORT.

4 Ajouter le fromage et faire cuire 3 minutes sans couvrir.

Courgettes braisées *(pour 4 personnes)*

REGLAGE: *FORT*
TEMPS DE CUISSON: *16 minutes*
CONTENANT: *plat rond de 2 L (8 tasses)*
                                 avec couvercle

3	grosses courgettes, pelées et émincées
½	oignon haché
1 ml	(¼ c. à thé) de basilic
250 ml	(1 tasse) de bouillon de poulet léger
30 ml	(2 c. à soupe) de beurre
40 ml	(2 ½ c. à soupe) de farine
125 ml	(½ tasse) de lait chaud
75 ml	(⅓ tasse) de parmesan finement râpé
	une pincée de paprika
	sel et poivre

Disposer les courgettes dans le plat. Saler, poivrer généreusement. Ajouter les oignons, le basilic et le bouillon de poulet; couvrir et faire cuire 9 minutes à FORT.

Égoutter les légumes; mettre de côté. Verser le liquide de cuisson dans un bol; mettre de côté.

Mettre le beurre dans le plat micro-ondes et faire chauffer 1 minute.

Incorporer la farine; faire cuire 1 minute sans couvrir.

Verser le liquide de cuisson dans le plat et incorporer au fouet. Faire cuire 2 minutes sans couvrir.

Bien remuer et ajouter les légumes. Assaisonner de paprika.

Incorporer le lait et le fromage; faire cuire 3 minutes sans couvrir. Servir.

1 PORTION	155 CALORIES	16 g GLUCIDES
7 g PROTÉINES	9 g LIPIDES	0 g FIBRES

TECHNIQUE: COURGETTES BRAISÉES

1 Après 9 minutes de cuisson, égoutter les légumes et passer le liquide de cuisson. Mettre de côté.

2 Bien remuer le mélange. Remettre les légumes dans le plat et assaisonner de paprika.

TECHNIQUE: RATATOUILLE

1 Ajouter les aubergines et les courgettes. Parsemer d'ail, de persil, de thym et de paprika. Saler, poivrer; couvrir; faire cuire 15 min à FORT.

2 Incorporer les tomates et la pâte de tomates; couvrir et faire cuire 8 minutes.

Ratatouille *(pour 4 personnes)*

RÉGLAGE: *FORT*
TEMPS DE CUISSON: *26 minutes*
CONTENANT: *plat rond de 2 L (8 tasses) avec couvercle*

15 ml	(1 c. à soupe) de beurre
1	oignon, tranché
15 ml	(1 c. à soupe) de sauce soya
1	petite aubergine, tranchée
3	courgettes, pelées et coupées en tranches de 0,65 cm (¼ po) d'épaisseur
2	gousses d'ail, écrasées et hachées
15 ml	(1 c. à soupe) de persil frais haché
1 ml	(¼ c. à thé) de thym
3	grosses tomates, en cubes
30 ml	(2 c. à soupe) de pâte de tomates
	une pincée de paprika
	sel et poivre

Mettre le beurre, les oignons et la sauce soya dans le plat. Couvrir et faire cuire 3 minutes à FORT.

Ajouter les aubergines et les courgettes. Parsemer d'ail, de persil, de thym et de paprika. Saler, poivrer; couvrir et faire cuire 15 minutes.

Incorporer les tomates et la pâte de tomates; couvrir et faire cuire 8 minutes.

1 PORTION	136 CALORIES	20 g GLUCIDES
5 g PROTÉINES	4 g LIPIDES	2,4 g FIBRES

573

1 Incorporer le bœuf aux oignons cuits. Saler, poivrer; couvrir et faire cuire 4 minutes.

2 Bien mêler et incorporer les tomates; rectifier l'assaisonnement.

3 Mettre le mélange de viande sur les tranches d'aubergine.

4 Couvrir du reste des aubergines. Napper de sauce tomate; couvrir et faire cuire 15 minutes.

5 Parsemer de fromage; faire cuire 1 minute sans couvrir.

6 Servir une aubergine surprise par personne.

Aubergine en surprise *(pour 4 personnes)*

RÉGLAGE :	FORT
TEMPS DE CUISSON :	*22 minutes*
CONTENANT :	*plat rond de 2 L (8 tasses) avec couvercle*
	plat rectangulaire de 2 L (8 tasses)

15 ml	(1 c. à soupe) d'huile végétale
1	oignon haché
1	gousse d'ail, écrasée et hachée
375 g	(¾ livre) de bœuf maigre haché
500 ml	(2 tasses) de tomates en conserve, égouttées et hachées
30 ml	(2 c. à soupe) de pâte de tomates
1 ml	(¼ c. à thé) de sauce Tabasco
1 ml	(¼ c. à thé) de sauce Worcestershire
1	grosse aubergine, coupée sur la longueur en 8 tranches de 0,65 cm (¼ po) d'épaisseur
375 ml	(1 ½ tasse) de sauce tomate
125 ml	(½ tasse) de fromage mozzarella râpé, sel et poivre

Mettre l'huile, les oignons et l'ail dans le plat rond; couvrir et faire cuire 2 minutes à FORT.

Ajouter le bœuf et mélanger. Saler, poivrer; couvrir et faire cuire 4 minutes.

Bien mêler le tout (la viande ne sera pas complètement cuite) et incorporer la pâte de tomates, la sauce Tabasco et la sauce Worcestershire. Mettre de côté.

Placer 4 tranches d'aubergine dans le fond du plat rectangulaire. À l'aide d'une cuiller, placer le mélange de viande sur les aubergines. Recouvrir du reste des aubergines.

Verser la sauce tomate sur les aubergines. Couvrir d'une pellicule de plastique et faire cuire 15 minutes.

Parsemer de fromage et faire cuire, sans couvrir, pendant 1 minute. Servir.

1 PORTION	357 CALORIES	24 g GLUCIDES
27 g PROTÉINES	17 g LIPIDES	2,3 g FIBRES

Tomates à l'étuvée *(pour 4 personnes)*

RÉGLAGE: *FORT*
TEMPS DE CUISSON: *15 minutes*
CONTENANT: *plat rond de 2 L (8 tasses)*
                              avec couvercle

15 ml	(1 c. à soupe) d'huile végétale
2	gousses d'ail, écrasées et hachées
½	branche de céleri, en dés
1	oignon haché
6	tomates, en gros dés
1 ml	(¼ c. à thé) d'origan
30 ml	(2 c. à soupe) de pâte de tomates
	une pincée de sucre
	sel et poivre

Mettre l'huile, l'ail, le céleri et les oignons dans le plat; couvrir et faire cuire 3 minutes à FORT.

Incorporer les tomates, l'origan, la pâte de tomates et le sucre. Saler, poivrer; couvrir et faire cuire 12 minutes.

Servir dans des petits bols ou mettre en purée dans un blender pour utiliser dans d'autres recettes.

1 PORTION	108 CALORIES	14 g GLUCIDES
4 g PROTÉINES	4 g LIPIDES	1,5 g FIBRES

Poulet en sauce   *(pour 4 personnes)*

RÉGLAGE:	*FORT*
TEMPS DE CUISSON:	*13 minutes*
CONTENANT:	*plat rond de 2 L (8 tasses)*
	avec couvercle
	plat de service

2	poitrines de poulet entières, sans peau, désossées et coupées en deux
5 ml	(1 c. à thé) de jus de citron
50 ml	(¼ c. à soupe) de bouillon de poulet chaud
15 ml	(1 c. à soupe) de miel liquide
125 g	(¼ livre) de champignons frais, nettoyés et émincés
1	recette de tomates à l'étuvée*, passées au blender
45 ml	(3 c. à soupe) de fromage parmesan finement râpé
	sel et poivre

Disposer les poitrines de poulet dans le plat rond. Arroser de jus de citron. Ajouter le bouillon de poulet et le miel. Saler, poivrer; couvrir et faire cuire 4 minutes à FORT.

Retourner le poulet; continuer la cuisson 4 minutes.

Ajouter les champignons; couvrir et faire cuire 2 minutes.

Transférer le poulet dans le plat de service et couvrir de champignons. Jeter le liquide de cuisson.

Verser la purée de tomates sur les champignons. Parsemer de fromage. Faire cuire, sans couvrir, pendant 3 minutes. Servir immédiatement.

* Voir Tomates à l'étuvée, page 576.

Voir technique page suivante.

1 PORTION	444 CALORIES	20 g GLUCIDES
64 g PROTÉINES	12 g LIPIDES	1,7 g FIBRES

1 Transférer le poulet cuit et les champignons dans le plat de service. Jeter le liquide de cuisson.

2 Verser la purée de tomates sur les champignons et parsemer de fromage. Faire cuire 3 minutes sans couvrir.

Casserole de poulet aux légumes *(pour 4 personnes)*

RÉGLAGE: *FORT*
TEMPS DE CUISSON: *27 minutes*
CONTENANT: *plat rectangulaire de 2 L (8 tasses)*
plat rond de 2 L (8 tasses) avec couvercle

2	poitrines de poulet entières, sans peau, désossées et coupées en deux
3	pommes de terre, pelées et coupées en cubes
1	branche de céleri, en gros dés
1	branche de thym
375 ml	(1½ tasse) d'eau
½	piment vert, en gros morceaux
½	piment rouge, en gros morceaux
1	piment jaune, en gros morceaux
45 ml	(3 c. à soupe) de beurre
55 ml	(3½ c. à soupe) de farine
500 ml	(2 tasses) de lait chaud
	paprika au goût sel et poivre

Disposer les poitrines de poulet à plat dans le fond du plat rectangulaire et couvrir de pommes de terre et de céleri.

Saupoudrer de paprika. Ajouter le thym et l'eau; couvrir d'une pellicule de plastique et faire cuire 12 minutes à FORT.

Retourner le poulet et ajouter les piments; saler, poivrer. Couvrir et faire cuire 5 minutes.

Égoutter le poulet et les légumes. Placer le tout dans un plat de service pour le micro-ondes. Jeter le liquide.

Mettre le beurre dans le plat rond; faire chauffer 1 minute.

Incorporer la farine au fouet; faire cuire 2 minutes sans couvrir.

Bien incorporer le lait. Saler, poivrer et assaisonner de paprika. Faire cuire 4 minutes sans couvrir.

Verser la sauce sur le poulet et les légumes; faire cuire 3 minutes sans couvrir. Servir.

1 PORTION	564 CALORIES	31 g GLUCIDES
65 g PROTÉINES	20 g LIPIDES	1,2 g FIBRES

TECHNIQUE

1 Disposer les poitrines de poulet à plat dans le plat rectangulaire et couvrir de pommes de terre et de céleri. Saupoudrer de paprika. Ajouter le thym et l'eau; couvrir d'une pellicule de plastique et faire cuire 12 minutes.

2 Retourner le poulet et ajouter les piments. Saler, poivrer; couvrir et faire cuire 5 minutes.

3 Égoutter le poulet et les légumes. Mettre le tout dans un plat de service pour le micro-ondes. Jeter le liquide.

4 Préparer la sauce. Verser la sauce sur le poulet et les légumes; faire cuire, sans couvrir, pendant 3 minutes.

Restes de poulet aux légumes   *(pour 4 personnes)*

RÉGLAGE: *FORT*
TEMPS DE CUISSON: *14 minutes*
CONTENANT: *plat rond de 2 L (8 tasses) avec couvercle*

45 ml	(3 c. à soupe) de beurre
250 g	(½ livre) de champignons frais, nettoyés et coupés en 4
5 ml	(1 c. à thé) de jus de citron
1	piment rouge, émincé en fines lanières
375 ml	(1½ tasse) de lait chaud
2	poitrines de poulet entières, cuites et tranchées
125 g	(¼ livre) de haricots jaunes blanchis, coupés en deux
45 ml	(3 c. à soupe) de farine
	une pincée de paprika
	sel et poivre

Mettre 15 ml (1 c. à soupe) de beurre, les champignons, le jus de citron et les piments rouges dans le plat; couvrir et faire cuire 3 minutes à FORT.

Incorporer le lait, le poulet, les haricots et le paprika. Faire cuire 3 minutes sans couvrir.

Égoutter, réserver le liquide de cuisson et mettre de côté.

Mettre le beurre dans le plat vide; faire chauffer 1 minute.

Incorporer la farine; faire cuire 3 minutes sans couvrir.

Incorporer le liquide de cuisson et bien remuer; faire cuire 3 minutes sans couvrir.

Remettre le poulet et les légumes dans la sauce; faire chauffer 1 minute sans couvrir. Rectifier l'assaisonnement.

Servir chaud sur du pain grillé.

1 PORTION	495 CALORIES	17 g GLUCIDES
64 g PROTÉINES	19 g LIPIDES	1,2 g FIBRES

TECHNIQUE

1 Mettre 15 ml (1 c. à soupe) de beurre, les champignons, le jus de citron et les piments rouges dans le plat; couvrir et faire cuire 3 minutes.

2 Incorporer le lait, le poulet, les haricots et le paprika; faire cuire 3 minutes sans couvrir.

Côtelettes de veau aux pommes *(pour 2 personnes)*

RÉGLAGE: *FORT*
TEMPS DE CUISSON: *5 minutes au micro-ondes*
CONTENANT: *plat rond de 2 L (8 tasses)*
                     avec couvercle

2	grandes côtelettes de veau
125 ml	(½ tasse) de farine
15 ml	(1 c. à soupe) d'huile végétale
30 ml	(2 c. à soupe) d'oignons verts hachés
1	pomme, pelée évidée et émincée
¼	branche de céleri, émincée
5 ml	(1 c. à thé) de beurre
	sel et poivre

Enfariner légèrement le veau. Faire chauffer l'huile dans une poêle à frire sur une cuisinière conventionnelle. Saisir le veau 1 minute de chaque côté à feu moyen. Saler, poivrer.

Transférer le veau dans le plat micro-ondes. Ajouter les oignons verts, les pommes, le céleri et le beurre. Saler, poivrer; couvrir et faire cuire 4 minutes à FORT.

Tourner le plat d'¼ de tour; continuer la cuisson pendant 1 minute.

Servir.

1 PORTION   307 CALORIES   21 g GLUCIDES
31 g PROTÉINES   11 g LIPIDES   0,8 g FIBRES

Foie de veau aux tomates *(pour 4 personnes)*

RÉGLAGE: *FORT*
TEMPS DE CUISSON: *10 à 12 minutes au micro-ondes*
CONTENANT: *plat rond de 2 L (8 tasses) avec couvercle*

15 ml	(1 c. à soupe) d'huile d'olive
1	oignon, haché
1	piment vert, émincé
3	tomates, pelées épépinées et hachées
1	gousse d'ail, écrasée et hachée
15 ml	(1 c. à soupe) de persil frais haché
5 ml	(1 c. à thé) de sauce soya
4	tranches de foie de veau, coupées en lanières
50 ml	(¼ tasse) de farine
45 ml	(3 c. à soupe) de beurre
	sel et poivre

Verser l'huile dans le plat; faire chauffer 1 minute à FORT.

Ajouter les oignons, les piments, les tomates, l'ail et le persil. Saler, poivrer; couvrir et faire cuire 8 à 10 minutes.

Incorporer la sauce soya et mettre de côté.

Saler, poivrer et enfariner le foie. Faire chauffer le beurre dans une grande poêle à frire sur une cuisinière conventionnelle. Saisir le foie de veau 1 minute de chaque côté à feu vif.

Transférer le foie de veau dans le plat contenant le mélange de tomates. Remuer et faire cuire 1 minute, sans couvrir, à FORT.

Si désiré, servir avec des nouilles ou du riz.

1 PORTION	409 CALORIES	16 g GLUCIDES
30 g PROTÉINES	25 g LIPIDES	0 g FIBRES

Lanières de porc minute *(pour 4 personnes)*

RÉGLAGE: *FORT*
TEMPS DE CUISSON: *6 minutes au micro-ondes*
CONTENANT: *plat de 2 L (8 tasses) avec couvercle*

15 ml	(1 c. à soupe) d'huile végétale
500 g	(1 livre) de longe de porc, coupée en lanières
1	oignon rouge, coupé en rondelles
5 ml	(1 c. à thé) de sauce soya
1	piment rouge, coupé en rondelles
125 g	(¼ livre) de cosses de pois
250 ml	(1 tasse) de fèves germées
250 ml	(1 tasse) de sauce brune chaude
	sauce soya et huile
	sel et poivre

Faire chauffer 15 ml (1 c. à soupe) d'huile dans une poêle à frire sur une cuisinière conventionnelle. Saisir le porc 2 minutes de chaque côté à feu vif.

Placer les oignons et la sauce soya dans le plat micro-ondes; couvrir et faire cuire 2 minutes à FORT.

Incorporer les piments, les cosses de pois et les fèves germées. Arroser de sauce soya et d'huile au goût. Saler, poivrer; couvrir et faire cuire 3 minutes.

Incorporer la sauce brune et la viande; faire chauffer 1 minute sans couvrir. Servir.

1 PORTION	389 CALORIES	9 g GLUCIDES
23 g PROTÉINES	29 g LIPIDES	0,8 g FIBRES

Salade de pommes de terre *(pour 4 personnes)*

RÉGLAGE: *FORT*
TEMPS DE CUISSON: *2 minutes au micro-ondes*
CONTENANT: *grand bol*

3 à 4	grosses pommes de terre, bouillies, pelées et coupées en cubes
1	oignon vert, haché
15 ml	(1 c. à soupe) de persil haché
30 ml	(2 c. à soupe) de vinaigre de vin
30 ml	(2 c. à soupe) d'huile d'olive
	sel et poivre

Mettre les pommes de terre dans le bol.

Ajouter les oignons et le persil. Saler, poivrer.

Arroser de vinaigre et d'huile. Faire cuire 2 minutes, sans couvrir, à FORT.

Remuer délicatement. Servir chaud.

TECHNIQUE: CASSEROLE DE SAUMON

1 Mettre le saumon, le persil, les tranches de citron, les oignons verts, les carottes, les oignons blancs, le jus de citron et l'eau dans le plat rectangulaire. Saler, poivrer et faire cuire.

2 Retirer les os.

3 Enlever la peau et émietter le saumon.

4 Mélanger le saumon émietté et le brocoli dans le plat rond.

5 Ajouter la sauce blanche. Saler, poivrer et parsemer de fromage. Faire cuire 4 minutes sans couvrir.

6 Servir avec un légume frais.

Casserole de saumon au brocoli *(pour 4 personnes)*

RÉGLAGE: *FORT*
TEMPS DE CUISSON: *13 minutes*
CONTENANT: *plat rectangulaire de 2 L (8 tasses)*
plat rond de 2 L (8 tasses)

4	tranches de saumon
30 ml	(2 c. à soupe) de persil frais haché
4	tranches de citron
1	oignon vert, grossièrement haché
1	carotte, pelée et tranchée
¼	d'oignon blanc, tranché
15 ml	(1 c. à soupe) de jus de citron
125 ml	(½ tasse) d'eau chaude
1	tête de brocoli cuit, en fleurettes
1	recette de sauce blanche*
125 ml	(½ tasse) de fromage cheddar râpé
	sel et poivre

Mettre le saumon, le persil, les tranches de citron, les oignons verts, les carottes, les oignons blancs, le jus de citron et l'eau dans le plat rectangulaire. Saler, poivrer.

Couvrir d'une pellicule de plastique et faire cuire 6 minutes à FORT.

Retourner le saumon; couvrir et continuer la cuisson 3 minutes.

Retirer les os et la peau du saumon. Jeter les légumes et le liquide de cuisson.

Placer le saumon dans le plat rond et l'émietter avec une fourchette. Ajouter le brocoli et mélanger délicatement.

Incorporer la sauce blanche. Saler, poivrer et parsemer de fromage. Faire cuire 4 minutes sans couvrir.

* Voir Sauce blanche, page 598.

1 PORTION	596 CALORIES	15 g GLUCIDES
62 g PROTÉINES	32 g LIPIDES	1,0 g FIBRES

Pétoncles aux tomates *(pour 4 personnes)*

RÉGLAGE: *FORT & MOYEN*
TEMPS DE CUISSON: *13 minutes*
CONTENANT: *plat rond de 2 L*
(8 tasses) avec couvercle
plats de service individuels

250 g	(½ livre) de pétoncles frais
1	oignon vert, haché
125 g	(¼ livre) de champignons frais, nettoyés et coupés en quartiers
5 ml	(1 c. à thé) de jus de citron
50 ml	(¼ tasse) d'eau
500 ml	(2 tasses) de tomates en conserve, égouttées et hachées
15 ml	(1 c. à soupe) de persil frais haché
1	gousse d'ail, écrasée et hachée
15 ml	(1 c. à soupe) de pâte de tomates
50 ml	(¼ tasse) de fromage râpé
	sel et poivre

Mettre les pétoncles, les oignons, les champignons et le jus de citron dans le plat. Ajouter l'eau; couvrir et faire cuire 2 minutes à FORT.

Remuer et continuer la cuisson pendant 2 minutes.

Égoutter et mettre de côté. Jeter le liquide.

Mettre les tomates dans le plat; couvrir et faire cuire 3 minutes à FORT.

Incorporer le persil et l'ail. Saler, poivrer et ajouter la pâte de tomates; faire cuire 2 minutes sans couvrir.

Incorporer le mélange de pétoncles. Partager le mélange dans les plats individuels. Parsemer de fromage. Saler, poivrer généreusement. Faire cuire 4 minutes, sans couvrir, à MOYEN.

1 PORTION	221 CALORIES	17 g GLUCIDES
27 g PROTÉINES	5 g LIPIDES	1,3 g FIBRES

1 Mettre les pétoncles, les oignons, les champignons et le jus de citron dans le plat. Ajouter l'eau; couvrir et faire cuire 2 minutes à FORT.

2 Incorporer le mélange de pétoncles.

Pétoncles au fromage *(pour 2 personnes)*

RÉGLAGE:	*FORT & MOYEN*
TEMPS DE CUISSON:	*12 minutes au micro-ondes*
CONTENANT:	*plat rond de 2 L (8 tasses) avec couvercle*
	plats de service individuels

250 g	(½ livre) de pétoncles frais
125 g	(¼ livre) de champignons frais, nettoyés et coupés en quartiers
15 ml	(1 c. à soupe) de ciboulette hachée
50 ml	(¼ tasse) de vin blanc sec
125 ml	(½ tasse) d'eau
30 ml	(2 c. à soupe) de beurre
40 ml	(2½ c. à soupe) de farine
250 ml	(1 tasse) de lait chaud
45 ml	(3 c. à soupe) de lait chaud
50 ml	(¼ tasse) de fromage gruyère râpé
	quelques gouttes de sauce Tabasco
	sel, poivre, paprika

Mettre les pétoncles, les champignons et la ciboulette dans le plat rond.

Ajouter le vin et l'eau. Saler, poivrer; couvrir et faire cuire 2 minutes à FORT.

Bien remuer et continuer la cuisson pendant 2 minutes.

Passer le liquide dans une petite casserole. Mettre les pétoncles et les champignons de côté.

Faire réduire le liquide de moitié, sur une cuisinière conventionnelle, à feu moyen-vif. Mettre de côté.

Mettre le beurre dans le plat micro-ondes propre. Faire chauffer 1 minute à FORT.

Incorporer la farine au fouet; faire cuire 1 minute sans couvrir.

Bien incorporer la réduction de liquide.

Incorporer 250 ml (1 tasse) de lait; faire cuire 3 minutes sans couvrir en remuant 2 fois.

Incorporer le reste du lait, les pétoncles et les champignons. Assaisonner de Tabasco, de sel, de poivre et de paprika.

Partager le mélange dans les plats individuels et parsemer de fromage. Faire cuire 3 minutes, sans couvrir, à MOYEN.

Servir immédiatement.

Voir technique page suivante.

1 PORTION	406 CALORIES	22 g GLUCIDES
30 g PROTÉINES	22 g LIPIDES	0,5 g FIBRES

587

TECHNIQUE: PÉTONCLES AU FROMAGE

1 Mettre les pétoncles, les champignons et la ciboulette dans le plat.

2 Bien remuer pour incorporer complètement la réduction de liquide à la farine cuite.

3 Il est important de bien égoutter les pétoncles et les champignons.

4 Finir la cuisson dans les plats individuels.

Flétan et sauce aux œufs   *(pour 2 personnes)*

RÉGLAGE: *FORT*
TEMPS DE CUISSON: *12 à 13 minutes*
CONTENANT: *plat rectangulaire de 2 L
(8 tasses)
plat rond de 2 L (8 tasses)
plat de service (facultatif)*

4	filets de flétan
1	oignon vert, haché
5 ml	(1 c. à thé) de ciboulette hachée
2	tranches de citron
125 ml	(½ tasse) d'eau
30 ml	(2 c. à soupe) de beurre
40 ml	(2½ c. à soupe) de farine
250 ml	(1 tasse) de lait chaud
2	œufs durs, hachés
	une pincée de paprika
	sel et poivre

Mettre le flétan dans le plat rectangulaire. Ajouter les oignons, la ciboulette et le citron. Poivrer.

Ajouter l'eau; couvrir d'une pellicule de plastique; faire cuire 3 minutes.

Égoutter le poisson et le transférer dans le plat de service. Réserver 125 ml (½ tasse) du liquide de cuisson.

Placer le beurre dans le plat rond et faire chauffer 1 minute.

Incorporer la farine au fouet; faire cuire 2 minutes sans couvrir.

Incorporer le liquide de cuisson réservé et le lait. Bien assaisonner et ajouter le paprika. Faire cuire 4 à 5 minutes sans couvrir. Remuer 2 fois.

Ajouter les œufs. Verser la sauce sur le poisson. Faire cuire 2 minutes sans couvrir.

Servir immédiatement.

Voir technique page suivante.

1 PORTION	264 CALORIES	7 g GLUCIDES
32 g PROTÉINES	12 g LIPIDES	0 g FIBRES

TECHNIQUE: FLÉTAN ET SAUCE AUX ŒUFS

1 Placer le flétan dans le plat rectangulaire. Ajouter les oignons, la ciboulette et le citron. Poivrer. Ajouter l'eau; couvrir d'une pellicule de plastique et faire cuire 3 minutes.

2 Le flétan blanchira et se défera facilement lorsqu'il sera cuit.

Ragoût de bœuf aux légumes   *(pour 4 personnes)*

RÉGLAGE: *FORT*
TEMPS DE CUISSON: *1 h 13 minutes*
CONTENANT: *plat rond de 3 L (12 tasses) avec couvercle*

750 g	(1½ livre) de flanc de bœuf, en cubes
45 ml	(3 c. à soupe) de sauce soya
1	oignon, en cubes
5 ml	(1 c. à thé) d'huile
30 ml	(2 c. à soupe) de pâte de tomates
625 ml	(2½ tasses) de bouillon de bœuf chaud
45 ml	(3 c. à soupe) de fécule de maïs
60 ml	(4 c. à soupe) d'eau froide
½	navet, pelé et coupé en cubes
2	pommes de terre, pelées et coupées en cubes
3	carottes, pelées et coupées en cubes
45 ml	(3 c. à soupe) de crème sure
	une pincée de thym et d'origan
1	feuille de laurier, sel et poivre

Mettre le bœuf dans un bol et ajouter le soya; bien mêler. Poivrer et laisser mariner 30 minutes.

Mettre les oignons, l'huile, le thym et l'origan dans le plat rond; couvrir et faire cuire 3 minutes à FORT.

Ajouter le bœuf, la pâte de tomates et le bouillon de bœuf; bien mêler. Ajouter le laurier et assaisonner au goût; couvrir et faire cuire 50 minutes.

Délayer la fécule de maïs dans l'eau froide. Incorporer le mélange au ragoût. Ajouter les navets, les pommes de terre et les carottes; couvrir et continuer la cuisson 20 minutes.

Laisser reposer le ragoût dans le plat, de 6 à 7 minutes, avant de servir. Puis, incorporer la crème sure.

1 PORTION	432 CALORIES	28 g GLUCIDES
44 g PROTÉINES	16 g LIPIDES	1,2 g FIBRES

Filets de morue au persil *(pour 4 personnes)*

RÉGLAGE: *FORT*
TEMPS DE CUISSON: *11 minutes*
CONTENANT: *plat rectangulaire de 2 L
                     (8 tasses)
                     bol*

900 g	(2 livres) de filets de morue
1	branche de céleri, émincée
2	grosses tomates, tranchées
1	branche de fenouil
500 ml	(2 tasses) d'eau
60 ml	(4 c. à soupe) de beurre
30 ml	(2 c. à soupe) de persil frais haché
5 ml	(1 c. à thé) de jus de citron
	une pincée de paprika
	sel et poivre

Beurrer le plat et y mettre la morue. Saler, poivrer et ajouter le paprika.

Couvrir de céleri et de tomates. Ajouter le fenouil et l'eau; couvrir et faire cuire 5 minutes à FORT.

Retourner le poisson; couvrir et continuer la cuisson 4 minutes.

Retirer le plat du micro-ondes. Laisser reposer le poisson 4 minutes dans le liquide chaud.

Entre-temps, mettre le beurre, le persil et le jus de citron dans le bol. Faire cuire 2 minutes, sans couvrir, à FORT.

Servir la sauce avec le poisson et les légumes.

Voir technique page suivante.

1 PORTION	301 CALORIES	5 g GLUCIDES
41 g PROTÉINES	13 g LIPIDES	0,6 g FIBRES

TECHNIQUE: FILETS DE MORUE AU PERSIL

1 Beurrer le plat et y mettre le poisson. Saler, poivrer et ajouter le paprika.

2 Couvrir de céleri et de tomates.

3 Ajouter le fenouil et l'eau; couvrir et faire cuire 5 minutes. Retourner le poisson; prolonger la cuisson de 4 minutes.

4 Vérifier si le poisson est cuit en défaisant la chair avec une fourchette.

Truite pour solitaire

(pour 1 personne)

RÉGLAGE: *MOYEN-FORT*
TEMPS DE CUISSON: *6 minutes*
CONTENANT: *plat carré de 1,5 L*
(6 tasses)

1	truite de 284 g (10 oz), nettoyée et les nageoires coupées
5 ml	(1 c. à thé) de persil frais haché
15 ml	(1 c. à soupe) de beurre
	jus de citron
	sel et poivre

Mettre tous les ingrédients dans le plat. Couvrir d'une pellicule de plastique et faire cuire 3 minutes à MOYEN—FORT.

Retourner le poisson; couvrir et continuer la cuisson 3 minutes.

Servir avec des pommes de terre frites.

1 PORTION	296 CALORIES	0 g GLUCIDES
38 g PROTÉINES	16 g LIPIDES	0 g FIBRES

Riz blanc simple   *(pour 4 personnes)*

RÉGLAGE: *FORT*
TEMPS DE CUISSON: *18 minutes*
CONTENANT: *plat rond de 2 L (8 tasses)*
                  avec couvercle

250 ml	(1 tasse) de riz à longs grains, lavé et égoutté
500 ml	(2 tasses) d'eau froide
½	feuille de laurier
25 ml	(1½ c. à soupe) de beurre ou de margarine
	sel et poivre blanc

Mettre le riz, l'eau, le laurier, le sel et le poivre dans le plat; mêler avec une fourchette. Couvrir et faire cuire 8 minutes à FORT.

Bien remuer; couvrir et continuer la cuisson 10 minutes.

Laisser reposer le riz dans le plat de 7 à 8 minutes.

Retirer du micro-ondes. Incorporer le beurre. Servir immédiatement.

1 PORTION	139 CALORIES	26 g GLUCIDES
2 g PROTÉINES	3 g LIPIDES	0,1 g FIBRES

Riz aux légumes   *(pour 4 personnes)*

RÉGLAGE: *FORT*
TEMPS DE CUISSON: *23 minutes*
CONTENANT: *plat rond de 2 L (8 tasses)*
                  avec couvercle

15 ml	(1 c. à soupe) de beurre
45 ml	(3 c. à soupe) de céleri haché
250 ml	(1 tasse) de riz à longs grains, lavé et égoutté
500 ml	(2 tasses) de bouillon de poulet chaud
½	piment rouge, en gros morceaux
1	tête de brocoli, en fleurettes
8	champignons frais, nettoyés et coupés en quartiers
1	grosse tomate, coupée en cubes
1	gousse d'ail, écrasée et hachée
	une pincée de paprika, origan et basilic
	sel et poivre

Mettre le beurre et le céleri dans le plat; couvrir et faire cuire 3 minutes à FORT.

Ajouter le riz. Saler, poivrer et saupoudrer de paprika; bien mêler avec une fourchette. Incorporer le bouillon de poulet; couvrir et faire cuire 10 minutes. Remuer de temps à autre.

Ajouter les piments et le brocoli; mêler. Couvrir et continuer la cuisson 5 minutes.

Incorporer les champignons, les tomates, l'ail et les épices; rectifier l'assaisonnement. Couvrir et continuer la cuisson 5 minutes.

Remuer avec une fourchette. Servir.

1 PORTION	256 CALORIES	48 g GLUCIDES
7 g PROTÉINES	4 g LIPIDES	1,7 g FIBRES

Pâtes à la sauce tomate   *(pour 2 personnes)*

RÉGLAGE: *FORT & MOYEN*
TEMPS DE CUISSON: *35 minutes*
CONTENANT: *2 plats ronds de 2 L*
(8 tasses) avec couvercle

25 ml	(1½ c. à soupe) d'huile végétale
½	oignon haché
2	oignons verts, hachés
15 ml	(1 c. à soupe) de persil frais haché
5 ml	(1 c. à thé) d'origan frais haché
5 ml	(1 c. à thé) de thym frais haché
5 ml	(1 c. à thé) de basilic frais haché
3	gousses d'ail, écrasées et hachées
2	boîtes de tomates en conserve, de 796 ml (28 oz), égouttées et hachées
1	boîte de pâte de tomates, de 156 ml (5½ oz)
1 ml	(¼ c. à thé) de sucre, sel et poivre
500 ml	(2 tasses) de pâtes en forme de tubes
1 L	(4 tasses) d'eau chaude

5 ml	(1 c. à thé) de vinaigre blanc
	fromage râpé

Mettre 15 ml (1 c. à soupe) d'huile, les oignons, les épices et l'ail dans le plat rond; couvrir et faire cuire 3 minutes à FORT. Incorporer les tomates, la pâte de tomates et le sucre. Rectifier l'assaisonnement et faire cuire 14 minutes, sans couvrir, à FORT.

Retirer le plat du micro-ondes, remuer la sauce et mettre de côté.

Mettre les pâtes, l'eau, le vinaigre, une pincée de sel et le reste d'huile dans l'autre plat. Couvrir et faire cuire 5 minutes à FORT.

Remuer les pâtes; couvrir et continuer la cuisson 12 minutes à MOYEN. Remuer fréquemment.

Dès que les pâtes sont cuites, les égoutter et les servir dans les assiettes. Réchauffer la sauce tomate 1 minute au micro-ondes.

Napper les pâtes de sauce. Parsemer de fromage. Servir.

Voir technique page suivante.

1 PORTION	456 CALORIES	28 g GLUCIDES
23 g PROTÉINES	11 g LIPIDES	1,5 g FIBRES

TECHNIQUE: PÂTES À LA SAUCE TOMATE

1 Mettre 15 ml (1 c. à soupe) d'huile, les oignons, les épices et l'ail dans le plat rond. Couvrir et faire cuire 3 minutes à FORT.

2 Après 14 minutes de cuisson, la sauce doit être assez épaisse.

3 Faire cuire les pâtes dans l'eau, le vinaigre, le sel et l'huile. Remuer fréquemment.

4 Faire cuire les pâtes jusqu'à «al dente».

Rigatoni au porc *(pour 4 personnes)*

RÉGLAGE: *FORT*
TEMPS DE CUISSON: *16 minutes*
CONTENANT: *un plat rond de 2 L*
                     (8 tasses) avec couvercle

5 ml	(1 c. à thé) d'huile d'olive
1	oignon haché
250 g	(½ livre) de champignons frais, nettoyés et hachés
15 ml	(1 c. à soupe) de persil frais haché
500 ml	(2 tasses) de jus de tomates
250 ml	(1 tasse) de sauce brune
30 ml	(2 c. à soupe) de pâte de tomates
500 g	(1 livre) de restes de porc cuit coupé en dés
125 ml	(½ tasse) de fromage parmesan râpé
750 ml	(3 tasses) de rigatoni cuits

Mettre l'huile et les oignons dans le plat; couvrir et faire cuire 2 minutes à FORT.

Ajouter les champignons et le persil; continuer la cuisson 1 minute.

Incorporer le jus de tomates, la sauce brune et la pâte de tomates. Assaisonner généreusement, remuer et faire cuire 10 minutes sans couvrir.

Incorporer le porc et le fromage. Faire cuire 3 minutes sans couvrir. Verser la sauce sur les rigatoni. Servir.

1 PORTION	512 CALORIES	43 g GLUCIDES
49 g PROTÉINES	16 g LIPIDES	1,1 g FIBRES

Macaroni à la mexicaine *(pour 4 personnes)*

RÉGLAGE: *FORT*
TEMPS DE CUISSON: *10 minutes au micro-ondes*
CONTENANT: *plat rond de 3 L (12 tasses)*
                     avec couvercle

500 ml	(2 tasses) de macaroni coupés
5 ml	(1 c. à thé) d'huile
30 ml	(2 c. à soupe) d'oignons hachés
1	piment doux mariné, haché
1	boîte de tomates en conserve, de 796 ml (28 oz), égouttées et hachées
170 ml	(7 oz) de jus de tomates
45 ml	(3 c. à soupe) de pâte de tomates
45 ml	(3 c. à soupe) de piments rouges broyés
3	petites saucisses «pepperoni», tranchées
	une pincée de sucre
	quelques gouttes de sauce Tabasco
	sel et poivre

Faire cuire les pâtes en suivant le mode d'emploi sur le paquet. Égoutter et mettre de côté.

Mettre l'huile, les oignons et les piments hachés dans le plat. Couvrir et faire cuire 3 minutes à FORT.

Incorporer les tomates, le jus et la pâte de tomates. Ajouter les piments broyés et le sucre. Saler, poivrer et ajouter la sauce Tabasco. Faire cuire 4 minutes sans couvrir.

Incorporer les pâtes et le pepperoni. Finir la cuisson 3 minutes sans couvrir.

1 PORTION	398 CALORIES	54 g GLUCIDES
14 g PROTÉINES	14 g LIPIDES	1,1 g FIBRES

Sauce blanche

RÉGLAGE: *FORT*
TEMPS DE CUISSON: *9 minutes* ½
CONTENANT: plat rond de 2 L (8 tasses)

45 ml	(3 c. à soupe) de beurre
55 ml	(3½ c. à soupe) de farine
500 ml	(2 tasses) de lait chaud
5 ml	(1 c. à thé) de persil frais haché
	sel et poivre

Faire chauffer le beurre pendant 1 minute ½ à
FORT.

Incorporer la farine au fouet. Faire cuire 2 minutes
sans couvrir.

Incorporer le lait et le persil. Saler, poivrer et faire
cuire 6 minutes sans couvrir. Remuer 3 fois pendant
la cuisson.

Cette sauce peut être utilisée dans plusieurs
recettes.

1 PORTION	181 CALORIES	11 g GLUCIDES
5 g PROTÉINES	13 g LIPIDES	0 g FIBRES

Pouding au chocolat suprême (pour 4 à 6 personnes)

RÉGLAGE: *FORT*
TEMPS DE CUISSON: *2 minutes ½*
CONTENANT: plat rond de 2 L (8 tasses)

125 g	(¼ livre) de chocolat mi-sucré
60 ml	(4 c. à soupe) de beurre doux
135 ml	(9 c. à soupe) de sucre granulé fin
5	jaunes d'œufs
5	blancs d'œufs

Mettre le chocolat, le beurre et 75 ml (5 c. à soupe) de sucre dans le plat. Faire cuire 2 minutes sans couvrir à FORT.

Ajouter les jaunes d'œufs et bien remuer; continuer la cuisson 30 secondes, sans couvrir. Mettre de côté.

Battre les blancs d'œufs avec un batteur électrique jusqu'à ce qu'ils forment des pics. Incorporer le reste du sucre et continuer de battre 1 minute.

Plier les blancs d'œufs dans le mélange de chocolat. Ne pas trop mélanger.

Servir dans des coupes à dessert.

1 PORTION	340 CALORIES	24 g GLUCIDES
7 g PROTÉINES	24 g LIPIDES	0 g FIBRES

Gâteau au fromage simple (pour 6 à 8 personnes)

RÉGLAGE: *FORT & MOYEN & DOUX*
TEMPS DE CUISSON: *35 minutes*
CONTENANT: *un moule à tarte, préférablement en verre, de 1,5 L (6 tasses) à 2 L (8 tasses)*

375 ml	(1½ tasse) de chapelure Graham
375 ml	(1½ tasse) de sucre granulé
75 ml	(⅓ tasse) de beurre doux
2	paquets de 220 g (8 oz), de fromage à la crème
3	gros jaunes d'œufs
45 ml	(3 c. à soupe) de Tia Maria
3	gros blancs d'œufs, battus ferme
250 ml	(1 tasse) de crème à 35 %, fouettée
5 ml	(1 c. à thé) de cannelle

Mettre la chapelure, 125 ml (½ tasse) de sucre et le beurre dans un bol; bien mêler.
Mettre le tout dans le moule à tarte et presser légèrement avec les doigts pour obtenir une surface uniforme. Faire cuire 1 minute ¾ à FORT, sans couvrir.
Retirer du micro-ondes. Laisser refroidir.
Mettre le fromage, les jaunes d'œufs et le Tia Maria dans un bol; bien incorporer.
Incorporer le reste du sucre et bien mélanger avec un batteur électrique.
Ajouter les blancs d'œufs battus dans le mélange jusqu'à ce qu'ils soient bien incorporés.
Incorporer la crème fouettée et la cannelle.
Verser le tout dans le moule à tarte. Faire cuire 10 minutes à MOYEN, sans couvrir.
Tourner le moule d'¼ de tour et continuer la cuisson pendant 20 minutes à DOUX.
Tourner d'¼ de tour et finir la cuisson 5 minutes à MOYEN.
Retirer le gâteau et laisser refroidir 15 minutes.
Réfrigérer 45 minutes avant de servir.

Voir technique page suivante.

1 PORTION	699 CALORIES	59 g GLUCIDES
10 g PROTÉINES	47 g LIPIDES	0,6 g FIBRES

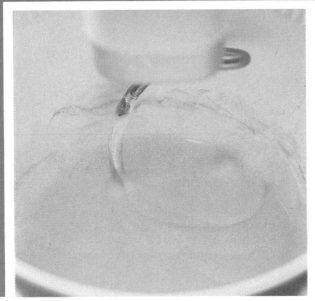

1 Mettre le fromage, les jaunes d'œufs et le Tia Maria dans un bol; bien mélanger. Incorporer le reste du sucre.

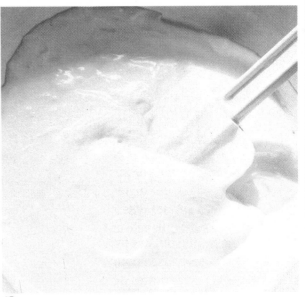

2 Ajouter les blancs d'œufs dans le mélange pour bien les incorporer.

3 Incorporer la crème et la cannelle.

Gourmandise aux fraises *(pour 4 personnes)*

RÉGLAGE: *FORT*
TEMPS DE CUISSON: *9 minutes*
CONTENANT: *plat rond de 2 L (8 tasses)*

1 L	(4 tasses) de fraises fraîches, lavées et équeutées
30 ml	(2 c. à soupe) de rhum blanc Lamb's
75 ml	(5 c. à soupe) de sucre
30 ml	(2 c. à soupe) de fécule de maïs
60 ml	(4 c. à soupe) d'eau froide
4	grosses boules de crème glacée à la vanille ou aux fraises
4	grosses fraises pour la décoration
	quelques gouttes de jus de citron

Mettre les fraises dans le plat. Ajouter le rhum, le sucre et le jus de citron. Couvrir d'une pellicule de plastique et faire cuire 4 minutes ½ à FORT.

Mettre les fraises en purée dans un blender ou dans un robot culinaire. Remettre dans le plat.

Délayer la fécule de maïs dans l'eau froide. Incorporer le tout aux fraises. Faire cuire 4 minutes ½, sans couvrir, en remuant à toutes les minutes.

Faire refroidir le mélange au réfrigérateur.

Pour servir: mettre 45 ml (3 c. à soupe) de sauce aux fraises dans le fond d'une coupe à dessert.

Ajouter une boule de crème glacée et napper de sauce aux fraises. Couronner d'une grosse fraise.

1 PORTION	276 CALORIES	48 g GLUCIDES
3 g PROTÉINES	8 g LIPIDES	2,0 g FIBRES

Gâteau aux bananes pour écolier *(pour 6 personnes)*

RÉGLAGE: *MOYEN*
TEMPS DE CUISSON: *18 minutes*
CONTENANT: *un moule en couronne de 23 cm × 8 cm (9½ po × 3¼ po)*

125 ml	(½ tasse) d'huile
250 ml	(1 tasse) de sucre
2	œufs
3	bananes, en purée
400 ml	(1⅔ tasse) de farine
15 ml	(1 c. à soupe) de poudre à pâte
30 ml	(2 c. à soupe) de rhum léger Lamb's
125 ml	(½ tasse) de raisins dorés secs
2	blancs d'œufs, battus ferme
	une pincée de sel

Mettre l'huile et le sucre dans un grand bol. Incorporer les œufs, un à un, tout en mélangeant bien entre chaque addition avec un batteur électrique.

Incorporer la purée de bananes avec une spatule.

Tamiser la farine, la poudre à pâte et le sel. Incorporer au mélange d'œufs. Il est important de bien incorporer tous les ingrédients.

Ajouter le rhum, les raisins et les blancs d'œufs. Verser le mélange dans un moule à gâteau et faire cuire 18 minutes sans couvrir en tournant le moule d'¼ de tour fréquemment.

Laisser refroidir avant de démouler.

1 PORTION	525 CALORIES	77 g GLUCIDES
7 g PROTÉINES	21 g LIPIDES	0,5 g FIBRES

603

NOTES

608

Imprimé et relié au Canada
par Métropole Litho inc.
Fax: (514) 441-4242